Авантюрный детектив

Лучшее лекарство от скуки — авантюрные детективы Татьяны Поляковой:

Сериал «Анфиса и Женька — сыщицы поневоле»

Сериал «Ольга Рязанцева — дама для особых поручений»

Авантюрный детектив

Татьяна Полякова

Ночь
последнего дня

Москва 2006

УДК 82-3
ББК 84(2Рос-Рус)6-4
П 54

Оформление
С. Курбатова, А. Старикова, С. Груздева

Полякова Т.

П 54   Ночь последнего дня: Роман / Татьяна Полякова. — М.: Эксмо, 2006. — 320 с.

ISBN 5-699-17547-4
ISBN 5-699-17549-0

Я его не люблю, я его ненавижу! Однако продолжаю работать на ненавистного мне Ника, а также... спать с ним. Но я верю: придет время, и мне удастся избавиться от него. Самое смешное, что знает это и сам Ник. Его дьявольски изощренный ум изобретает множество способов держать меня рядом с собой. И среди них есть безотказный: шантажировать меня, угрожая жизни самого дорогого мне человека, подруги Машки, ради которой я готова на все... Поэтому приходится подчиняться. Но вот зачем я ему? Неужели только для того, чтобы... грамотно «подставить», свалив на меня ответственность за все свои грехи? А грехов за Ником числится много, очень много...

УДК 82-3
ББК 84(2Рос-Рус)6-4

ISBN 5-699-17547-4 (АВД)
ISBN 5-699-17549-0 (РБ)

Чисто вымыты стекла зрачков,
Руки пахнут винтовкой Мосина,
У тебя больше нет врагов,
Ты сама их сегодня бросила.

Слова из песни «Время свободы».
Группа «Два самолета»

— Дождь, — с прискорбием констатировала я, выйдя из кинотеатра.

Осень выдалась на редкость дождливой. Я поежилась, застегнула куртку и свернула в ближайший переулок, намереваясь добираться домой пешком. Перспектива вымокнуть под дождем не пугала, да и торопиться не было смысла. Еще один вечер, который сменит бессонная ночь.

Бессонница вконец меня измотала. Засыпала я обычно под утро, а то и вовсе днем, причем зачастую в самое неурочное время. Теплое молоко на ночь, таблетки — чего я только не пробовала, в том числе и излюбленный народный способ: сто грамм водки, лучше двести. Водка на меня не действовала. Напиться до бесчувствия мне никогда не удавалось. Обычно это кончалось приступом головной боли при абсолютной ясности мысли. Бутылка водки, которую я держала в холодильнике, закончилась, а новую я так и не купила. Оставалось кино по вечерам и долгие прогулки по ночному городу. Но фильм я смотрела уже дважды на этой неделе, а прогулка под дождем вышла малоприятной. Придется все-таки идти домой. Включу телевизор и буду перещелкивать каналы или читать Агату Кристи. Иногда она усыпляет.

Дождь набирал силу, я укрылась под козырьком ближайшего подъезда. Привалясь спиной к железной двери, я таращилась во двор, заросший кустами, и

5

разглядывала лужи, слабо мерцающие при свете одинокого фонаря. Минут через двадцать дождь стал стихать, и, воспользовавшись этим, я бросилась к дому бегом.

До подъезда оставалось метров триста, когда у меня зазвонил мобильный. Я достала его из кармана и взглянула на определитель номера. Звонил Ник, и меня вдруг неприятно поразила мысль, что его звонок особых эмоций не вызвал. Черт-те что. Кто бы мог подумать? Ведь еще три года назад каждое появление Ника в моей жизни вызывало животный ужас.

— Привет, — сказал он нараспев. Голос у него тихий и вкрадчивый, у меня не раз возникала ассоциация со змеиным шипением. Голос звучал обманчиво-ласково, но сейчас особой ласки в нем не слышалось, и я решила, что не все так скверно в моей жизни. — Как фильм? — спросил Ник, точно именно это его и интересовало. Его осведомленность о том, как я провожу время, давно не вызывала удивления.

— Интересный, — ответила я.

— В самом деле? Надо будет как-нибудь составить тебе компанию.

Представить Ника в кинотеатре было выше моих сил, и я решила, что это из тех намерений, которые никогда не претворяют в жизнь.

— Есть дело, — продолжил он. — Загляни ко мне.

«Ко мне» — это значит в заднюю комнату казино «Олимпия», которую Ник сделал своей штаб-квартирой. А меня вновь поразила мысль, что при словах «есть дело» я не испытываю никаких чувств. Все-таки забавное человек существо — способно привыкнуть практически ко всему.

— Я без машины, — ответила я. — Появлюсь минут через двадцать.

— О'кей, — согласился Ник, решив быть покладистым.

Я сунула телефон в карман и направилась в сторону проспекта ловить такси.

Я попросила водителя свернуть в переулок, предпочитая появиться в казино с черного хода. Металлическая дверь была снабжена звонком, я позвонила и стала ждать. Открыл мне дюжий парень из охраны, кивнул и пропустил внутрь, с неудовольствием наблюдая, как я оставляю цепочку мокрых следов на мраморном полу.

— Где ты так вымокла? — спросил сердито.

— Пыталась утопиться, — ответила я. — Но тут Ник позвонил, пришлось отложить на завтра.

— Он злой, как черт, — предупредил парень, потому что, несмотря на свою отталкивающую внешность, был, в сущности, неплохим человеком.

— Придется мне это пережить, — пожала я плечами.

Никита Полозов, или просто Ник, был личностью мифической, как греческие герои, и умел вызывать уважение граждан, вольное или невольное. Последнее было гораздо чаще. О нем ходили легенды, одна страшнее другой. Теперь я знала, что многие из них гроша ломаного не стоили, а многие он придумал сам. Но тот факт, что смельчаки, не желавшие идти навстречу Нику, очень недолго после этого топтали землю, сомнений не вызывал. Ник невероятно злопамятен, изобретателен и терпелив. И цели достигал всегда. Или почти всегда. По крайней мере, я не помнила случая, чтобы он не сумел отыграться на врагах или тех, кого считал таковыми.

Узким коридором я прошла к большой комнате с приоткрытой дверью и заглянула туда на всякий случай. Ник часто проводил здесь время, когда у него была к тому охота. Весь пол здесь застелен матами, вдоль противоположной стены зеркала. Ника не было, и я вздохнула не без облегчения. Он дважды ломал мне руку просто потому, что решил: я была недостаточно внимательна во время занятий. Его уроки не прошли даром, но сегодня я не была расположена демонстрировать свои бойцовские качества, направилась дальше к штаб-квартире и вдруг услышала из-за ее двери чьи-то всхлипывания. Всхлипывания прервал оглушительный хохот. Я вдруг непроизвольно поежилась, вспомнив свое первое посещение этой комнаты, но тут же призвала себя к порядку. Сделала еще шаг и толкнула дверь. Прямо передо мной в кресле сидел Арнольд — жирная туша сотрясалась от рыданий, по круглому безвольному лицу с большим рыхлым носом и крохотными ярко-алыми губами катились слезы, прокладывая светлые бороздки на щеках. Он вытирал их платком, большим и грязным, но они тут же появлялись вновь. Ник устроился на диване по соседству и, вытянув ноги, с душевным сочувствием наблюдал за Арнольдом. В комнате было еще трое: Витька Горохов, которого все называли Горох, Игорь Солодов и неизменный спутник Ника Денис Хворостов по кличке Розга, которого некоторые горячие головы даже считали другом Ника. Разумеется, лишь те, кто допускал абсурдную мысль, что у Никиты Полозова могут быть друзья. У меня достаточно здравого смысла, чтобы понять всю нелепость данного утверждения.

— О, Железная Леди, — первым заметил меня Горох и подмигнул.

Дурацким прозвищем я была обязана все тому же Нику. Он повернулся ко мне и спросил:

— Где тебя носит? Рискуешь пропустить все самое интересное.

Я пожала плечами, приглядываясь к Нику и пытаясь сообразить, чего следует ждать от жизни. Ник был чуть выше среднего роста и средней комплекции, чем вводил в заблуждение некоторых неразумных здоровяков, привыкших полагаться на свою недюжинную силу. Большинство из них после встречи с ним становились калеками, те, кому повезло больше, на глазах умнели и зарекались судить о человеке по внешности. Впрочем, внешность у Ника была выдающаяся, я имею в виду физиономию. Никогда раньше мне не доводилось видеть у людей таких глаз. Очень светлые, скорее голубые, чем серые. Ника можно было бы принять за слепого из-за отсутствия какого-либо выражения в них. Я находила сравнение с бутылочным стеклом наиболее удачным. Узкое лицо, без намека на румянец, загар к нему тоже вроде бы не приставал, тонкий нос, как клюв хищной птицы, и узкие губы, больше похожие на кривой шрам, чему способствовала привычка ухмыляться, вздергивая верхнюю губу. На редкость скверная рожа. Хотя, когда требовалось, Ник умудрялся выглядеть почти симпатичным. Говорил он всегда тихо. Кстати, неплохой тактический ход. Когда он начинал говорить, все замолкали. Думаю, он много работал над собой, создавая определенный имидж, но считать его выпендрежником мешал тот факт, что Никита Полозов был по-настоящему опасен.

— Здравствуй, лапочка, — очень ласково сказал он, взял меня за руку, притянул поближе и поцеловал куда-то в подбородок.

К его выкрутасам я давно привыкла, плюхнулась рядом, удостоившись полного ненависти взгляда Арнольда: женщин он терпеть не мог, а так как другой по соседству не было, то весь его гнев обрушился на меня.

— Похоже на большое горе, — констатировала я.

— Еще бы, — кивнул Ник. — Мы на грани самоубийства. Пашка нас покинул. Навсегда. Арнольдик клянется отомстить изменнику.

— На кого этот подлец променял тебя? — с невольной усмешкой спросила я, просто чтобы принять участие в разговоре, хотя страдания Арнольда меня не интересовали, но Нику могло не понравиться мое молчание, вот я и старалась.

В ответ Арнольдик разразился бурными рыданиями. Ответил за него Ник.

— Он нашел себе какого-то мальчишку лет семнадцати, уже снял для него квартиру. Мальчишка целыми днями отирается возле зимнего сада с рыжей таксой. Пашка в нем души не чает и дал Арнольдику полный расчет. С разделом имущества.

— Я хочу, чтобы этому поганцу перебили ноги, — перестав хныкать, заявил Арнольд.

— Ну, так какие проблемы? — усмехнулся Ник, и Арнольдик решил зайти с другой стороны.

— Поговори с Павликом, — жалобно попросил он. — Скажи, чтобы он ко мне вернулся. Тебя он послушает.

— Я не вмешиваюсь в сердечные дела, — хмыкнул Ник. — Любовь такая штука... приходит и уходит. Разбирайтесь сами. Катись отсюда, — совсем другим тоном заявил он. — Ты мне надоел.

Арнольд поспешил извлечь свою тушу из глубокого кресла, точно зная, что дважды Ник повторять не любит, и торопливо удалился.

Впервые застав Ника в компании жирного гомосексуалиста, я поначалу очень удивилась, пока не поняла, что Арнольд являлся ходячей энциклопедией злачных мест и людских пороков. В его сплюснутой голове, в мозгах, заплывших жиром, были сотни имен, событий и чужих слабостей. Он знал о многих людях такие интимные подробности, что мог быть по-настоящему опасен, если бы не его крайняя осторожность. Их союз с Ником был плодотворным и выгодным для обоих. Когда Нику требовался компромат на кого-то, он обращался к толстяку, и у Арнольда всегда для него что-нибудь находилось (несмотря на внешность и нетрадиционную ориентацию, дураком он не был, а в придумывании, как заманить человека в ловушку, ему и вовсе не было равных). Близкое знакомство с Ником избавляло его от издевок и служило залогом всеобщего уважения, по крайней мере, открыто его оскорблять никто не рисковал.

Как только за Арнольдом закрылась дверь, Ник обвел взглядом всю компанию. Парни убрали с физиономий дурацкие ухмылки и теперь всем своим видом демонстрировали внимание. Разумеется, я тоже.

— Завтра утром отправляем груз, — сказал Ник, прошелся по комнате, достал пиво из холодильника и кивнул мне: — Ты поедешь.

Вообще-то в круг моих обязанностей это не входило, и я спросила:

— Почему я?

Ник взглянул исподлобья, и вопрос был снят с повестки дня. Но тут подал голос Розга.

— Мы вчетвером поедем? — спросил неуверенно.

— Ты мне здесь нужен, — наливая пиво в стакан, ответил Ник. — Втроем справятся. — Парни переглянулись, но обошлись без комментариев. — Завтра в шесть утра. Все как обычно. А теперь по домам, дети мои. Вас ждут великие свершения.

Парни направились к двери, я тоже поднялась, но Ник меня остановил:

— Сядь.

Я плюхнулась на диван. Розга, глядя на меня, пожал плечами, пользуясь тем, что Ник стоит к нему спиной. Данный жест мог означать примерно следующее: черт знает, что на него нашло. Ясно, что перспектива отправиться завтра с грузом в моей компании нравится парням так же, как и мне, но спорить с Ником себе дороже. Когда они ушли, Ник повернулся ко мне и спросил хмуро:

— Тебя опять вышибли с работы?

Разумеется, я не питала иллюзий, что он о данном факте моей биографии не узнает, но не ожидала, что это произойдет так скоро. Ответить было нечего, и я развела руками. Но так как Ник продолжал смотреть на меня, буркнула:

— Мне она осточертела.

— Скажите, пожалуйста, — ухмыльнулся он. — И

что ты теперь намерена делать? Только не надейся, что я тебя опять куда-нибудь пристрою.

Я тяжко вздохнула, демонстрируя тоску и отчаяние. На этой чертовой работе Ник просто помешался. Он считал, что все мы непременно должны где-нибудь работать, платить налоги и прочее, то есть выглядеть добропорядочными гражданами. Сам он числился экспедитором в какой-то фирме. Не знаю, кому он пытался заморочить голову, разве что себе. В определенных кругах Ник был хорошо известен, а в правоохранительных органах тем более, так что оставалось лишь гадать, зачем ему был нужен этот маскарад.

Последний раз он пристроил меня продавщицей в универмаг. Торчать целый день за прилавком, растягивая рот в дурацкой улыбке, в мои планы не входило, и я приложила максимум усилий, чтобы хозяин от меня поспешил избавиться. Я сумела так его допечь, что он выгнал меня, наплевав на возможный гнев Ника.

— По мне, хоть с голоду подохни, я палец о палец не ударю, — продолжал ораторствовать Ник.

Всерьез в такую перспективу я не верила, кое-какие деньги у меня были, трачу я очень мало, так что голодная смерть мне не грозит.

— Да ладно, — промямлила я, потому что он ждал ответа, и опять вздохнула.

— Чтобы в понедельник устроилась на работу, — сурово отрезал он. — Не то башку оторву.

Вот в этом я не сомневалась и с готовностью кивнула, кашлянула и поправила робко:

— Во вторник.

— Почему во вторник? — нахмурился он.

— На понедельник у меня есть планы, а во вторник устроюсь. Честно. Я уже кое-что подыскала. — Очень хотелось избежать подробных расспросов, потому что я, разумеется, врала. Спросит — придется что-то сочинять на ходу, Ник это сразу поймет, и хорошей головомойки не избежать. Он посверлил меня взглядом и кивнул, соглашаясь, что позволило мне перевести дух. Его настроение сегодня я бы охарактеризовала как стремящееся к хорошему, чем и объяснила необыкновенную покладистость, потому что он вдруг заявил:

— Работа продавщицы тебе так же подходит, как корове седло. Надеюсь, ты найдешь что-нибудь получше. — Он замолчал, а я, выждав немного, спросила:

— Я могу идти?

— Хочешь пива? — задал он вопрос.

— Нет, спасибо.

Ник подошел ко мне сзади, наклонился и поцеловал мое плечо, оттянув вырез футболки. Хотя он, на мой взгляд, слишком часто бывал в моей постели, мне бы в голову не пришло считать его своим любовником. Это и ему вряд ли приходило в голову. К сексу с некоторых пор я относилась как к чему-то малоприятному, но неизбежному. Как правило, идея заняться со мной любовью являлась Нику, когда он был чем-то раздражен, и уж тогда даже чокнутый не стал бы называть сие удовольствием, потому что дурное расположение духа, а также свою злость Ник срывал на мне. По утрам я обычно разглядывала синяки на своем теле, мысленно обзывая его уродом, сукиным сыном и поганцем. Было время, когда я Ника ненавидела так сильно, что однажды поклялась, что когда-нибудь убью его. Случилось это несколько лет назад. Тогда Ник точно задался целью довести меня до состояния, когда человек съезжает с катушек. На издевательства он был мастер, фантазией обладал богатой, особенно в постели. И награждать меня синяками и оплеухами стало для него любимым занятием. Я ненавидела его и боялась до судорог, при одном упоминании его имени меня начинало колотить, точно в ознобе. Но однажды я, к собственному удивлению, вдруг смогла избежать удара, ловко увернувшись. Ника это тоже удивило, причем так сильно, что вторичного тычка я не дождалась. На следующий день все повторилось. Ходить с разбитой рожей мне надоело, и я принялась хитрить и уворачиваться. Сама мысль о том, что я могу это сделать, необыкновенно вдохновила: не так-то уж Ник и ловок.

Вскоре это превратилось в некую игру. Я уворачивалась, он пытался меня поймать. Иногда везло ему, иногда мне. С головой у меня уже тогда наметились проблемы, потому что в какой-то момент я поняла: игра доставляет мне удовольствие, и даже боли от тычков я не чувствовала, уверенная, что в следующий раз смогу взять реванш.

В один прекрасный момент, когда кулак Ника просвистел в сантиметре от моего уха, он повел себя неожиданно. Для начала рассмеялся. До того мгновения я не подозревала, что он способен смеяться не издевательски, а весело и даже заразительно, и слегка прибалдела от такого зрелища...

— А ты молодец, — сказал Ник. — Пойдем, покажу тебе пару приемов. — И повел меня в комнату с матами.

По большому счету, я ничего не выиграла, потому что тренером он был жестоким, и теперь мне доставалось даже больше, но издевки вдруг прекратились. Дружки его тоже присмирели. Особенно после того, как не в меру распоясавшийся Горох схлопотал от меня так, что минут десять скромно лежал в уголке возле кладовки. Разумеется, я об этом факте благоразумно молчала, и он оповещать друзей не стремился, но как-то так вышло, что парни угомонились, рук не тянули и вообще оставили меня в покое. Я прекрасно сознавала, что этим обязана Нику. Так что наши с ним отношения назвать простыми никак нельзя. Я его, конечно, и сейчас терпеть не могла, но совсем не так, как раньше. И даже находила в нем положительные стороны. По-своему он был даже справедлив. Я подозревала, что Никита Полозов далеко не худший представитель человеческого племени, и все реже представляла картину, которая не так давно грела душу: вот он лежит с простреленной башкой у моих ног в луже собственной крови и испускает дух вместе с горестным стоном.

— Что это за тип, с которым ты болталась в «Черном коте»? — спросил он, все еще стоя за моей спиной.

— В субботу? — уточнила я.

— В субботу, в субботу.

— Просто парень, — пожала я плечами. — Зовут Серегой. Познакомились в магазине, он пригласил меня в клуб. А что?

— Ничего, — ответил Ник и, обойдя диван, сел рядом.

— Он тебе чем-то не понравился? — все-таки спросила я.

— Нет, ради бога. Я рад, что ты весело проводишь время. Ну что, рыбка моя, двигай домой. Завтра у тебя тяжелый день.

По неведомой причине Ник терпеть не мог мое имя, хотя оно у меня самое обыкновенное — Юлия, и вечно придумывал мне дурацкие прозвища. «Рыбка моя» он произносил с такой издевкой, что сразу подмывало утопиться. Моя фамилия раздражала его еще больше, она довольно редкая, но тоже ничего особенного. Я предложила Нику называть меня Немо, но идея ему не показалась стоящей, так что я ходила в рыбках, зайках, детках, милашках и лапочках. Но сейчас мне было плевать на все это, меня очень занимало одно обстоятельство. Занимало до такой степени, что я, против обыкновения, решилась спросить:

— Почему все-таки я?

Вопрос сподвиг Ника на раздумья. Он поднялся, прошелся по комнате, прихлебывая пиво, и наконец ответил:

— Мне кое-что не нравится. Я хочу, чтобы ты пригляделась к парням. Груз надо доставить, и я на тебя рассчитываю. Если честно, доверять я могу только тебе.

То, что Ник никому не верит, для меня не новость, а вот то, что он доверяет мне, повергло в столбняк.

— Чего вылупилась? — усмехнулся он. — Думаешь, я не знаю, что ты спишь и видишь мои торжественные проводы с этого света на тот?

— Ну, если ты хочешь моей откровенности...

— Хочу, — вновь усмехнулся он.

— Это выглядит довольно проблематичным, но иногда я думаю: вдруг мне повезет.

Теперь он засмеялся.

— Вот-вот. По крайней мере, мы уважаем друг друга.

— Ты это серьезно? — не удержалась я.

— Вполне. В твоих теплых чувствах я не сомневаюсь, было бы странно, воспылай ты ко мне большой любовью, но я уверен: ты будешь играть по правилам. Ты же знаешь, что я сделаю с твоей Машкой, вздумай ты хоть раз дернуться.

— Знаю, — согласилась я.

— Вот видишь. Она — лучшая гарантия твоей лояльности. А эти крысы насквозь продажны. К тому же все, как один, идиоты. И у меня есть подозрение, что кто-то из них работает на дядю.

— На какого дядю? — буркнула я в замешательстве, получилось довольно глупо.

— А вот это нам и предстоит выяснить. В группе ты за старшего. И за груз отвечаешь головой. Все ясно?

— Не очень. Но суть я уловила, особенно насчет головы.

— Тогда проваливай. — Я поднялась и направилась к двери. — Спокойной ночи, моя красавица, — сказал он вдогонку. — Тебя уже не мучают кошмары?

— Значительно реже. Я с ними борюсь.

Я прикрыла за собой дверь и пошла к служебному

входу. Тот же охранник выпустил меня, и я оказалась под дождем. Мелкий, надоедливый, он сразу начал действовать на нервы. Я подумала остановить такси, но вместо этого побрела к дому пешком.

Над словами Ника стоило подумать, а в своей квартире я впадала в вялотекущую панику и размышлять здраво была не способна. Мысли, которые посетили меня, особой оригинальностью не блистали, и в конце концов я решила, что Ник наводит тень на плетень с неясной для меня целью. Вообразить, что кто-то из его людей работает на дядю, как он выразился, было невозможно. Разумеется, если этот или эти «кто-то» не потенциальные самоубийцы. Насчет их глупости в самую точку, а вот все остальное... Насколько я знала, а знала я очень мало, сам Ник работал на типа по фамилии Долгих. Тот чувствовал себя в городе полновластным хозяином благодаря своим деньгам и положению и с потенциальными врагами не церемонился. Так что прежде, чем становиться его врагом, следовало хорошо подумать. Я угодила в очередную лужу, разозлилась и послала Ника, его загадки и свои размышления к черту.

Уснула я под утро, и, как мне показалось, через мгновение после этого зазвонил будильник. Я с трудом подняла голову, включила настольную лампу и минут пять пялилась в потолок. Через полчаса я покинула квартиру, на ходу дожевывая бутерброд с сыром. Моя машина была на стоянке в двух кварталах от дома. Сторож, пожилой дядька, большой любитель поболтать, завидев меня, вышел из будки.

— Здравствуй, Юля. Куда собралась так рано?

— Подругу надо встретить из аэропорта, — ответила я.

— Дело хорошее.

Он открыл ворота, и я на своей видавшей виды «девятке» выехала с территории стоянки.

Путь мой лежал в пригород. Без десяти минут

шесть я подъехала к бывшей базе лесхоза, которую то ли купили, то ли арендовали хозяева Ника. Возле грузовика стоял Игорь, переминаясь с ноги на ногу и недовольно хмурясь.

— Привет, — сказал он, когда, покинув свою машину, я подошла ближе.

— Привет. Горох еще не подъехал? — Вопрос излишний, его машины не было.

— Время еще есть, — взглянув на часы, ответил он.

Утро выдалось холодное, мы зябко дергали плечами. Еще раз взглянув на часы, Игорь залез в кабину и завел мотор. Я решила, что мерзнуть мне ни к чему, и к нему присоединилась.

— Где носит этого придурка? — проворчал он.

Я достала телефон и набрала номер Гороха.

— В зоне недосягаемости, — пожала я плечами, услышав сообщение.

— Дрыхнет, наверное, и мобилу вырубил.

Еще пятнадцать минут мы терпеливо ждали. Игорь начал злиться, а я задремала.

— Позвони еще раз, — позвал он. Я опять набрала номер. С тем же результатом. — Ну, придурок, Ник ему башку оторвет.

— Что будем делать? — позевывая, спросила я.

— Подождем еще минут десять, может, появится.

Горох не появился.

— Придется звонить Нику, — сказала я. Перспектива не вдохновляла, но делать нечего.

— Звони, — кивнул Игорь.

Ник ответил сразу. Голос недовольный, что вполне естественно, если человека поднимают с постели ни свет ни заря.

— Что там у тебя? — спросил он.

— Горох до сих пор не появился, — доложила я.

— Он что, спятил?

— Вероятно, — не стала я спорить.

Ник раздумывал с минуту.

— Отправляйтесь вдвоем. Я сейчас позвоню Денису, он будет ждать вас на выезде из города.

Я захлопнула крышку мобильного и посмотрела на Игоря. Разговор он слышал, кивнул и не спеша тронулся с места. Игорь молчал и хмурился, должно быть, гадал, что случилось с Горохом. Разумеется, можно предположить, что тот в самом деле спит и на звонки не отвечает, но, честно говоря, у меня это вызывало сомнение. Как я уже сказала, иметь дело с Ником вовсе не сахар, так что, если парень спит, ему стоит позаботиться о своем здоровье, пока не поздно.

— Может, заедем к нему, узнаем, в чем дело? — не выдержал Игорь.

Я посмотрела на часы.

— Времени нет. Выбьемся из графика. И Ник велел забрать Розгу.

Денис ждал нас возле указателя. Он приехал на такси, злой, заспанный, и принялся демонстрировать нам свое раздражение.

— Меня уже задолбали риторические вопросы, — предупредила я. — Поезжай к Гороху и узнай, в чем дело. Или заткнись.

Парни переглянулись, но замолчали, чему я порадовалась.

Первые сто километров я дремала, свесив голову на грудь. Ник не звонил, я решила, что вполне могу устроиться со всеми удобствами, и перебралась на спальное место. Никаких сюрпризов я не ждала, по крайней мере, пока мы не пересекли границу области. По трассе все менты купленные, и тормозить машину, а уж тем более проверять никому из них в голову не придет. Это был обычный рейс, и я была абсолютно уверена, что уже завтра окажусь дома и думать забуду о поездке. Оттого все последующее явилось для меня полной неожиданностью.

Мы обогнали «КамАЗ», который еле плелся, и впереди увидели милицейскую машину, двое сотрудников ГАИ паслись возле нее. Один из них взмахнул жезлом, предлагая остановиться.

— Ты их знаешь? — спросила я Игоря, кивнув на гаишника. Игорь ездил здесь не первый год и в силу специфики своей работы знал абсолютно всех сотрудников ГАИ, разумеется, они его тоже.

— Нет, — покачал он головой. — Впервые вижу.

— Может, новенькие? — предположил Розга.

— Оба? — притормаживая и явно не зная, что делать дальше, ответил Игорь. — Ну, что? — нетерпеливо спросил он.

— Тормози, — кивнула я, и Розга со мной согласился.

— А ты задерни занавеску, — сказал он мне, — чтобы внимание не привлекать.

Я так и сделала. Машина замерла, Игорь открыл свою дверь, и я услышала голос инспектора. Он представился, спросил документы. Вроде бы ничего особенного.

— Что везете? — продолжил гаишник. Игорь объяснил. — Откройте фургон.

Мы переглянулись, Игорь все-таки вышел из кабины.

— Странно, — произнес Розга. — Или они...

Договорить он не успел, грохнул выстрел, потом сразу второй.

— Черт! — выругалась я.

Розга схватил автомат, который был укрыт под сиденьем, а я перебралась на сиденье водителя. Ранее управлять грузовой машиной мне не приходилось, но сейчас не было другого выхода. Машина дернулась, в зеркало я увидела два тела на асфальте. Второй инспектор бросился к машине, но очередь из автомата Розги его достала, и он упал, не добежав до нее пары метров. Тут выяснилось, что ментов было трое, и теперь этот третий, укрывшись за машиной, открыл стрельбу. Занятие довольно бессмысленное, если учесть расстояние, которое все увеличивалось. На счастье, дорога была пуста, «КамАЗ», который мы обогнали, успел проехать, так что свидетели баталии отсутствовали. Но выстрелы наверняка слышали, к тому же тот, кто укрылся за машиной, вполне мог успеть позвонить. Розга, который под прикрытием грузовика нырнул в кювет и смог тем временем подобраться к гаишной машине с тыла, дал очередь, и выстрелы с той стороны прекратились. С трудом я сдала назад. Розга, наклонившись над трупом, выворачивал карманы милицейского кителя. Меня больше интересовал Игорь, и я крикнула:

— Что там с Гошей?

— Ранен, — ответил Розга.

Покидать кабину я не рискнула и поторопила его:

— Хватит возиться, уходим.

Игорь был без сознания, Розга с трудом поднял его с земли и потащил к кабине. Вдвоем мы устроили его на спальнике, и я тронула с места — впереди как раз возникла вереница машин. Одной рукой управлять грузовиком я не могла и сказала:

— Набери Ника.

О том, чтобы продолжать поездку, не могло быть и речи. Надо срочно укрыть машину и попытаться разобраться в происшедшем.

— Черт, занято! — выругался Розга, в очередной раз набирая номер. Я свернула на лесную дорогу, а он заорал: — Ты что, спятила?

— Успокойся, я знаю эти места. Выйдем возле Юрьина, там есть где укрыться.

Розга вроде бы успокоился, по крайней мере, когда докладывал Нику о происшедшем, смог изъясняться вполне внятно. Изрядно намучившись на лесной дороге, которую и дорогой-то мог назвать лишь заядлый оптимист, мы выехали к деревне Юрьино, где на окраине находились склады фирмы «Конти». Там нас уже ждал Ник. Мы загнали машину в ангар, Ник открыл дверь с моей стороны (за руль, лишь только мы углубились в лес, пересел Розга) и сказал без намека на издевку:

— Добро пожаловать.

— Игорь без сознания, — сообщила я. — Я его перевязала, но...

Ник забрался в кабину, отдернул занавеску, взглянул на приятеля, потом не спеша достал пистолет и выстрелил. Розга испуганно посмотрел на меня, а Ник, покидая кабину, спросил:

— Кто-нибудь против?

Разумеется, мы скромно промолчали, правда, кое-какие мысли бродили в моей голове, и я, не удержавшись, задала вопрос:

— Может, стоило привести его в чувство и кое-что выяснить?

— Вряд ли, — пожал Ник плечами. — В смысле чувств. Парень был не жилец, до больницы мы его не довезли бы, лишнее беспокойство. Ну, так что произошло?

Я повернулась к Розге, надеясь, что он объяснит Нику, что случилось на дороге, потому что я, по большому счету, ничего не видела.

— Менты нас тормознули, — начал Розга свой рассказ. — Сам понимаешь, это насторожило. Велели открыть фургон. Игорь пошел... Я смотрел в зеркало, но они были с другой стороны... короче, кто выстрелил первым, не знаю.

Я слушала, время от времени согласно кивая. По физиономии Ника определить, как он отнесся к рассказу, не представлялось возможным. То, что произошло, вряд ли ему понравилось, и хотя груз цел, мы вполне могли последовать за Игорем. Оттого Розга особо подчеркнул пустынность дороги, наши слаженные действия и элемент неожиданности.

— Документы у них были? — задал вопрос Ник.

— В карманах ничего.

— Думаешь, ряженые? — Вопрос адресовался мне, я пожала плечами.

— Гоша их раньше не видел. Вполне могли быть и ряженые, но...

— Но? — повторил Ник.

— Если кого-то интересовал груз, неразумно было отправляться втроем. Разместили бы вдоль дороги пару стрелков, те, кто в форме, притормозили машину, и нас бы тихо сняли. И уж точно не следовало оставлять нас в кабине без присмотра.

— Троих вполне достаточно, — заговорил Розга. — Один пошел с Гошей, один был у машины, а третий вообще скрывался. Может, у них был неплохой план, но все пошло не так.

— Надеюсь, это просто придурки, которые решили подзаработать, — мрачно изрек Ник. — Потому что, если менты настоящие...

Продолжать ни к чему. Если менты настоящие, замять происшедшее будет нелегко. Возможно, отработанный маршрут придется оставить, с ущербом для бизнеса, и за это кто-то должен ответить. Перспективы вырисовывались скверные. Оттого Розга чувствовал себя не в своей тарелке и все норовил заглянуть Нику в глаза. Тот о чем-то размышлял. Назвав парней придурками (в том случае, если они действительно ряженые), он был совершенно прав. Репутация Ника плюс положение его хозяев легкой добычи не обещали. Парни либо в самом деле идиоты, которые просто не представляли масштабов собственного риска, либо были уверены, что с ситуацией справятся, то есть их хозяева считали, что смогут потягаться с нашими. Мысль представлялась мне фантастической, но как знать. Допустим, собрать необходимые сведения о транспорте при известном старании не так уж и сложно, однако... Тут выяснилось, что наши мысли с Ником были схожи, потому что он сказал:

— Допустим, они нас выследили... хотя я считаю, кто-то им помогал.

— Горох? — задал вопрос Розга. Такая же мысль пришла в голову и мне, но я предпочитала помалкивать, пока не спросят. Ни к чему демонстрировать перед Ником свою сообразительность. — Вот, сука, а я все думал, как это он умудрился проспать...

— Он спит так крепко, что удивляться не приходится, — заметил Ник. Его слова могли означать, что Ник сам отправил его на тот свет в сердцах, а могли и... Но тут он добавил: — Кто-то перерезал парню горло.

— Когда? — спросил Розга.

— Скорее всего ночью. Я ж не эксперт, — развел Ник руками. — Я поехал к нему утром и нашел в луже крови.

— Думаешь, это как-то связано с нападением?

— А ты что думаешь? — усмехнулся Ник.

— Да-а... дела. Не могу поверить, что кто-то...

— Давай прикинем, кто мог встать у нас на дороге? Я не была уверена, что мне стоит участвовать во всем этом. По большому счету, мне наплевать, кто и почему подложил Нику свинью, точнее, не Нику даже, а его хозяевам. Меня беспокоила собственная шкура, а ее сохранность напрямую зависела от того, как тут все повернется. И я понятия не имела, что для меня лучше, что хуже, вот и не хотела забивать себе голову.

— Реально мог такое провернуть только Архип, — после непродолжительных размышлений изрек Розга. — Каким-нибудь отморозкам узнать о транспорте все-таки невозможно. Разве только случайно.

— Или, к примеру, Горох подсказал, — кивнул Ник.

Розга посмотрел на него с сомнением.

— Он что, спятил? Я думаю, Архип больше подходит. Он мог организовать все это.

Об Архипе я, разумеется, не раз слышала. Психопат, вроде Ника, который считал себя очень крутым, создал свою группировку еще во времена перестройки, но, в отличие от тех, кто выжил в те времена, и не только выжил, но и кое-что нажил, не стал бизнесменом и честным налогоплательщиком, а оставался все тем же бандитом. И вроде бы даже гордился этим. Архип, конечно, самая подходящая кандидатура, если только допустить мысль, что он готов затеять военные действия. Учитывая его потенциальных противников, можно смело утверждать: он спятил. Хотя, может, я многого не знаю, и у того же Архипа была убежденность, что в такой войне он выстоит. Разумеется, убежденность, на чем-то основанная. Хотя сейчас меня не Архип волновал и не его тайны, а то, смогу ли я покинуть это место, или меня тут же и прикопают.

Мои размышления были прерваны — кто-то посигналил у ворот. Ник направился в ту сторону, и вскоре я увидела грузовик в сопровождении двух джипов. Из машин высыпали сурового вида ребята, все, как один, вооруженные. Человек десять стали переносить груз из одной машины в другую, а здоровячок со шрамом на подбородке, расстелив карту на капоте джипа, обсуждал с Ником маршрут. Розга стоял возле грузовика и следил за погрузкой. Мне делать было нечего, оттого я устроилась под навесом, запахнула куртку и решила подремать.

— Медитируешь? — спросил Ник, подходя ко мне, когда погрузка была закончена.

— Пытаюсь уснуть.

— Да? А чем ночью занималась? — Вопрос можно было счесть риторическим, но мне он таковым не показался, особенно в свете недавней гибели Гороха.

— Не люблю рано вставать, — ответила я как можно естественнее.

Ник кивнул и устроился рядом.

Вереница машин покинула склад. Сначала выехал джип, затем грузовик, снова джип, замыкала вереницу машина, на которой мы сюда прибыли, вел ее Розга. Должно быть, отгонит подальше и сожжет вместе с трупом. Хоть дорога и была пустынной, кто-то нас видел и непременно запомнил. Убытки, точнее — такие убытки, Ника не пугали, груз в фургоне стоил немалых денег, которые с лихвой окупят дополнительные затраты.

— Ну, что, — сказал Ник, поднимаясь, — и нам пора.

Если честно, я почувствовала себя неуютно. Может, я просто еще не в курсе и это последние минуты моего пребывания на грешной земле... моего грешного пребывания на земле, так, пожалуй, правильнее. Я встала, стараясь не смотреть на Ника, мне не хотелось его радовать, не хотелось, чтобы он заметил страх в моих глазах. Я пошла впереди, спиной чувствуя его взгляд. Я уже стояла вплотную к его машине, а ничего не происходило. Ник распахнул дверцу со стороны водителя, сел и недовольно взглянул на меня.

— Я долго буду ждать?

Я устроилась рядом с ним, решив, что сегодня мне повезло. Впрочем, радоваться еще рано.

Мы выехали на шоссе, Ник ловко лавировал в потоке машин. Он продолжал размышления вслух, то есть гадал, кто мог подложить нам свинью, и даже интересовался моим мнением. Оно у меня отсутствовало, но я усердно изображала интерес и тоже поучаствовала в гадании.

Необыкновенная покладистость Ника настораживала, и я не спешила вздыхать с облегчением, даже когда машина оказалась в городе. На светофоре он свернул, и я озадачилась, куда мы едем. Вскоре мы оказались во дворе двенадцатиэтажного дома и притормозили возле первого подъезда. Я взглянула вопросительно, а Ник сказал:

— Здесь квартира Гороха.

Что тут понадобилось Нику, для меня загадка, раз,

по его собственным словам, Горох нас покинул. Еще большая загадка, что тут делать мне. Ник вышел из машины, кивнув, и я тоже вышла. Кодовый замок на двери был сломан, в подъезде отвратительно воняло. Я невольно поморщилась, а мой спутник усмехнулся:

— В таких домах живут пролетарии, не самое подходящее место для профессорской дочки.

Профессорская дочка — одно из моих прозвищ, данных мне Ником. Впрочем, мой отец действительно профессор, преподает в университете. Ника это почему-то очень смешило, а мне на его насмешки было наплевать. Когда мы зашли в лифт, я все-таки спросила:

— Что ты собираешься делать в его квартире?

— Хочу, чтобы ты взглянула на труп. Вдруг появятся идеи.

— У меня сроду не было идей.

— Все когда-нибудь бывает в первый раз, — миролюбиво прокомментировал он, потом придвинулся ко мне и начал лапать. На мой взгляд, Ник чересчур увлекся. Очень может быть, что мы надолго зависнем между этажами, это, кстати, в его стиле. Но тут лифт замер, Ник от меня отлепился и спокойно покинул его, буркнув: — Шевелись.

Дверь квартиры он открыл своим ключом, на ходу объясняя:

— Когда я приехал утром, дверь была не заперта, ключи валялись на тумбочке.

— А если менты уже... — начала я, но он перебил:

— Горох пролежит здесь не один день, прежде чем кто-то хватится. Если только соседей не доконает вонь, но, судя по всему, они к ней привыкли.

Мы вошли в квартиру, Ник пропустил меня вперед.

— Где он? — спросила я, когда Ник запирал дверь.

— В кухне.

Горох лежал на полу лицом вниз. Ноги согнуты, точно он перед своей смертью стоял на коленях, правая рука откинута в сторону, левая под телом. Лица я не видела, вокруг головы лужа крови, которая успела загустеть.

— Ну, как тебе? — спросил Ник.

— Скверно, — пожала я плечами.

— В самом деле? — Он вроде бы удивился, что в свою очередь удивило меня.

— Что ты имеешь в виду?

— Ну, я подумал, что это зрелище должно тебя порадовать.

— С какой стати? — Я понятия не имела, куда он клонит, но почувствовала беспокойство.

— Я считал, ты не испытывала к парню добрых чувств. Мне даже казалось, что ты его ненавидишь. Разве не от него тебе больше всего досталось? По-моему, он тогда проявлял исключительную изобретательность.

Сообразив, о чем он говорит, я почувствовала, как холодок прошел по спине. Воспоминания, которых я тщательно избегала, мгновенно вернулись, и стало трудно дышать.

— На самом деле больше всех доставал меня ты, — зло ответила я. — Не знаю, что пришло тебе в голову, но к его смерти я не имею отношения.

— Конечно-конечно, — с готовностью согласился Ник. — Но я все-таки надеялся, что это зрелище тебя порадует.

— Ты сукин сын, — не выдержала я.

— Разумеется. Ну что, есть какие-нибудь соображения?

— Он знал убийцу. Иначе бы не впустил его в дом. — Ник согласно кивнул. Непонятно, зачем ему понадобилось выслушивать очевидное. — Он его не опасался, оттого и повернулся спиной. Единственное, что смущает, его поза.

— Да? А что в ней такого особенного?

— Похоже, Горох стоял на коленях, убийца подошел...

— Интересное соображение.

— Ага. С какой стати Гороху вставать на колени?

— Вдруг убийца был маленького роста? Допустим, он что-то уронил, Горох наклонился и... Куда ты отправилась вчера из казино? — быстро спросил Ник.

— Домой, — облизнув губы, ответила я.

— Да? Я звонил тебе через полчаса после твоего ухода. Дома тебя не было.

— Я шла пешком.

— Под дождем?

— Ну и что? Послушай, я не убивала этого придурка. И ты знаешь почему. Я бы не стала рисковать — во-первых. Он бы наверняка насторожился, явись я к нему среди ночи — во-вторых.

— Ты могла сказать, что тебя прислал я.

— Могла. Но он бы обязательно проверил. Меня его кончина не огорчила, но убивать его я бы не стала.

— Но и не стала бы возражать, если бы это сделал кто-то другой?

— Кто, к примеру? — Разговор мне не нравился, более того, слова Ника откровенно пугали.

— Человек, который был готов оказать тебе маленькую услугу в обмен на кое-какую информацию.

Если Ник был в чем-то уверен, переубедить его возможным не представлялось. Я поняла, что дела мои хуже некуда, и вздохнула.

— Что скажешь? — проявил он интерес, я пожала плечами.

— Я его не убивала, но тебе на это наплевать.

— Да ладно, — усмехнулся он. — Я пошутил. — На его губах блуждала усмешка, а я пыталась отгадать, как следует отнестись к его словам. — У тебя духа не хватит, чтобы выкинуть такое. — Он приблизился и, заглядывая мне в глаза, продолжил: — А ведь хочется?

— Еще бы, — сглотнув, ответила я. Врать Нику бесполезно, это я по опыту знала.

— Он был в твоем списке вторым номером? Первый, надеюсь, я, хотя, может, это тщеславие?

— Ты. — Я улыбнулась, пытаясь перевести разговор в шутку.

— Так кто второй? — Он спрашивал серьезно и, судя по глазам, холодным и злым, ждал ответа.

— Горох, — почти шепотом сказала я. Ник улыбнулся.

— Спасибо за откровенность. Ну вот, он лежит возле твоих ног.

— Точно. Но это меня не радует. Бог знает до чего ты додумаешься и как это мне аукнется.

— Все нормально, дорогая. — Он обнял меня за плечи и привлек к себе. Я замерла, ожидая подвоха, а он, склонившись к моему уху, шепнул: — Кто следующий?

— Придурок, — не выдержала я, хотела высвободиться, но он мне не позволил.

— Так кто следующий? Игорь? Серега? Ну?

— Серега, — сказала я, лишь бы от него отделаться.

— Я думал, все-таки Игорь, — хохотнул он, отстраняясь. — Не припомню, чем тогда отличился Серега... Ах, ну как же...

— Может, мы пойдем отсюда? — спросила я.

— Покойный более не радует? Ладно, пошли. Дверь оставлю открытой и вызову ментов. Вдруг им повезет и они найдут убийцу?

Он высадил меня на площади, и до дома я добиралась пешком. На душе было скверно: дурака Ник валял или в самом деле подозревал меня, но перспективы вырисовывались мрачные. Подобные мысли могли прийти в голову не только Нику. А мое положение и так завидным не назовешь. Угораздило же этого придурка скончаться так не вовремя... Пожалуй, Ник прав, и его смерть как-то связана с появлением ментов на дороге. Вспомнив сегодняшнее происшествие, я поморщилась. Если они настоящие менты, даже думать не хочется, что нас ожидает. Хозяева вполне могут решить, что наша безвременная кончина — небольшая плата за причиненные хлопоты. А с подачи Ника все могло выглядеть так: я настучала ментам, а потом и Гороха зарезала, потому что бедолага что-то заподозрил. Глупость несусветная, но вполне сойдет. Для меня предпочтительнее, чтобы менты оказались ряжеными. Тогда логично предположить, что кто-то из супостатов вынудил Гороха поделиться информацией, а потом его убил. В любом случае нас ждут тяжелые времена. Не зря Ник психует, у него и в более спокойной обстановке крыша едет, враги всюду мерещатся, а теперь...

Я вошла в квартиру, буркнула: «Привет, команданте» — и включила свет в прихожей. Возле двери стояли Машкины туфли. У меня на мгновение замерло сердце, как у влюбленного при встрече с давно ожидаемой возлюбленной, но я заставила себя снять куртку, сбросила кроссовки и только тогда вошла в комнату.

Машка спала в кресле, подтянув ноги к подбородку.

«Если она спит, значит, ничего не случилось, — успокаивала я себя, устраиваясь на диване. — Просто у нее свободны несколько часов, вот и все». Машка проснулась, взглянула на меня и сладко потянулась.

— Салют, солнышко.

— Салют. Давно здесь?

— А который час?

— Почти пять.

— О господи, через час надо быть в офисе. — Она вытянула ноги и опять посмотрела на меня. — Где ты была?

— Совершила увлекательную прогулку за город.

— Серьезно?

— Ага.

— С кем?

— В одиночестве.

Машка присматривалась ко мне, как будто прикидывала, стоит верить или нет. Потом поднялась, вышла в кухню и вернулась с бутылкой шампанского и двумя бокалами. Я присвистнула:

— Что за праздник?

— Несчастная, неужели забыла? — нахмурилась Машка. Судя по ее глазам, мое беспамятство ее действительно огорчило. — Сегодня твой день рождения.

— Черт, — удивилась я. — В самом деле... Спасибо, что помнишь.

— Конечно, помню. — Она открыла бутылку с громким хлопком, налила шампанское в бокалы и протянула один мне. — Поздравляю. Желаю тебе счастья. И не усмехайся, я верю, когда-нибудь мы будем счастливы. Ты будешь счастлива. Что-то произойдет, изменится, и ты обязательно будешь счастлива. Больше всего на свете я мечтаю об этом. Увидеть твои глаза такими, как раньше... У тебя самые красивые в мире глаза.

— Может, мы выпьем? — предложила я. Мы чокнулись и выпили.

— Загадала желание?

— Ага. Целых два, — кивнула я.

— Они исполнятся, вот увидишь.

— Конечно.

Машка села в кресло, посмотрела жалобно и тихо спросила:

— У тебя для меня что-нибудь есть?

Я подошла к буфету, выдвинула ящик и достала из-под салфеток маленький пакетик, подала его Машке. Она взяла, не глядя на меня, и отправилась в кухню. Она никогда не делала этого при мне, зная, какую боль я испытываю, видя, как она загоняет себя в гроб. Машка — наркоманка. Те, кто не в курсе нашей истории, считают нас сестрами. На самом деле никакие родственные узы нас не связывают.

Я познакомилась с Машкой лет в четырнадцать. Тогда шла подготовка к конкурсу красоты на звание какой-то там «мисс...», и я решила попытать счастья. Точнее, я не сомневалась, что выиграю, так как считала себя красавицей. Очередь выстроилась гигантская, дважды опоясав Дворец культуры, в котором проходил отбор. Увидев ее, я присвистнула и решила, что людям придется обойтись без моей красоты — никакие силы не заставили бы меня торчать на жаре несколько часов. Я шла вдоль вереницы девушек и вот тогда обратила внимание на Машку. На ней были туфли на высоченных каблуках, явно не ее размера, и огромная шляпа. Машка вертела головой, вызывая всеобщее недовольство, потому что народ стоял плотно и широкие поля били соседок по лицу. Одна из них не выдержала и сделала Машке замечание. Не скажу, что девица была особенно вежлива, но по сравнению с тем, что ответила ей Машка, девушка — сама интеллигентность. Последующие события я наблюдать не могла, так как продолжила свое движение вдоль очереди. Но, убедившись, что с той стороны проникнуть во Дворец культуры не представляется возможным, повернула назад.

К тому моменту перебранка плавно переросла в драку, и Машку вышвырнули из очереди, причем весьма грубо. Она летела на меня вслед за своей шляпой и непременно бы оказалась на асфальте, так как на высоких каблуках не только ходить не могла, но даже стояла с трудом. Я приняла ее в свои объятия, что и не позволило ей свалиться.

Взглянув на меня со всей суровостью, на которую была способна, Машка вознамерилась штурмовать очередь. Я взяла ее за плечо и сказала:

— Всегда можно что-нибудь придумать.

С этой фразы началась наша дружба.

Теперь уже трудно сказать, что тогда подвигло меня на дальнейшие действия, я могла бы пройти себе мимо и забыть о ней через пять минут. Наверное, это было сродни любви с первого взгляда. Я вдруг сразу поняла, что она человек, встреча с которым предопределена мне где-то там, на небесах. Машка взглянула недоверчиво, но покорно пошла за мной, когда я кивнула. Мы отправились к служебному входу, где, разумеется, тоже была охрана. Но дабы не вводить девиц, жаждущих стать какой-то там мисс, в соблазн, двери были заперты, а эта самая охрана как раз за дверями и находилась. Мы устроились неподалеку и стали ждать. Вскоре появился парень, закурил, а я отправилась с ним побеседовать. В своих чарах я никогда не сомневалась, и мы с Машкой через десять минут оказались во Дворце культуры, парень провел нас на сцену, не реагируя на возмущенные возгласы других девчонок. Отбор я, конечно, прошла, а вот Машку забраковали. Надо сказать, тогда она выглядела гадким утенком, это теперь она настоящая красавица — высокая, темноволосая, с точеными чертами лица и васильковыми глазами. Машка здорово расстроилась, а я сразу охладела к конкурсу. Домой мы отправились вместе, Машка шла босиком, держа туфли в руке, а я несла ее дурацкую шляпу.

На следующий день мы встретились, долго болтались по городу и говорили обо всем на свете. Несмотря на болтливость, я отметила, что моя новая подруга существо довольно загадочное, то есть говорит охотно и много, но о себе, своей жизни помалкивает. Когда я пригласила ее в гости, она прошлась по квартире, с интересом заглядывая во все углы, и кивнула:

— Здорово. А предки у тебя кто? — Я ответила, что отец профессор, мама была преподавателем музыки, но умерла три года назад. — Значит, ты сирота? — На

Машку это произвело впечатление, я к своему сиротству давно успела привыкнуть, пожала плечами, а Машка вновь кивнула.

Вскоре некоторая ее загадочность стала понятна. Машка жила в жуткого вида казарме на окраине, куда ее семейство поселили после того, как отчим по пьяному делу спалил дом. Машкина мать вместе с супругом здорово увлекалась выпивкой, Машка и ее старший брат были предоставлены сами себе, через год брат утонул, по обыкновению выпив лишнего. Несмотря на все это, Машка была неисправимой оптимисткой, ее нимало не смущало ни отсутствие обуви или теплой одежды, ни косые взгляды окружающих. Она ловко тырила в магазинах модные тряпки, пожимала плечами и объясняла:

— Я беру, потому что не могу купить. Когда я стану зарабатывать, буду помогать бедным и все верну.

— А если поймают? — с сомнением спрашивала я.

— Пусть попробуют, — беспечно отвечала Машка.

Я в ней очень нуждалась, хотя со стороны это, должно быть, выглядело иначе: Машка перебралась к нам с молчаливого согласия моего отца. Она носила мои тряпки, я помогала ей делать уроки и незаметно совала деньги на карманные расходы. В сущности, тогда я была очень одинока, так что неудивительно, что Машка стала для меня сестрой и самым близким человеком. После смерти мамы отец замкнулся в себе, молча переживая свою утрату. Он хмурился, когда я заговаривала о маме, и вскоре мы вообще перестали говорить. Два страдающих человека в большой квартире наедине со своей болью. Конечно, он любил меня, но собственные страдания поглощали его целиком, так что для меня места почти не оставалось. Он много работал, и мы даже виделись не часто. Ребенком я была беспроблемным, училась хорошо, занималась балетом и музыкой, отец искренне верил, что, дав мне денег и сварив кастрюлю щей на всю неделю, отцовский долг выполнил.

Ту первую зиму мы с Машкой были абсолютно счастливы.

В жизни отца появилась женщина, он этого почему-то стыдился и, собираясь на свидание, что-то неумело врал, отводя взгляд. Машка его рассекретила, я вознамерилась поговорить с отцом, что, мол, не возражаю и, напротив, рада, но ответом мне было ледяное молчание, и я сбилась где-то на середине фразы. И мы продолжили свою прежнюю жизнь: отец вроде бы сам по себе, а мы с Машкой сами по себе. А потом пришла весна, и вместе с ней первая любовь. Девочки моего тогдашнего возраста влюбляются просто потому, что время настало, для этого вовсе не надо, чтобы объект их страсти отличался какими-либо особенными достоинствами.

Я влюбилась в Пашку до того, как впервые его увидела, чему, разумеется, немало способствовала его репутация сердцееда. Надо сказать, в нашем районе он был личностью известной. Красавец, умница, он налево-направо сорил деньгами, происхождение которых было окутано тайной. Он окончил спецшколу и свободно говорил по-французски, в то время как большинство штудировали английский, любил в разговоре ввернуть французские словечки и успешно копировал манеры Алена Делона, которого боготворил, правда, тайно. За что и заработал прозвище Француз.

Как-то майским вечером мы сидели с Машкой в парке и читали стихи Марины Цветаевой, которую я тогда обожала. Стемнело, мы таращились на звезды и принялись мечтать. Особой оригинальностью наши мечты, естественно, не отличались. Тут мимо прошла компания парней, нас они не заметили, к чему мы и не стремились, зато я обратила внимание на парня, задававшего тон в их разговоре. С веселым цинизмом он разглагольствовал о смысле жизни, а меня поразил его голос. Голос действительно заслуживал внимания — низкий, с хрипотцой (думаю, Пашка усердно над этим работал), он проникал в душу и устраивался там с удобствами. Я слушала, млея и глупея одновременно, а когда парни прошли и голос стих, Машка, понаблюдав за моей идиотски мечтательной физиономией, сказала:

— Француз.

— Что? — спросила я, выходя из транса.

— Этот парень. Кличка у него Француз. Страшный выпендрежник и задавала. Девки на него вешаются, а он только посмеивается

— А имя у него есть?

— Конечно. Пашка Тимофеев. Он в спецшколе учился, нас на четыре года старше. Все девчонки от него без ума.

— А как он выглядит? — спросила я, потому что в темноте не очень-то его разглядела.

— Ален Делон. Нет, серьезно, ты фильм видела «Рокко и его братья»?

— Ну...

— Вот. Здорово похож. В «Колизее» старые фильмы крутят, так мы по пять раз на этот фильм ходили, и все сошлись во мнении, что практически одно лицо.

— Глупости, — отмахнулась я.

— А вот и нет, — обиделась Машка.

С того вечера мысли о Французе прочно обосновались в моей голове.

Весь следующий месяц дня не проходило, чтобы кто-то не напоминал мне о нем, все точно сговорились. Меня распирало от любопытства, и вместе с тем я испытывала страх: к тому моменту создав в воображении некий образ, я боялась встретиться с оригиналом и разочароваться.

На меня напала меланхолия, я бродила в парке, надолго замолкала, а Машка брела рядом и вздыхала, изо всех сил мне сочувствуя. Наше знакомство с Пашкой произошло только в августе. Мы вернулись из Турции (отец отправил нас туда со своей двоюродной сестрой) и, щеголяя умопомрачительным загаром, шли по улице, уплетая мороженое. И вдруг рядом остановилась машина, и кто-то весело спросил:

— Девчонки, не хотите покататься?

Разумеется, мы не хотели. Мы даже реагировать не собирались на это предложение до тех самых пор, пока Машка вдруг не шепнула:

— Француз.

Я повернула голову, рядом с водителем, парнем лет двадцати, сидел объект моего вожделения и улыбался. Особого сходства с Делоном я все же не обнаружила, но с готовностью признала: Пашка исключительно красивый парень

Наверное, я бы впала в столбняк, если бы Машка не ткнула меня локтем в бок. Я ожила, нахмурилась и ответила, кляня себя на чем свет стоит:

— Мы не катаемся с незнакомыми.

— Так давайте познакомимся, — резонно предложил Пашка, весело глядя на меня и сверкая улыбкой.

— Как-нибудь в другой раз, — ответила я, едва не свалясь в обморок.

Мы отправились в сторону дома, а новенькая иномарка на малой скорости ползла за нами, и парни по очереди предлагали нам одуматься. Когда мы юркнули в подъезд, я смогла дышать и даже начала различать окружающие предметы. Машка постучала пальцем по моему лбу и спросила с укоризной:

— Он тебе нравится или нет?

— По-твоему, мы должны были поехать?

— А что такого?

— Ничего, — буркнула я и замолчала.

— Не пойму я тебя, — канючила расстроенная Машка. — То ты хочешь с ним познакомиться, то бежишь от него, как ошпаренная. Когда еще выпадет такой случай?

Случай выпал на следующий же день. Мы сидели в кафе под открытым небом, Машка строила планы, где и как мы могли бы встретиться с Французом, и тут в досягаемой близости возник он сам и, улыбаясь широко и лучезарно, направился к нашему столику.

— Привет, — сказал он, без приглашения устраиваясь рядом. — Ты сказала «в следующий раз». По-моему, сейчас самое подходящее время.

— Это Юля, — поспешно ответила Машка, боясь, что я опять начну валять дурака. — А я Маша.

— Очень приятно. — Он церемонно поднялся, представился и пожал нам руки, после чего заказал чай и пирожные, успев за это время дважды нас рассмешить. В кафе мы просидели часа полтора и договорились встретиться вечером.

Поначалу наши встречи были вполне невинны, я везде появлялась с Машкой, так что домой Пашка отвозил не меня одну, а нас обеих. Надо полагать, ему это здорово надоело, на свидания он стал являться с приятелем, который всерьез взялся за Машку. Естественно, она влюбилась, скорее за компанию, и через некоторое время на Пашкиной даче произошло долгожданное событие, о котором мы с Машкой взахлеб поведали друг другу. Я пребывала на седьмом небе от счастья. Счастье было безграничным, потому что даже завистники были вынуждены признать, что Пашка переменился. По крайней мере, с другими девушками его больше не видели.

Мы с ним начали строить планы. В основном, конечно, я. К примеру, я настойчиво советовала ему восстановиться в университете, откуда его вышибли после первого курса. Очень занятый бог знает чем Пашка, должно быть, по забывчивости, на экзамены попросту не явился. Я тоже собиралась поступать в университет и усиленно занималась с Машкой. Впрочем, учеба ей давалась легко, ее родители нас не беспокоили, и я думала, идиллия продлится вечно. У меня есть любимый, есть Машка, жизнь прекрасна и обещает быть еще лучше. На городском конкурсе пианистов я получила первую премию, и Пашка так этим гордился, точно не я, а он ее получил. В газете напечатали обо мне заметку с фотографией и подписью под ней: «Юля Ким — яркая звездочка на нашем музыкальном небосклоне». Пашка месяц таскал с собой эту газету, пока она совершенно не истрепалась. А потом я стала замечать в нем перемены — сначала некую задумчивость, потом разговоры, в которых чаще всего доминировали сентенции типа «жить хорошо, но с деньгами жить значительно лучше». Затем появились старые его друзья, которых я ранее не видела. Пашка приобрел новую машину и избегал разговоров о том, где он взял на нее деньги. О том, на какие средства он живет — причем вполне сносно, а в последнее время даже припеваючи, — он вообще говорить не любил. Полагаю, потому что вранье не особенно жаловал, а может, считал себя выше этого.

Теперь, конечно, странно, как я могла так долго пребывать в неведении. Возможно, из-за того, что круг общения у меня ограничивался Машкой и еще двумя-тремя девочками из класса, которые знали о Пашке и его делах не больше моего. Он часто бывал у нас дома, но боюсь, что папа его даже не замечал, поглощенный своими делами. С отцом мы все больше отдалялись друг от друга, что в тот момент меня устраивало, мы с Машкой жили вполне независимо.

Однажды Пашка позвонил и попросил меня забрать сумку из камеры хранении в аэропорту. Разумеется, я спросила, что это за сумка и с какой такой стати мне тащиться в аэропорт. Пашка объяснил, что сумка предназначается ему, а оставил ее там приятель, который был проездом в нашем городе и не имел времени встретиться с Пашкой. В сумке икра из Астрахани, Пашка намеревается ее продать, у него и покупатель уже имеется, покупатель ждет товар сегодня, а у самого Пашки нет никакой возможности его забрать. Не будь я тогда такой дурой, сразу бы заподозрила неладное, особенно в свете тех инструкций, которыми он снабдил меня вместе с номером ячейки и кодом: куда я должна посмотреть, что сделать и прочее в том же духе. Он заставил меня дважды повторить, что я должна сделать, прежде чем забрать сумку, я повторила и обо всем счастливо забыла уже через пять минут. Разумеется, Машка увязалась со мной. Наверное, что-то вроде предчувствия посетило меня в тот день, потому что вопреки всякой логике я упорно не хотела брать ее в аэропорт. Мы даже поссорились, Машка обиделась, и я пошла на попятный.

Мы взяли такси, как велел Пашка, и поехали. Попросив водителя подождать, прямиком отправились к ячейкам и, весело болтая, забрали сумку. На выходе из аэропорта нас и взяли. Понятия не имея, во что вляпались, мы поначалу даже не особенно испугались и разгневались: мол, в чем дело и какое вы имеете право... В сумке оказался килограмм героина. Поверить в такое я не могла. То есть категорически отказывалась принять очевидное, хотя наличие наркоты легко объясняло и Пашкину развеселую жизнь, и малоприятных дружков, и даже его наставления. Но я отказывалась верить, что Пашка имеет к этому отношение, и уж тем более была не в состоянии вообразить, что он попросту меня подставил.

Уже во время следствия я узнала, что интерес к нему у правоохранительных органов возник давно, и Пашка о нем догадывался, оттого и отправил за «грузом» меня. Поведи я себя иначе, у нас был бы шанс отделаться жутким испугом. Юные девушки, ни в чем скверном не замешанные, прилежные ученицы, опять же папа-профессор... Надо было только одно: рассказать правду. Но я молчала, потому что сдать Пашку не могла. Просто не могла и вообще перестала говорить что-либо, доводя следователя до бешенства. Я молчала потому, что любила Пашку, а Машка молчала, потому что любила меня. И мы получили на всю катушку, чтоб другим неповадно было. И папа-профессор, и лучший в городе адвокат ничем не помогли, потому что на суде мы тоже молчали, как две рыбы, и судья расценила это как злостное нежелание раскаяться. Вот так вместо университета мы оказались в колонии для несовершеннолетних. После приговора я рыдала всю ночь и молила господа лишь о том, чтобы оказаться в одной колонии с Машкой, потому что была уверена: Машка там не выдержит, тюрьма для нее совершенно неподходящее место. Как будто оно подходило мне. Господь меня услышал, или просто нашлись добрые люди, но мы попали в одно место.

Выжили мы исключительно благодаря оптимизму Машки.

— Живут и там люди, — весело заявила она еще по дороге. — И мы привыкнем.

Она улыбалась и строила планы, и мне при виде ее стойкого жизнелюбия раскисать было стыдно. Очень скоро жизнелюбие мне понадобилось. Время шло, а от Пашки не было ни одного письма. После нашего ареста из города он исчез, Машка выдвинула версию, что он не пишет, потому что в бегах и, куда писать, попросту не знает, и ему сейчас гораздо хуже, чем нам, потому что мы вдвоем, а он там один и страдает в неведении и отчаянии. Я писала письма всем, чей адрес знала, с просьбой передать Пашке, если случится его встретить, где я нахожусь. И на Рождество получила открытку. Там было всего три слова: «Забудь меня, пожалуйста». И вновь меня спасла Машка. Шмыгала носом, сидя рядом, и вдруг заявила:

— Юлька, если ты чего надумала, так давай вместе.

— Чего — вместе? — не поняла я.

— Ну, не знаю. Вены вскроем или удавимся. Мне-то в принципе все равно, главное, чтобы вместе.

— Ты спятила, что ли? — разозлилась я, испытывая

жгучий стыд, потому что как раз и размышляла, что легче проделать: вскрыть вены или удавиться.

— Только не делай вид, что ты об этом не думала, — ядовито сказала Машка, сморщив нос. — Имей в виду, куда ты, туда и я! — сказала весело, но абсолютно серьезно, а главное — убедительно. И я, не сходя с места, решила: с моей стороны страшное свинство — сначала втравить Машку в историю, а потом бросить здесь одну, и мысли о самоубийстве оставили меня раз и навсегда.

Спокойной нашу жизнь назвать было никак нельзя. Забот хватало, и сердечные проблемы отступили на второй план. Меня присмотрел начальник колонии, дядька лет шестидесяти, чем-то очень похожий на моего покойного дедушку. Эта похожесть смущала, и поначалу я даже предположить не могла, чего ему от меня надо. Машка предположила, что я похожа на его дочку или внучку, что вероятнее, а он человек хороший и изо всех сил мне сочувствует. Но шустрые девахи из нашего барака мигом объяснили, что к чему, а вскоре и от самого «дедушки» последовало недвусмысленное предложение. Чем бы все кончилось, одному господу ведомо: власть начальника против моего характера... Но дядя здорово поднаторел в прикладной психологии, и всяческим гонениям начала подвергаться Машка, а отнюдь не я. Как человек его положения способен усложнить жизнь обычной зэчке, объяснять не надо. Я могла избавить Машку от неприятностей, а для этого только и требуется... Что, собственно, меня останавливает? Любовь, о которой просили забыть? И я сделала выбор. Но почти сразу поняла, что свои силы переоценила. Не для меня все это. Лучше действительно удавиться. Но, вернувшись со своего первого «свидания», я застала Машку с таким опрокинутым лицом, точно по душе ей прошлись сапогами, и сделала то, чего сама от себя за минуту до этого никак не ожидала. Подмигнула и сказала весело:

— Теперь масло будем жрать килограммами. Считай, повезло. А дядька и правда неплохой.

Примерно так оно и оказалось. Начальство прониклось ко мне большой симпатией, нас перевели в первый барак, где условия были получше, а обитатели поспокойнее, вместо работы в мастерских мы занимались самодеятельностью или писали плакаты, которые, по замыслу нашего начальника, должны были пробуждать в сердцах стремление к лучшей жизни, а главное, к законопослушанию. В общем, сеяли в меру сил разумное, доброе, вечное. Потом нам исполнилось восемнадцать, и нас с Машкой перевели на взрослую зону. Нам опять повезло, а может, начальство расстаралось, но мы вновь оказались вместе. Как ни странно, там стало легче. То, что я профессорская дочка, никого не напрягало, народ встречался разный, иногда довольно занятный. Здесь меня приглядел начальник по воспитательной части, но на этот раз обошлось без воспитания, и устроились мы еще лучше, чем на малолетке: меня назначили помощником библиотекаря, Машку тоже не забыли, и вместо того, чтобы шить рукавицы, мы читали любовные романы и играли в драмкружке. А потом занялись танцами. Идея, как всегда, принадлежала Машке. В комнате отдыха был старенький магнитофон с одной-единственной кассетой: аргентинское танго. Кто до нас тосковал под нее и мечтал о страстной любви, мне неведомо, но я безгранично благодарна этому человеку, потому что кассета невероятно скрашивала нашу жизнь.

— Ты умеешь танцевать танго? — спросила Машка задумчиво, вслушиваясь в незнакомые слова.

— Ну, могу, — ответила я, не желая особо рекламировать свои таланты.

— Научи меня, — попросила она.

И я принялась ее учить. По нескольку часов в день мы самозабвенно танцевали, отдаваясь музыке со всей страстью и забывая обо всем на свете, и вскоре достигли вершин мастерства. Благой порыв не остался незамеченным, нам предложили организовать что-то вроде кружка, и теперь каждый вечер три десятка женщин неумело повторяли одни и те же движения, и глаза их начинали гореть, а спины распрямлялись. Самодеятельность у нас с тех пор была на высоте, приезжее начальство приходило в восторг, а я под девизом «Нет предела совершенству!» с благословения все того же начальства давала уроки музыки, благо что пианино тоже нашлось. Потом был организован хор, в котором пели все желающие, и начальство могло быть спокойно за наши души. Надо отдать должное и моему новоиспеченному любовнику, и его непосредственному начальству — они действительно относились к нам с большой симпатией, благодаря их усилиям, ходатайствам и самым радужным характеристикам мы покинули данное учреждение раньше, чем предполагалось. И вскоре вновь оказались в родном городе.

К тому времени мать Машки умерла, замерзнув по пьяному делу, а отчим угодил в тюрьму, откуда писал Машке слезные письма с просьбой помнить добро и не оставлять его без помощи. Барак, где когда-то жила моя подруга, снесли, так что возвращаться ей, по большому счету, было некуда. Так же, как, впрочем, и мне — отец, с трудом оправившись от позора, женился и теперь воспитывал сына, о котором, как выяснилось, мечтал всю жизнь.

Мое появление в родном доме было встречено без восторга со стороны отца и явной неприязнью со стороны его супруги. Но в тот момент не это меня волновало. Я хотела встретиться с Пашкой. Зачем, я и сама не знала, так же, как понятия не имела, что собираюсь сказать ему при встрече. Но ни о чем другом думать не могла, и мне ни разу не пришла в голову мысль, что ему надо сказать спасибо за ту открытку. Что бы со мной было, пиши он письма, полные любви и надежды?

Вместо того чтобы попытаться как-то наладить свою жизнь, мы с Машкой принялись искать Пашку. Это оказалось не так просто. Вроде бы он был в городе, а вроде бы исчез. По слухам, у него большие неприятности, что меня не удивило, имея в виду способ, которым он зарабатывал на жизнь, с другой стороны, по тем же слухам, с наркотой он завязал после того памятного случая, то есть после того, как мы оказались в тюрьме. Так что о причинах Пашкиных неприятностей оставалось лишь гадать. Но, судя по всему, все было очень серьезно, так как искали его люди, о которых предпочитали говорить шепотом и полунамеками.

Из разрозненных сплетен, слухов и обрывков фраз я сделала вывод, что Пашка в большой беде, и вместо того, чтобы держаться от него подальше, вознамерилась его спасать. Хотя и не знала, от чего. Я все еще его любила и не желала мириться с очевидным. Машка мои намерения активно поддерживала и выдвигала идеи одну фантастичнее другой. Разумеется, Пашка все еще меня любит, в этом она не сомневалась. Конечно, любит. Как же иначе?

Мать Пашки о его делах знала не больше нашего. По крайней мере, такое впечатление я вынесла после долгой беседы с ней. В отличие от прочих бывших знакомых, нас она встретила не только доброжелательно, но и с большой готовностью помочь. Она по-прежнему преподавала в техническом вузе и жила с младшим сыном, который учился в университете на втором курсе. Не очень-то рассчитывая на теплый прием, я спросила, как связаться с Пашкой, на что она ответила, с грустью глядя на меня:

— Юленька, может, не стоит этого делать? Мой

сын уже искалечил тебе жизнь. Теперь тебе надо начинать ее заново. Я могу устроить вас техничками в институт, на первое время и это неплохо. Пойдете учиться в техникум, с поступлением я помогу. А там можно и в институт. Ты свободно говорила по-английски, за полгода наверстаешь упущенное, сможешь подрабатывать репетиторством, я порекомендую тебя нужным людям, и в учениках недостатка не будет. Пройдет несколько лет, и прошлое забудется, как страшный сон.

Разумеется, она была права. Послушай я ее тогда, и моя жизнь могла бы стать совсем другой. Но кто же умные советы слушает? Впрочем, тогда я с ней во всем согласилась, и на работу мы с Машкой устроились. Усердно намывали полы, ловя на себе взгляды, то презрительные, то просто любопытные, а по вечерам прочесывали места, в которых раньше любил появляться Пашка, в надежде хоть что-то узнать о нем.

Время шло, я не жила, а пребывала в каком-то лихорадочном ожидании. Отец, узнав о том, что мы устроились на работу, только поморщился, а потом предложил снять для нас квартиру, обещая заплатить за полгода вперед. Это можно было расценить как предложение убираться с глаз долой. Именно так мы и расценили и вскоре съехали.

Где-то через неделю мы заглянули в бар «Визави», и здесь Пашкин приятель Игорь Сергеев шепнул мне, что Пашка никуда не уезжал. У него действительно серьезные неприятности, его ищут очень опасные люди, должно быть, впутался в очередную скверную историю и по этой причине где-то прячется. Вот тогда я и вспомнила об одном богом забытом месте, куда Пашка во времена нашей большой любви привозил меня. Это был дом его прадеда. Что-то там вышло непонятное с документами, вовремя не оформленное наследство, кажется. Продать дом не представлялось возможным, а никому из родственников он вроде бы не нужен, вот и стоял он среди леса, постепенно ветшая все больше и больше.

Я смутно помнила название железнодорожной станции — вроде бы «Новки», название же деревни начисто стерлось из памяти, а может, Пашка и не называл ее. Тогда мы с ним ездили на машине, я вспомнила железнодорожный переезд, здание станции в один этаж, оштукатуренное и окрашенное розовой краской. Оттуда шла дорога в лес. И где-то там, в стороне от небольшой деревушки, среди высоченных сосен, стоял дом.

В тот же день мы с Машкой купили карту области, нашли на ней железнодорожную станцию Новки, а также узнали расписание электричек. И в ближайшее воскресенье туда отправились.

Переезд и станцию я сразу же узнала. Приземистое здание вокзала с большими окнами на фасаде и сейчас было выкрашено в розовый цвет, дорога — узкая, песчаная — от переезда шла в лес. Воодушевленные первой удачей, мы пошли по дороге и вскоре добрались до деревни. На указателе название: «Ягодное». Дорога рассекала деревню надвое и обрывалась у реки. В какой стороне следует искать дом, я понятия не имела, но точно помнила: на машине мы подъезжали к самому дому, значит, дорога должна быть.

Мы вернулись в деревню и попытались выяснить у немногочисленных местных жителей, где здесь одинокий дом в лесу. Когда мы вконец отчаялись, одна из старушек сообразила, о чем идет речь.

— Дом художника вы ищете, что ли? — Пашка не говорил, что его прадед был художником, но я согласно кивнула. — Так это у Ставрогина, — продолжила бабка. — Отсюда далеко. Вам надо к станции вернуться, там будет просека, по ней и идите.

Мы повернули назад и, когда впереди был уже виден переезд, действительно обнаружили просеку. Лесная дорога еле-еле проступала сквозь высокую траву.

Вокруг стояли стеной сосны, пели птицы, Машка без конца замирала и спрашивала, обращаясь ко мне:

— Слышишь?

На лице ее блуждала счастливая улыбка, но мне было не до лесных красот и не до пения птиц. Не чувствуя усталости, я рвалась вперед, и где-то через час мы увидели дом — он стоял на высоком берегу реки, окруженный соснами, двухэтажный, из мощных бревен. За рекой напротив раскинулось большое село, отсюда мы видели церковную колокольню и крохотные домики вокруг в зарослях сирени. А вот дом с того берега реки вряд ли был виден, Пашкин прадед, должно быть, стремился к уединению и предпочитал держаться подальше от человеческого жилья.

На первый взгляд дом казался необитаемым. Изрядно обветшалый, с проржавевшей крышей, основательно разграбленный: резные наличники с большинства окон были сняты, в окнах второго этажа стекла выбиты, крыльцо сгнило и заросло крапивой.

Но кое-что внушало надежду. Сюда явно недавно кто-то заглядывал — от леса к крыльцу вела тропинка. По ней я уже бежала. Дверь в дом была заперта на щеколду, ясно, что сейчас тут никого нет. Мы открыли дверь и вошли. Мебель тоже успели растащить, но кухня была обитаема. Свернутый спальный мешок в углу, пластиковая посуда на столе аккуратной стопочкой, полотенце возле умывальника, ведро наполовину наполнено водой (за домом, как я помнила, был ключик). Но, главное, плита — она еще была теплой, на ней стоял закопченный чайник, и вода в нем не успела остыть.

— Он здесь! — взвизгнула Машка. — Ушел куда-нибудь. В магазин, наверное, или просто прогуляться. А может, купаться отправился.

Я кивнула, не в силах вымолвить ни слова. Мысль о том, что вскоре увижу Пашку, кружила голову, я боялась думать о том, какой будет наша встреча, и по-прежнему не знала, что скажу ему, но в тот момент это было неважно. Главное, я его нашла.

Мы устроились за столом возле окна и стали ждать, то и дело поглядывая на тропинку. Где-то через час на ней появился человек, а я едва не хлопнулась в обморок: мужчина лет сорока в стареньком спортивном костюме, в белой панаме и с хозяйственной сумкой в руке ничего общего с Пашкой не имел. Он не торопясь приближался к дому, потом вдруг замер и оглянулся. Что-то, вне всякого сомнения, вызвало его тревогу. Он даже отступил назад в лес и теперь скрылся за деревьями.

— Он нас видел? — спросила Машка. — Это он здесь живет? Чего тогда спрятался? А Пашка где?

Ни на один из ее вопросов ответа я не знала, но почему-то была уверена, что мужчина непрошеным гостям не обрадуется.

— Вот что, давай-ка сматываться отсюда, — сказала я.

— Как сматываться? А Пашка?

Но я уже шла к двери, она выходила в сторону реки, и мужчина, находясь в лесу, видеть нас не мог. Мы вышли на крыльцо, заперли дверь на щеколду и припустили к ближайшим кустам. Здесь Машка схватила меня за руку и зашептала:

— Не можем мы вот так взять и уйти. Вдруг этот тип знает что-нибудь о Пашке? Надо бы с ним поговорить.

— Это вряд ли, — нахмурилась я. — У меня такое впечатление, что он сам от кого-то прячется.

— Так и Пашка прячется. Может, они на пару...

Ее слова произвели впечатление. Человек, который скрылся в лесу, в самом деле мог быть Пашкиным приятелем. Или он так же, как и мы, интересовался его местонахождением, а присутствие свое скрывал, не желая спугнуть все того же Пашку. В пользу первой версии — сумка в его руках. Выслеживать с ней кого-то довольно глупо. В пользу второй — возраст мужчины: он был раза в два старше Пашки, хотя для дружбы это не помеха. Правда, ранее я подобных знакомств у Пашки не наблюдала.

В конце концов мы на четвереньках переместились подальше от дома, но так, чтобы входная дверь оставалась в поле нашего зрения. Некоторое время ничего не происходило, потом на тропе вновь появился мужчина. Практически бесшумно он достиг двери, замер, разглядывая щеколду, огляделся и вошел в дом. Подобравшись поближе, мы услышали, как он чем-то гремит в кухне, несколько раз в окне мелькнул его силуэт. Прошло минут сорок, в кустах сидеть нам надоело, насекомые здорово досаждали, а нам приходилось соблюдать осторожность.

— Что будем делать? — спросила Машка, почесывая искусанную руку. — Почему бы, в конце концов, не поговорить с ним? Соврем, что в лесу заблудились, попросим объяснить, как выйти к деревне.

Вполне разумное предложение, но что-то удерживало меня в кустах, хотя ожидание и мне надоело.

— Подождем еще немного, — вздохнула я.

И тут события начали стремительно развиваться. Из леса появились люди — человек пять. Их намерения были совершенно очевидны: они взяли дом в кольцо и теперь быстро приближались к нему. Мимо нашего укрытия прошел здоровенный детина с лошадиной физиономией, я едва успела дернуть Машку за руку, и мы залегли в высокой траве. Парень нас не заметил только потому, что не ожидал здесь застать никого, кроме хозяина дома. То, что интересует их именно он, тоже сомнений не вызывало.

Мужчина их заметил чуть позже, чем мы. Окно распахнулось, и он что-то выбросил в кусты, которые росли в нескольких метрах от дома, а еще через мгновение он появился на крыльце и побежал к реке. Расчет был верный: если он неплохо плавает, очень скоро окажется в селе, в лесу схватить его у парней больше шансов. Но до реки добежать он не успел. Со зловещим ревом из-за деревьев появился огромный джип, отсекая мужчину от реки, и он оказался в ловушке. Заметался, пытаясь уйти от машины, прыгнул в кусты, но кольцо преследователей сжималось, и очень скоро его схватили.

Все это я наблюдала, чуть приподняв из травы голову. Крики и рев двигателя стихли, голоса еще доносились, но слов разобрать я не могла, и то, что происходит перед домом, тоже не видела из-за джипа, а сдвинуться с места боялась, ведь нас легко могли обнаружить. Машка, лежавшая на земле, повернув голову, задала мне немой вопрос. Я приложила палец к губам.

Я была уверена, что мужчину запихнут в машину и увезут, но у парней были совсем другие планы. Надо полагать, его допрашивали. Я по-прежнему слышала голоса, звуки ударов и приглушенные вскрики. Продолжалось это минут двадцать. Потом я вновь увидела мужчину, двое дюжих молодцов тащили его под руки к дому. В поле моего зрения появился сухощавый блондин. Одной рукой отмахиваясь от комаров, он хмуро огляделся и вдруг замер, взгляд его был устремлен в нашем направлении. Я тоже замерла, закрыв глаза, с трудом преодолев искушение резко опустить голову. Он мог заметить движение и решить проверить, что там, в траве, движется. Я сосчитала до сотни, прежде чем открыла глаза. Парень все так же разглядывал лес перед собой, но теперь взгляд его переместился в сторону, что позволило мне вздохнуть с облегчением.

Однако особо радоваться я не спешила. Его что-то насторожило, возможно, он просто почувствовал мой взгляд. Чутьем Ник в самом деле обладал исключительным. Это была первая наша встреча, и, несмотря на страх, его физиономию я отлично запомнила. Потом мне не раз снились лес, джип и Ник, настороженно вглядывающийся в заросли березняка. Жуткая физиономия, весьма подходящая для кошмаров.

Мужчину швырнули в дом, он был без сознания или уже мертв, потому что попыток выбраться не предпринимал, даже когда они подожгли дом, со всех сторон облив его бензином. Ник щелкнул зажигалкой и бросил ее в дверной проем. Сухие бревна вспыхнули мгновенно. Через пять минут дом был весь в огне, выбраться из бушующего пламени возможным не представлялось, но Ник рисковать не хотел и, только когда с шумом обрушилась кровля, вместе со своими людьми загрузился в машину. Они поехали в противоположную сторону от станции через лес по еле заметной лесной дороге. Когда машина скрылась с глаз, я решилась приподняться.

— Дядька в доме? — испуганно спросила Машка, отказываясь верить в происходящее. Я молча кивнула. — Надо бежать на станцию, вдруг...

В то, что мужчине могла понадобиться помощь, я даже не надеялась. Он мертв. И я бы очень хотела, чтобы смерть его наступила раньше, чем вспыхнул дом. При мысли о том, что он сгорел заживо, тело сводило судорогой.

— Мы ему не поможем, — сказала я тихо. — Надо сматываться.

— А как же...

— Давай поторопимся, — перебила я.

По дороге мы тоже не пошли, отправились через лес, рискуя заблудиться. Пожар, скорее всего, заметили, если будет следствие, жители деревни, безусловно, расскажут о нас, но я надеялась, что отыскать нас в большом городе по описанию трех стариков будет невозможно. Идти в милицию мне и в голову не пришло. Не очень-то я ей доверяла. А с нашей биографией нам там вряд ли поверят. Замучают вопросами. Зато если убийцы узнают о нас, а они, я была уверена, непременно узнают, отправься мы в милицию, найдут нас не в пример быстрее и церемониться не будут. Значит, надо спешно выбираться отсюда и забыть о том, что видели.

Все это я внушала Машке, пока мы шли к станции. Тишину леса взорвала пожарная сирена, и в просвете между деревьев мы увидели красные машины.

— Вот что, — вздохнула я, — пожалуй, на станцию возвращаться не стоит. Они найдут труп...

— Юлька, я ничего не понимаю. Где Пашка? А вдруг он придет сюда? За что они дядьку убили? И кто такие эти типы?

— Бандиты, — ответила я. — Они его искали, это ясно. Должно быть, выследили. Не мог же он безвылазно в доме сидеть. А как это все связано с Пашкой... В общем, не зря болтали, что у него неприятности. Я надеюсь, он нашел укрытие получше.

— И что теперь? — заглядывая мне в глаза, продолжала Машка задавать вопросы. — Как мы будем его искать?

— Не знаю. Давай для начала выберемся отсюда.

Мы долго шли по лесу вдоль железнодорожного полотна. Наконец лес расступился, и мы выбрались на шоссе. До города решили добираться автостопом. Мы стояли на обочине, испуганные и оттого молчаливые, и ждали попутного транспорта. Движение здесь оживленным назвать никак нельзя, минут за пять проехали только три машины, да и то в противоположном направлении. Места дачные, а дачникам возвращаться в город еще рано. Тут на дороге возник «Мерседес». Я намеревалась его проигнорировать — по моим представлениям, хозяева роскошных тачек в дополнительном заработке не нуждаются, а заводить знакомства желания не было.

«Мерседес» притормозил, а потом плавно остановился возле нас, без всякого нашего к тому стремления. Дверца со стороны пассажира распахнулась, а мы с Машкой переглянулись, после чего решили сесть. Мужчина был один, что, собственно, и подвигло нас на подобное действие. На вид ему было лет тридцать пять, и он, как и мы, не тяготел к знакомствам. По крайней мере, никаких попыток познакомиться не предпринимал. Спросил, куда мы едем, и, услышав ответ, удовлетворенно кивнул, а я успокоилась, решив, что мужчина просто хороший человек и не прочь сделать доброе дело, скрасив дорогу беседой.

Если бы я тогда знала, какую гнусную шутку выкинет судьба и в чьей машине мы тогда оказались... Но знать этого я, разумеется, не могла, смотрела в окно и время от времени пожимала Машкину руку. Машка продолжала нервно вздрагивать. Наверное, мужчина заметил наше волнение, поглядывал в зеркало, а потом все-таки спросил:

— С дачи возвращаетесь?

— От друзей, — туманно ответила я.

— Из Демихова?

Я не знала ни одной деревни в округе и согласно кивнула.

— И у кого вы там были в гостях? — В вопросе не было подвоха, мужчина просто проявил любопытство.

— Мы, собственно, не из самого Демихова.

Тут мужчина взглянул в зеркало и поспешил прижаться к обочине, давая дорогу двум пожарным машинам.

— Где-то пожар, — сказал задумчиво. — Дым был виден над лесом. Кажется, в Сосновке горело.

Не успела я порадоваться, что он потерял интерес к тому, где мы гостили, как Машка вдруг выпалила:

— Это одинокий дом сгорел, в лесу, что напротив села.

Я до боли сжала ее пальцы, она испуганно замолчала, а мужчина повернулся, сказал неопределенно: «Да?» — и тоже замолчал.

С какой такой радости Машка вдруг заговорила,

она и сама объяснить не могла. Я думаю, это и было то, что принято называть судьбой. Стечение обстоятельств. Вроде бы малозначащие совпадения, которые приводят человека к краху всей его жизни. Мы могли уйти от одинокого дома на берегу чуть раньше и не стали бы свидетелями убийства, мы могли чуть позже выйти на дорогу и не встретить мужчину с проницательными глазами, смуглым красивым лицом и неторопливой манерой произносить слова... Уже потом, увидев портрет в газете, я поняла, на кого угораздило нас тогда нарваться и как Ник, в результате все тех же незначительных совпадений, смог легко найти нас, собирая по зернышку сведения, как птаха божья: словечко здесь, словечко там, и вот разрозненные факты уже складываются в картинку, на которой как будто стрелка с надписью: «Они там».

— Высадите нас возле главпочтамта, — попросила я, когда мы въехали в город.

— Где вы живете? — поинтересовался он.

— На Сурикова, — ответила Машка, сказав зачем-то правду. И вновь судьба!

— Нам по дороге.

Он подвез нас к самому дому. Денег, разумеется, не взял. Мы поблагодарили и вошли в подъезд. Надо признать: возникло у меня в тот самый момент скверное, саднящее чувство, но я списала его на недавние события — а какому ж еще чувству быть, когда, можно сказать, на твоих глазах убили человека?

В ту ночь мы не спали. Лежали в темноте, прижавшись друг к другу, боясь нарушить молчание. Во вторник, после работы по дороге домой, я купила газету. О пожаре небольшая заметка на третьей странице в разделе «Происшествия». Сгорел дом, обнаружен труп со следами насильственной смерти. Установить личность убитого, а также владельцев дома пока не удалось. Ведется следствие.

— Выходит, о нас они не знают? — вслух подумала Машка.

— Может, и знают. Хотя, если повезло...

Прошло несколько дней. Нас никто не искал, и я понемногу успокоилась. Мысли мои вернулись к Пашке, то есть я о нем думать не переставала, но теперь во мне зрела убежденность, что его надо найти как можно скорее, и не только потому, что я очень хотела его видеть. Если он как-то связан с убитым, то дела его и впрямь скверные.

И мы с Машкой вновь отправились на поиски. Приставали с расспросами к знакомым, просили передать при случае Пашке, что мы вернулись. Люди кивали, чтобы от нас отделаться, и я не особо верила, что все это поможет мне его найти, но другого способа не знала.

В один из вечеров мы забрели в бар неподалеку от центра. Хозяин, мужчина лет пятидесяти, предпочитал сам стоять за стойкой. Когда-то Пашка любил бывать здесь. Завидев нас, Виктор Петрович, которого давние знакомые звали просто Петровичем, улыбнулся нам и дежурно спросил:

— Как успехи?

— Не очень. Люди говорят, что Пашка в городе, но я в это не верю. Если бы было так, он бы нашел возможность со мной встретиться. — Петрович пожал плечами. — Если он вдруг позвонит, — добавила я, глядя ему в глаза, — передайте, что я была в доме.

— В доме? — Он нахмурился, а я кивнула:

— Да. В доме. Он поймет.

Понять Пашка мог лишь в том случае, если был связан с убитым. Если не это обстоятельство, то хотя бы любопытство должно было его заставить позвонить мне.

Машка поглядывала на меня с сожалением, торопливо отводя взгляд, лишь только я поворачивалась к ней. Наверное, ей все чаще приходила в голову мысль, которая и меня не раз посещала: Пашка не хочет, чтобы его нашли, то есть вовсе не стремится к встрече со мной. То, что он упорно молчал все эти годы, тому подтверждение. Предположим, он не мог приехать или сообщить свой адрес из-за своих неприятностей, но пару писем отправить был вполне способен.

Не знаю, чего больше было в этих поисках, любви или ослиного упрямства, но каждый вечер все повторялось. В пятницу Машка вдруг сказала, когда мы шли из одного бара в другой:

— Он что-то выбросил.

— Кто? — не поняла я.

— Дядька, которого убили. Он что-то выбросил в кусты, помнишь? Он не хотел, чтобы эти типы нашли эту вещь. Я все думала, думала и решила: ее они и искали. Оттого и сожгли дом. Он им ее не отдал, а они были уверены, что вещь где-то здесь, при нем то есть. Вот и сожгли.

— Он мог ее закопать, к примеру.

— Ага, мог... Только ведь мы с тобой знаем: он ее не закапывал. Она валяется где-то в кустах.

— Ее могли найти пожарные или следователи, что более вероятно. Труп со следами насильственной смерти, значит, они просто обязаны были все вокруг как следует осмотреть.

— Возможно, и нашли. Но сдается мне, она до сих пор там лежит.

— Что, по-твоему, это может быть?

— Понятия не имею. Давай махнем туда и поищем.

— Не стоит нам там появляться.

— Мы можем сойти на соседней станции и к дому идти пешком. У нас есть карта. Ну, так что?

Разумеется, мы поехали. Потом шли вдоль железной дороги до переезда, оттуда к дому, точнее, к тому, что от него осталось. Осталось немного. Почерневший кирпич фундамента и груда мусора. Пожухлая трава вокруг и обгорелые, с желтой листвой ветки ближайших деревьев завершали безрадостную картину. Мы сразу же направились к кустам. Что, собственно, мы ожидали найти, мы и сами не представляли, и потратили много времени, ползая по земле. Обшарили, кажется, все. И ничего не нашли.

— Значит, ментам повезло, — вздохнула Машка.

Я потерла исцарапанное предплечье, подняла голову и... увидела кассету. Обыкновенную кассету для видеокамеры, которая застряла между веткой кустарника примерно в метре от земли. Я взяла кассету и протянула Машке.

— Как думаешь, это то, что мы ищем?

— Похоже, что так, — улыбнулась она. Ее радость была мне не очень-то понятна, но я тоже улыбнулась. — Не думаю, что кассеты произрастают на деревьях, так что повезло все-таки нам, а не ментам.

Везение тоже представлялось мне сомнительным. Машка на всякий случай еще раз все кругом тщательно осмотрела, и мы сошлись во мнении, что ничего здесь больше не найдем. Той же дорогой мы шли к электричке, кассета лежала у меня в сумке, а Машка гадала, что на ней может быть.

— Что-нибудь скверное, — хмурилась я. — Из-за нее человека убили.

— Так хочется посмотреть... А тебе? — забегая вперед, спросила Машка.

Я пожала плечами.

— Иногда лишние знания вредят.

— Это ты про ненужных свидетелей? — загрустила она.

— Ага, — кивнула я. — Знать бы, что с этой кассетой теперь делать.

— Для начала посмотреть, что там.

Но посмотреть было не так просто: видеокамеры у

нас в наличии не имелось, равно как и видеомагнитофона. Забегая вперед, скажу: запись мы так и не увидели. Только через несколько лет я узнала, что было на пленке.

В тот вечер мы вернулись поздно. Подойдя к квартире, услышали, что в прихожей надрывается телефон. Звонили нам редко, и такая настойчивость удивила, я поспешно открыла дверь, сняла трубку и... едва не свалилась в обморок. Звонил Пашка.

— Привет, — сказал он. Голос его звучал как-то странно, точно он запыхался после быстрого бега.

— Ты? — только и спросила я.

— Разумеется, я. Что это значит? — понижая голос, задал он вопрос. — Ты сказала, что была в доме...

— Да, была.

— В каком доме и почему я должен об этом знать?

Его слова здорово меня разозлили. На самом деле меня, конечно, разозлило другое: Пашка и не собирался звонить, пока не узнал о доме, и сейчас позвонил вовсе не потому, что испытывал ко мне какие-либо чувства, — его интересовало, что там произошло. И я довольно раздраженно сказала в трубку:

— Если ты звонишь, значит, прекрасно знаешь, о каком доме идет речь.

Некоторое время он молчал, я тоже молчала. Машка рядом стискивала в волнении руки, усиленной мимикой пытаясь что-то донести до моего сознания, но совершенно напрасно. Я вслушивалась в Пашкино дыхание и в биение своего сердца.

— Что ты видела? — наконец спросил он.

— Я видела, как его убили.

— О черт, — зло выругался Пашка и горячо зашептал: — Никому об этом ни слова. Слышишь? Никому. И Петровичу зря сказала, он может сообразить. Забудь о том, что видела. Эти типы настоящие убийцы, они психи, понимаешь?

— Понимаю. Я даже смогла убедиться в этом. —

Секунду я колебалась, стоит говорить или нет, и все-таки сказала: — Кассета у меня.

Пашка вновь замолчал, но теперь пауза длилась недолго.

— Как она оказалась у тебя?

— Тот дядька успел выбросить ее в окно, а я нашла.

— Тебя не заметили?

— Нет.

— Все равно будь очень осторожна. — Он помедлил и добавил: — Пожалуйста.

— Что на этой кассете?

— Бомба. Встретимся завтра, принесешь кассету с собой. Если заметишь что-нибудь подозрительное, сразу же уходи. Ты поняла?

— Конечно.

— Конечно... — передразнил он. — В прошлый раз ты тоже сказала «конечно» — и что из этого вышло? Кассету держи в кармане, в случае чего сразу от нее избавься. Встретимся в два часа на площади Победы, возле фонтана. Ты с Машкой? — помедлив, спросил он.

— Конечно.

— Передай ей привет.

— Что значит «бомба»? — хмурилась Машка, вертя кассету в руках.

— Это значит, что, если она попадет не в те руки, будет большой скандал.

— А Пашкины руки те?

— Откуда я знаю? Завтра идем или нет?

Машка была изумлена вопросом.

— Конечно. Ты же хотела его увидеть.

Разумеется, я хотела. Но теперь очень сомневалась, что исполнение желания принесет мне радость. Скорее наоборот. Но на следующий день в 13.45 мы с Машкой были на площади. В этом смысле прошлый опыт ничему ее не научил — она категорически заявила, что пойдет со мной.

На счастье, народу на площади было очень много. В

основном, конечно, туристы. Жара стояла страшная, и народ старался держаться поближе к фонтану. Мы пристроились на зеленой травке, держа в поле зрения все четыре дорожки, что сходились у фонтана, и пытались не пялиться на часы каждые десять секунд. Ровно в два я поднялась и направилась к фонтану.

— Вроде все спокойно, — шепнула мне Машка, чуть поотстав.

Я шла не торопясь, стараясь высмотреть в толпе Пашку.

Я бы его ни за что не узнала, если бы не голос. Высокий светловолосый парень в бейсболке задел меня плечом и шепнул:

— Давай кассету.

Я машинально сунула руку в карман джинсов, он перехватил мою руку, и на мгновение наши пальцы сплелись. А потом заорала Машка:

— Сматываемся!

— В разные стороны, — скомандовал Пашка, и мы разлетелись по площади горошинами.

Точно помню: за мной бежали двое. Никогда — ни до, ни после — с такой скоростью я не бегала. Я бежала, не разбирая дороги, то и дело натыкаясь на кого-то в толпе, выскочила на проезжую часть, чудом не попав под машину, пересекла дорогу, повторяя как заклинание: «Уйду, уйду...» Впереди начиналась старая часть города, с двухэтажными домиками, утонувшими в зелени. Я вбежала в чей-то двор, увидела калитку и оказалась в саду, легко перемахнула через забор, добротный и низкий, и побежала к реке. За спиной ни топота ног, ни криков. Тишина. Я еще бежала некоторое время, не веря в свое везение, а потом устроилась на скамье возле реки, смотрела на ровную гладь воды, на лодки, что спускались вниз по течению, и вдруг заревела. Потом подумала о Машке, и мне стало стыдно. «А если Машка не смогла уйти?» — с ужасом думала я, возвращаясь домой.

Машка бросилась ко мне, лишь только я повернула ключ в замке. Мы обнялись и некоторое время стояли замерев.

— Пашка ушел, — сказала она, отступив на шаг. — Его кто-то в тачке ждал.

«Вряд ли они не подумали о машине», — решила я, но промолчала.

Несколько дней я ждала звонка от Пашки, изнывая от беспокойства. Потом убедила себя: его молчание вовсе не значит, что он оказался в руках этих типов. Пашка замешан в каких-то темных делах, и ему сейчас попросту не до меня. Скорее всего, и раньше я не занимала в его жизни особенно большого места. Так, юношеская любовь, которая проходит довольно быстро. Пашка изменился. И дело не только в светлых волосах. Я внезапно поняла, точно сподобившись откровения, что передо мной был совершенно другой человек. А может, это я другая?

Такие мысли занимали меня недолго, всего несколько дней. Потому что в моей жизни вновь возник Никита Полозов, теперь уже основательно и надолго. Его появление было подобно появлению богов в греческой трагедии: внезапное и все же ожидаемое. Все это время меня мучило смутное беспокойство, и вот наконец оно обрело вполне реальные черты.

Закончив работу, мы шли к остановке трамвая и в переулке увидели джип, а рядом с ним Ника. Он стоял, привалясь к капоту, и улыбался радостно и зазывно, точно Санта-Клаус в канун Рождества.

— Привет, — сказал ласково.

Мы с Машкой еще не успели испугаться по-настоящему, а откуда-то из-за спины появились его дружки, завернули нам руки за спины и запихнули в машину.

Какое-то время мы пытались изображать дурочек, но я уже тогда, в первые минуты, поняла: этот тип знает, что мы были в доме. Не представляла, откуда и как, но он знает. Разумеется, Ник вытряхнул из нас все. На такие дела он мастер. А потом был кошмар, растянувшийся на сутки. Были семеро пьяных придурков, которые чувствовали себя абсолютно безнаказанными, точно им заранее отпустили все грехи. Я помню, как орала в душном подвале. Не от боли даже, а чтобы не слышать Машкиных криков. Истерзанные, еле живые, мы не очень-то верили, что выберемся оттуда. Но Ник предпочел оставить нас в живых, рассчитывая на то, что Пашка, возможно, свяжется с нами. Еще трое суток мы просидели взаперти. Иногда парни появлялись, тогда я стискивала зубы и закрывала глаза. От собственного воя закладывало уши. Но скоро они выдохлись, и фантазии их заметно поблекли, а колотили скорее по привычке. Поздно вечером явился Ник и сказал, что нас отвезут домой. Я ни на секунду в это не поверила. Я ехала умирать, потому что у Машки была сломана нога, и удрать мы, при всем везении, не смогли бы. Но джип остановился возле подъезда, нас вышвырнули из машины, и парни уехали. Поначалу ничего, кроме изумления, я не почувствовала. А потом мы зализывали раны и нервно вздрагивали при каждом звуке. Мы боялись выходить на улицу и боялись оставаться дома, мы не могли спать по ночам и, прижавшись друг к другу, с тоской ждали рассвета, а днем просыпались от собственных криков, в который раз переживая все заново.

На наркоту нас подсадил все тот же Ник. Он навещал нас время от времени и предложил лекарство от бессонницы. В то время мы, должно быть, мало напоминали людей: запуганные, без мыслей в голове из-за бессонницы, шатавшиеся от голода (есть мы тоже не могли, да и нечего было). Так что особо долго уговаривать не пришлось. И Ник стал нашим ненавистным спасителем, мы готовы были на что угодно, лишь бы удрать хоть ненадолго из этой реальности. Боль отступила, даже ненависть куда-то испарилась, осталось одно желание: избавиться от воспоминаний любой ценой. Почему Ник продолжал за нами приглядывать, более или менее понятно — наверное, все еще надеялся, что Пашка даст о себе знать. Но он не из тех, кто способен кого-то облагодетельствовать, так что очень скоро от нас потребовали отработать потраченные деньги. Впрочем, работа, по большей части, была несложной. Хотя довольно грязной.

Так мы и жили, если это можно назвать жизнью, пока однажды... У Машки была ломка, а Ник не спешил ее осчастливить. Дразнил, как собачонку, заставляя то тявкать, то служить. Даже с мозгами, разжиженными наркотой, я почувствовала невыносимую боль. И тогда решила: я соскочу. И утром повторила это, глядя в зеркало. Я попробую. А если не смогу, убью Машку, а потом себя. Программа максимум. Как я буду убивать Машку, даже представлять не хотелось. Значит, надо соскочить. Если мне удастся, я ее вытащу.

К моему величайшему удивлению, Ник отнесся к данному намерению скорее с любопытством, чем с сомнением или насмешкой. Иногда я ловила на себе его взгляд — он точно прицеливался ко мне. В общем, как ни странно это звучит, в нем я обрела поддержку. Потом, уже через несколько лет, Ник в припадке откровенности рассказал, что когда-то тоже был наркоманом. И смог завязать. И тогда ему было интересно, что выйдет из моей затеи.

— У меня есть домик на примете, в глухой деревушке. Заколочу ставни и дверь, чтобы ты выбраться не могла. Наберешь жратвы, воды побольше. Если месяц выдержишь, значит, есть шанс. Ну, так что? Рискнешь?

И я рискнула. Уходя, Ник бросил мне мобильный на колени.

— Будет тошно, звони, и я примчусь на крыльях любви.

О том месяце у меня остались довольно смутные воспоминания, редкие отчетливые картины и снова провалы. Наверное, я все-таки звонила. Почти уверена, что звонила, но Ник не приехал. Он появился ровно через месяц, взломал дверь, и я вернулась в этот мир похудевшей на двенадцать килограммов, с руками, искусанными в кровь, с запавшими глазами и меня саму удивлявшей жаждой жизни. Еще через два месяца я смогла прийти в норму. А потом Ник принялся натаскивать меня. Кого именно он из меня готовил, сообразить было нетрудно, но в тот момент мне было на это наплевать. Меня занимало только одно: вытащить Машку. Ник вновь проявил удивительную покладистость: Машку отправили в хорошую клинику. Но, вернувшись оттуда, продержалась она недолго. Мне было горько сознавать это, но Ник ее сломал. В том чертовом подвале она потеряла все, даже инстинкт самосохранения. Страх, что жил в ней с тех пор, был сильнее. Она смертельно боялась Ника, хуже того — она боялась этой жизни. Жизни, где был он и ему подобные. И продолжала свой бег от них, теперь уже в одиночку.

Какое-то время я еще надеялась, пока не поняла, что по всем статьям проиграла. Ник мог добиться от меня чего угодно, шантажируя Машкой, и я вынуждена была терпеть его, терпеть уже на трезвую голову, со всей ясностью сознавая, что я в тупике. Выхода нет. Но даже эти мысли с некоторых пор почти не приносили боли. С болью свыкаешься. Остается только горечь...

Машка вернулась из кухни с сияющими глазами и виноватой улыбкой, устроилась в кресле и спросила:

— Тебя выгнали с работы? — Я кивнула в ответ, а в ее глазах мелькнул испуг. — Ник знает?

— Ага.

— Здорово злился?

— Он смог это пережить.

— И что теперь?

— Ничего. Ищу работу. На худой конец устроюсь дворником.

Машка весело фыркнула.

— Представляю тебя с метлой.

«Метла — не самое скверное в этой жизни», — мысленно решила я, но лишь улыбнулась. Машка допила шампанское, взглянула на часы и сказала жалобно:

— Пора.

Мы направились к двери.

— Давай закатимся в выходной в ресторан? Отметим день рождения как следует. Идет?

— Хорошо, — согласилась я.

— Что-нибудь случилось? — В ее взгляде вновь было беспокойство.

— Нет. Все в порядке.

— Я же вижу. Ты хмуришься, и взгляд отсутствующий.

— Кто-то убил Гороха, — вздохнув, все же сообщила я. — Зарезали в собственной квартире.

— И что ты думаешь? — Теперь Машка испугалась по-настоящему.

— Вряд ли это были грабители. Ничего из квартиры не пропало.

Машка, как и я, прекрасно понимала: грабители должны быть совершенными идиотами, чтобы решиться на такое, раз после этого им придется иметь дело с Ником.

— Что-то происходит? — Машка с трудом подбирала слова.

Я хотела рассказать ей о ментах на дороге, но о транспорте ей знать не полагалось, и я промолчала. И тут Машка задала вопрос, который, признаться, произвел впечатление:

— Но ведь Ник не думает, что ты к этому как-то причастна? Он ведь не может всерьез предположить...

Она точно споткнулась на середине фразы и теперь смотрела с испугом. У меня был растерянный вид, что ее и смутило.

— Он псих, но не идиот, — ответила я.

Мы простились, и Машка ушла. Она работала секретарем в администрации области. Разумеется, на работу ее устроил Ник, и не просто так. У Машкиного босса были тесные связи с хозяевами Ника, но те ему, по какой-то причине, не доверяли, вот Машка за ним и шпионила, что было легче легкого: дядя пил неумеренно и в пьяном виде не только все выбалтывал, но и лишнего на себя наговаривал. Поэтому очень скоро на Машку возложили иные функции — присматривать за дядей и по возможности держать его подальше от посторонних, так что Машка совмещала все разом: была для него секретарем, любовницей, нянькой и «жилеткой», поскольку поплакаться на жизнь он любил так же, как и выпить. Поначалу Машка его терпеть не могла, так как он был намного старше, очень напоминал шимпанзе и ненавидел мыться. Но люди — существа загадочные, по крайней мере, быстро ко всему привыкающие, и Машка не только привыкла, но и, подозреваю, с некоторых пор питала к нему добрые чувства. О его здоровье пеклась вполне искренне, стыдилась своих еженедельных доносов Нику и с гордостью отмечала, что теперь шеф моется практически ежедневно. С таким видом обычно мамаши сообщают, что их ребенок умеет пускать пузыри, и только им ведомо, что в этом такого выдающегося. Шеф — звали его Углов Борис Сергеевич, — разумеется, подозревал ее в шпионаже и поначалу даже поколачивал по пьяному делу, но Машка, не стесняясь, давала сдачи. Он присмирел, потом привык и теперь называл ее Мата Хари, скорее из вредности, причем в интонациях проскальзывало уважение. В общем, они были вполне счастливой парой.

Проводив Машку, я устроилась на диване и принялась разглядывать потолок. Интересовал он меня не то чтобы очень, просто требовалось подумать над словами Машки. Моя подруга сказала: «Надеюсь, Ник не думает, что ты имеешь к этому отношение». То есть что он не думает, будто именно я укокошила Гороха. Настораживало, что такая мысль пришла ей в голову. С ее точки зрения, Ник мог так решить? А что... Ник, в отличие от Машки, прекрасно знает, чем мне приходится заниматься, а Горох как раз один из тех семерых, что развлекались с нами. В этом свете дурацкие намеки Ника теперь вполне понятны. Очень может быть, что он всерьез подозревает меня. Я невольно усмехнулась: мстить каким-то придуркам через столько лет — затея совершенно идиотская. Я бы с удовольствием укокошила Ника, а не этих шестерок, таких же, как я сама, но кончина Ника весьма проблематична, я бы даже сказала, что надеяться на нее — совершенно дохлая затея, да и мое отношение к нему тоже претерпело изменения, так что убить его я мечтала скорее по привычке. С моей точки зрения, версия о моей причастности к убийству не выдерживала никакой критики. Но Нику ничто не мешало думать иначе. А если что-то взбрело ему в голову... Я почувствовала беспокойство и теперь взирала на потолок с суровостью. На мой взгляд, логичнее связать убийство с тем, что произошло на дороге. Происки конкурентов? Я стала перебирать возможные варианты. Не так-то много их оказалось.

Глаза мои начали слипаться, и в конце концов я уснула, но последняя мысль была вполне отчетливой: «Придется заняться этим убийством».

Меня разбудил телефонный звонок. Я машинально взглянула на часы, не торопясь сняла трубку. Голос Ника звучал деловито, но вполне по-человечески, то есть у меня не создалось впечатления, что он сиюминутно готов разорвать меня на куски, и я тут же мысленно поздравила себя с большим везением.

— Ты что, спишь? — спросил он.

— А что, нельзя?

— Не представляешь, как я страдаю, что вынужден нарушить твой покой... — Однако на сей раз он был не расположен дурачиться, потому что продолжил со вздохом: — Я подъеду через десять минут. Выходи.

Спрашивать, зачем я ему понадобилась, я не стала, он этого терпеть не мог. Прошла в ванную, умылась и вскоре покинула квартиру. Машина Ника замерла возле подъезда, я села рядом с ним, но он не спешил трогаться с места.

— Кстати, — сказал с улыбкой, — почему на день рождения не приглашаешь?

— Ради бога, только с подарком.

— А как же моя большая любовь? Это же лучший подарок! Скажешь, нет?

— Разумеется. Ты смог произвести впечатление. Я и не представляла, что тебе известна дата моего рождения.

— Мне известно все, — изрек он с самодовольством.

— Я не так выразилась. Я не предполагала, что ты о нем вспомнишь.

— Сомневаешься в моих чувствах?

— Нет. Просто я сама о нем забыла.

— Значит, со мной ты по-настоящему счастлива? — хихикнул он. — Года бегут, а ты этого не замечаешь.

— Можем напиться сегодня, — предложила я.

— Я не пью, — ответил Ник серьезно.

— Давно?

— Третий день.

— Бедняга.

— Сам себя жалею. Сегодня один человечек мне шепнул занятное, — нахмурился Ник, а я насторожилась, стало ясно: дурака валять он перестал и заговорил серьезно. — Гороха видели в трактире на Ивановской.

Я пожала плечами. В трактире любили тусоваться ребята Архипа, но я все же сказала:

— В конце концов, это просто кабак, почему бы и не зайти?

— Ты многих наших там видела?

— Я избегаю мест, где могу увидеть родные лица.

— Допустим, он забрел в кабак случайно, хотя я склонен думать иначе.

— А может, твой человечек чего напутал? — спросила я, потому что в подобных случайностях тоже сомневалась.

— Возможно, — пожал Ник плечами.

Его исключительная покладистость настораживала. Много бы я дала за то, чтобы узнать, какие мысли бродят сейчас в его голове. Причем почему-то зрела уверенность, что мне они по душе не придутся.

Если Ник меня подозревает, все кончится скверно. Разубедить его в чем-либо возможным не представлялось, оставалось одно: самой попытаться выяснить, что или, точнее, кто стоит за этими событиями. Дело, конечно, не простое, но и не совсем безнадежное, значит, надо попытаться.

— О чем задумалась? — спросил Ник, и я поняла, что он уже некоторое время с любопытством наблюдает за мной.

— Если честно, в предательстве Гороха я сильно сомневаюсь, — сказал я. — Он трусоват и вряд ли бы рискнул...

— Трусоват — это верно. Так что, если на него надавили...

— Он же знал, чем это кончится, — гнула я свое.

— На мой взгляд, Горох еще и туповат. Если быть до конца откровенным, не часто встретишь такого придурка. Я не прав?

— Допустим. Но стремления к самоубийству я в нем не замечала.

— Придется тебе наведаться в тот кабак, — по-прежнему приглядываясь ко мне, сказал Ник. — Познакомишься с парнями, потолкуешь о том о сем...

— Ты серьезно? Они же в два счета сообразят...

— Да ради бога, — перебил Ник. — Посмотрим, что из этого выйдет.

— Мне что, сейчас туда идти? — буркнула я. Смысла в его затее я не видела, но с Ником не поспоришь.

— Подождет, — отмахнулся он и выдал свою лучшую улыбку. — Приглашаю тебя в гости. Посмотришь, как я живу...

Что-то новенькое. За все время нашей нежной дружбы Нику не приходило в голову сделать мне подобное предложение, я даже не знала, в каком районе он живет, и сразу начала прикидывать, с чего вдруг такая доброта. Ник, точно читая мои мысли, засмеялся и сказал:

— Считай это актом доброй воли.

«Как бы не так», — подумала я и широко улыбнулась.

— Ты вторично смог произвести впечатление. Может, ты и вправду влюбился? Говорят, такое бывает.

— Чего в жизни не бывает, — согласился он, наконец-то трогаясь с места.

Ник жил в очень приличном доме, в центре города. Наличие у него дорогой квартиры не удивило, хотя я была уверена, что он равнодушен к среде обитания. Оттого стильная мебель, наборный паркет, фрески на потолке и стенах и общая площадь где-то около трехсот квадратных метров слегка изумляли. Понаблюдав за моей реакцией, Ник хихикнул:

— Квартира досталась мне по наследству. Один придурок мне сильно задолжал, и мы заключили с ним сделку. По-моему, он был счастлив, избавившись от этих хором. Если честно, я редко углубляюсь так далеко. Живу в основном на кухне.

Он точно оправдывался. Что тоже удивило. Кухня не производила впечатления музея, то есть имела вполне жилой вид и поражала только чистотой и обилием посуды.

— Я люблю готовить, — заявил Ник, чем сразил меня наповал. После чего достал из духовки гуся и торжественно водрузил на стол. — Это вкусно. Тебе понравится.

— Если ты скажешь, что расстарался для меня, я все равно не поверю.

— Напрасно, — вновь хихикнул он. — Когда я говорю, что моя любовь к тебе не знает границ, это надо понимать буквально.

Он быстро сервировал стол, на мое предложение помочь махнул рукой, открыл бутылку вина, разлил в бокалы и торжественно провозгласил:

— Твое здоровье.

— Спасибо, — ответила я, знать не зная, чего следует ждать от жизни.

Гусь удался на славу. Мы пили вино, ели с аппетитом и присматривались друг к другу. Мое недоумение доставляло Нику удовольствие.

— Гадаешь, что на меня нашло? — спросил он, опередив меня ровно на мгновение, я сама собиралась спросить его об этом.

— Еще бы, — кивнула я.

— А ты мне в самом деле нравишься. Вот я и подумал, почему бы нам не посидеть просто так... — Он улыбнулся, явно не рассчитывая, что я ему поверю. — Что скажешь?

— Ничего, — покачала я головой. — Если у тебя что-то на уме, мне ты все равно не скажешь. Остается ждать, что из этого получится.

— Значит, в мою большую любовь ты упорно не веришь? — усмехнулся он.

— Если ты валяешь дурака, этому должна быть причина, — вздохнула я.

— В самую точку, — кивнул он и заговорил серьезно: — Грядут перемены. Не спрашивай, какие, я и сам не знаю, но чувствую. И недавняя история только начало. Времена меняются. Наш с тобой хозяин слишком долго обирает город, ни с кем не считаясь. И кому-то это надоело. Более того — этот кто-то почувствовал в себе силы ситуацию изменить.

— И как это может отразиться на мне? — пожала я плечами.

— Хороший вопрос, — улыбнулся Ник. — Генералы редко погибают на войне, а вот такие, как мы... Не пора ли задуматься о собственном будущем?

— Не поверю, что раньше оно тебя не заботило.

Он опять кивнул с серьезной миной.

— Кто предупрежден, тот вооружен, — процитировал он. — Приглядывай за парнями. При мне они держат язык за зубами, а тебя не стесняются. Горох только первая ласточка, помни об этом. — Он взглянул на часы и продолжил: — В 21.00 ты должна быть в баре «Аргонавты». Тебя там будет ждать Витька Одинцов. Помнишь его?

— Помню, — кивнула я.

Ник прошел к шкафу и вернулся с фотографией. Положил ее передо мной. На фотографии симпатичный мужчина лет тридцати. Я подняла взгляд на Ника.

— Журналист, работает в «Вечерке». Ты знаешь, как я отношусь к тому, что писаки изводят бумагу тоннами. Но хозяева решили, что парень перегнул палку. Он их утомил.

— И что? — спросила я, выждав время.

— Не стоит давать повод его дружкам считать парня борцом за правое дело. Че Гевара снова в моде, от борцов и так отбоя нет. Хозяев вполне устроит пьяная драка, в результате которой он получит черепно-мозговую травму, несовместимую с жизнью.

Комментировать его слова я не стала, так же как и задавать вопросы, просто сидела и смотрела на него, ожидая, что он еще скажет. Но и он не хотел быть многословным, улыбнулся и пожал плечами:

— Действуй.

По дороге в бар я размышляла о загадочном поведении Ника. Не знаю, что меня больше смущало: приглашение в гости или его намеки на грядущие перемены. В конце концов я решила, что Ник затеял очередную проверку на вшивость, а приглашение в гости — внезапный каприз. Но спокойнее на душе от этого не стало.

Витька сидел в глубине зала и с унылым видом разглядывал пустой бокал. Я устроилась рядом, он поднял голову и сказал:

— Можем сделать это завтра. Парень не женат и почти каждый вечер торчит в баре за углом, где собираются любители футбола. Рядом парк, до десяти там только собачники, а позднее вообще ни души. Твое дело привести его туда. Не знаю, на кой черт такие заморочки... — проворчал он в досаде. — Что скажешь?

— Ничего, — ответила я. — Будем выполнять порученное дело.

Двадцать минут ушло на обсуждение деталей, я непроизвольно морщилась. Разумеется, мне все это мало нравилось. Допустим, познакомиться с парнем не проблема, но он может быть не один, или у него не возникнет желания покидать бар, чтобы провести вечер в моих объятиях (вдруг он терпеть не может блондинок?), но дискутировать по этому поводу я не собиралась. Приказы Ника следует выполнять, так что понапрасну сотрясать воздух словесами ни к чему.

И я отправилась в бар за углом. Забегаловка оказалась так себе, основное достоинство — огромный телевизор, на который посетители и пялились. Крутили какой-то матч, но, судя по царившему спокойствию, игра особо интересной не представлялась. Публики было немного, в большинстве молодые люди, но за столиком возле окна я приметила двух девушек. Они стреляли глазами, не обращая внимания на экран, а мужская часть посетителей, из-за которой они сюда и явились, по неведомой причине упорно не обращала внимания на них.

Очень может быть, что мне тоже не повезет. Обстановка царила на редкость мирная, к дракам ничто не располагало. Поскучав в одиночестве минут пятнадцать и успев за это время выпить кофе, я решила, что первоначальный замысел стоит подкорректировать. Шоу не получится таким зрелищным, как планировалось вначале, зато больше шансов осуществить порученное дело.

Вернувшись к Витьке, я изложила свои соображения. Он немного подумал и со мной согласился. Мы простились до завтрашнего вечера, и я отправилась домой пешком.

Свернув с проспекта, обратила внимание на машину — она малой скоростью двигалась сзади. Я нырнула в переулок, а когда выбралась на проспект, вновь увидела ту же машину. В другое время я бы вряд ли обратила на нее внимание, не тот я человек, чтобы кто-то тратил на меня время и бензин, но в свете последних событий стоило задуматься.

Решив проверить, действительно моя скромная особа кого-то заинтересовала или мне со страха мерещится, я выбрала очень затейливый маршрут, и вскоре машина потерялась в очередном переулке. Я вроде бы вздохнула с облегчением, но чувство все равно было пакостное. Только я вошла в квартиру, как мне позвонили на мобильный. Звонил Серега Ремезов по кличке Егоза, чем очень удивил. Я не могла припомнить другого такого случая и, разумеется, насторожилась.

— Привет, — сказал он в некотором замешательстве.

— Привет, — ответила я, ожидая, что будет дальше. Дальше стало совсем интересно.

— Ты сейчас где?

— А тебе что? — удивилась я.

— Я... это... ну... — Серега парень исключительно подвижный, не в состоянии на одном месте усидеть, за что и получил свое прозвище, но разговаривать он не мастер, любое связное предложение дается ему с трудом, сквозь его «это» и «ну», точно сквозь заросли в джунглях, далеко не каждый способен пробраться, и я заранее загрустила. — Ты это... приезжай ко мне, — произнес он вполне внятно.

— Куда? — не поняла я, на что он с обидой ответил:

— Домой. Помнишь, где я живу? Ты меня как-то подвозила.

Два предложения подряд — личный Серегин рекорд, однако я так и не поняла, по какой надобности он звонит, и миролюбиво спросила:

— Зачем?

— Чего?

— Приезжать зачем?

— А... ну... поговорим. — Я тяжко вздохнула, а он добавил: — Поговорить я с тобой хочу.

— Ты мне лучше напиши.

— Чего?

— О господи, — не выдержала я. — Какого черта тебе от меня надо?

— Дело такое... — Снова пауза. Я, конечно, не ожидала, что он сможет объясниться, так и вышло. — Ты где, а? Давай я приеду. У меня тачка под окном.

— Я почти что сплю.

— Слушай, я серьезно. Разговор есть.

— Ну, так говори.

— Не могу по телефону.

— Ты и не по телефону не сможешь! — Я опять

вздохнула, пытаясь решить, какая муха парня укусила. Любопытство было сильнее здравого смысла, и я предложила: — Приезжай на Комиссарова, это рядом с моим домом, там есть кафешка, называется «Бабочка». Буду ждать там.

— Ага, — обрадовался Серега и отключился, а я подошла к зеркалу, постояла немного, разглядывая свое отражение, и доверительно сообщила:

— Все точно рехнулись. Может, правда чего затевается?

Я еще немного потопталась возле зеркала и вышла на улицу. Надоевший за последние дни дождь набирал силу, и я припустила к «Бабочке» бегом.

Кафешку так назвали не без умысла: открыто здесь до утра, и заведение облюбовали уличные проститутки. Заходили сюда погреться, а если повезет, то подцепить клиента. Хозяин «Бабочки», дядька шестидесяти пяти лет с редким именем Виссарион, по моему глубокому убеждению, свихнулся на русском классике Чернышевском. Только влиянию этого мыслителя я могу объяснить невероятную тягу Виссариона к падшим женщинам, причем тягу особого свойства: Виссарион их спасал. Они не только грелись у него по ночам, но иногда жили по нескольку дней в задних комнатах, где он устроил что-то вроде приюта, сам залечивал их раны (он был когда-то фельдшером) и наставлял на путь истинный. Выглядело это примерно так: Виссарион, прикладывая лед к очередному синяку девицы, со вздохом вопрошал: «Что ж ты со своей жизнью делаешь, курва?»

Девки занимали у него деньги, рассказывали о своих проблемах, прятались от рассвирепевших сутенеров и всякий раз божились завязать завтра и навсегда. Виссарион словам не верил, но денег в долг давал. Иногда устраивал коллективное прочтение выдающихся произведений литературы, повествующих о нелегкой доле «ночных бабочек». Особой популярностью у него пользовалось «Воскресение», но девки больше любили «Даму с камелиями», в основном в пересказе, прослушать пьесу целиком мало кому удавалось из-за скользящего графика работы. Водрузив очки на нос, Виссарион читал произведение выразительно, я бы даже сказала — проникновенно, время от времени взывая к дремлющей аудитории: «Набирайтесь ума, дуры». Дуры перемежали дрему вздохами и жалобно шмыгали носами в особо волнующих местах.

Отчего Виссарион не подался в священники, а спасал заблудшие души в баре, для меня загадка, однако сам он чувствовал себя здесь в своей тарелке и жизнью был доволен. Я решила, что мужичок он непростой, потому что, несмотря на явный идиотизм ситуации, умудрялся уживаться как с ментами, так и с бандитами, по крайней мере, и те, и другие его не трогали и на свой лад даже уважали. Виссарион организовал кассу взаимопомощи, зачастую выступал третейским судьей в многочисленных разборках, так что, по моим прогнозам, все неумолимо скатывалось к созданию профсоюза. Однажды я эту идею высказала вслух, и Виссарион задумался, а я решила больше так не шутить.

Жил он в одиночестве, в квартире по соседству, но, по-моему, редко покидал свое заведение — я не помню, чтобы хоть раз, заглянув на огонек, не застала его здесь или, к примеру, встретила где-то на улице. На девок он воздействовал не только художественным словом, но охотно использовал другие виды искусства, например музыку. У него была обширная фонотека. Особенно уважал Генделя. Когда кто-нибудь из девок, измученных искусством, в отчаянии вопил: «Да приглуши ты эту бодягу!» — он поднимал вверх указательный палец и наставительно изрекал: «Классика — это тебе не ногами дрыгать, тут душа...» — после чего заблудшей овце надлежало либо углубляться в душу, либо выметаться на улицу, так что с углублением здесь был порядок.

Но этого Виссариону показалось мало — он приволок откуда-то старенький рояль. По виду, так нашел на помойке, но скорее всего купил за гроши или просто выпросил. Играть на нем Виссарион не умел, но сам вид рояля вызывал у него умиление, иногда он его поглаживал и произносил невпопад: «Искусство». Девки смотрели на рояль и впадали в задумчивость.

Своей дружбе с Виссарионом я обязана все тому же роялю. Не помню точно, когда впервые меня занесло в его «Бабочку», но в тот момент душа жаждала общества, и я заглянула в кафе по дороге. Было далеко за полночь, и меня приятно удивило, что кто-то, как я, не спит. Увиденное произвело незабываемое впечатление: история дамы с камелиями подходила к концу, Виссарион читал особенно выразительно, девки выразительно шмыгали носами. Мысленно присвистнув, я опустила свой зад на стул и замерла минут на двадцать, пребывая в абсолютном обалдении. Когда чтение закончилось, я подошла к стойке, изнывая от желания выяснить, куда меня угораздило забрести.

— У вас тут клуб любителей словесности? — робко поинтересовалась я.

Виссарион ответил в своей обычной манере:

— Болтаются по ночам кому не лень.

Я перевела взгляд на рояль, который будоражил мое любопытство не менее художественного чтения, и спросила:

— На нем кто-нибудь играет?

— Добрые люди в это время спят, — ответил Виссарион.

— Ясно, — кивнула я, подошла к роялю и подняла крышку.

Виссарион вытянул шею, поглядывая из-под очков. Рояль был расстроен, играть на нем не представлялось возможным, но, странное дело, впервые за столько лет меня потянуло к инструменту, пальцы сами по себе легли на клавиши. Я поморщилась, потому что расстроенный рояль терзал слух, и поспешно захлопнула крышку.

Тут подскочил Виссарион и спросил:

— Училась?

— Давно.

— Тебе чего налить: кофе или водки? Сегодня холодно.

С этого, собственно, и началась наша дружба, и теперь своим домом я, по справедливости, считала не квартиру на пятом этаже, а бар под названием «Бабочка», в котором по ночам отогревались проститутки.

Поначалу девки отнеслись ко мне настороженно и едва ли не враждебно, но, так как Виссарион ко мне благоволил, с моим присутствием мирились. Время шло, и наши отношения, которые постепенно становились добрососедскими, переросли в нежную дружбу. Не знаю, кем они меня считали, но, конечно, догадывались, что со мной что-то неладно, раз я ночи напролет торчу здесь. Никто никогда вопросов мне не задавал и разговоров о моем житье-бытье избегал, из чего я заключила, что девки знают гораздо больше, чем я могла бы предположить, что неудивительно, учитывая специфику их профессии.

Сегодня, едва переступив порог заведения, я поняла, что в святом семействе очередная разборка: кто-то истошно вопил под аккомпанемент мужского баса, дюжий парень с бритой башкой матерился на чем свет стоит, Верка Зеленая укрылась от своего сутенера за стойкой за спиной Виссариона. Парень, который был мне известен под кличкой Рыхлый, пытался дотянуться до Верки, чему препятствовал Виссарион, застывший наподобие монумента. Лицо его сохраняло олимпийское спокойствие, и с места он не двинулся. Рыхлый продолжал размахивать руками без всякого толка. Должно быть, ораторствовал он уже довольно давно, потому что заметно выдохся и наконец захлопнул пасть, свирепо глядя на Виссариона. Тот вытер стойку полотенцем и невозмутимо изрек:

— В словаре русского языка Ожегова больше пятидесяти тысяч слов. Скажи на милость, почему ты всегда пользуешься одними и теми же?

— В самом деле, Рыхлый, — вступила в разговор я, устраиваясь рядом на высоком табурете, — надо расширять свой словарный запас. Как член клуба ты просто обязан постоянно совершенствоваться.

— Задолбали вы на хрен, советчики, — ответил он, с неодобрением косясь на меня.

— Ладно, — кивнула я. — Иди орать на улицу, с утра башка болит.

— Голова не задница, — ответил тот. — На ней не сидеть.

— Это верно, но лучше заглохни.

— Задолбали, — еще раз заявил он, метнул злобный взгляд на Верку, которая изо всех сил пыталась слиться с интерьером, рявкнул: — А ты, паскуда... — Но договаривать счел излишним и убрался на улицу.

— Козел, — сказала Верка ему вдогонку, лишь только за ним закрылась дверь.

— Чего делили? — проявила я интерес.

— Да, блин, Свистун подъехал... ты же знаешь, он садюга, в прошлый раз не чаяла сбежать, чуть без глаза не оставил... а этот козел командует: «Поезжай». Ему, блин, хорошо говорить... Виссарион, налей водки, вымокла, блин, вся, еще и этот... Никакой, блин, работы сегодня, одни нервы. Юлька, не слыхала, дождь этот надолго?

— Кто его знает? Осень.

— Мне за телик кредит выплачивать, а тут, как назло, работы никакой. Весь вечер простояла.

— Помолчи, трещотка, — буркнул Виссарион. Верка мгновенно смолкла и, взяв рюмку, направилась за столик, где тосковали две ее коллеги.

— Дождь, — сказал Виссарион, ни к кому не обращаясь и без особого выражения.

— Ага, — ответила я и попросила: — Завари чайку?

— Зеленого?

— С жасмином, — кивнула я.

Чай он заваривал мастерски, я выпила две чашки и лишь после этого взглянула на часы. Сереге, если он не шутил и действительно собирался поговорить со мной, пора было объявиться. Выждав еще минут пятнадцать, я набрала его номер, и приятный женский голос сообщил, что он временно недоступен.

— Кого-то ждешь? — спросил Виссарион.

— Жду. Одного придурка. Но, похоже, он передумал.

— Поиграешь? — кивнул Виссарион на рояль.

— В другой раз. — Мне не хотелось, чтобы Серега застал меня за этим занятием.

Тут входная дверь распахнулась, и в кафе ворвалась Нинка-Молдаванка, что обычно обреталась в подворотне по соседству, флегматичная девка с вечно подбитым глазом. Сейчас она была до крайности возбуждена. Глаза выпучены, рот перекошен, парик съехал на сторону.

— Девки! — рявкнула она от двери. — У нас жмурик. Абзац работе, менты понаедут, сматываемся!

— Что за жмурик? Из наших или залетный? Сам копыта отбросил или помог кто? — посыпались вопросы со всех сторон.

— Какое сам! Говорю, менты задергают. Башку чуть ли не целиком отрезали.

— Где жмурик? — спросила я.

— А, Юлька, привет. В подворотне жмурик. Я по нужде подальше отошла, а там тачка и этот рядом.

— Тачка какая? — нахмурилась я.

— Дерьмо тачка, побитая такая, одно название. За такую тачку только псих башку отрежет.

— Машину угнали, что ли? — вмешался Виссарион.

— Зачем? Стоит тачка, а жмурик лежит. Чего делать-то?

— Ментов вызывать, — вздохнул Виссарион и потянулся к телефону.

— Подожди, — попросила я и кивнула Нинке. — Пойдем взглянем на жмурика.

— Не хочу я на него смотреть, — забормотала она. — Я покойников боюсь. Еще приснится... В подворотне он лежит, ближе к мусорным бакам. — Она вышла со мной на улицу, мы дошли до угла соседнего дома и свернули. — Дальше ты одна, ладно? — сказала Нинка жалобно. Силуэт машины едва проступал из темноты, я приблизилась, обошла машину, уже догадываясь, что увижу.

Возле моих ног, раскинув руки, лежал Серега Ремезов, голова его была неестественно запрокинута. Нинка права, убийца явно перестарался. Чтобы убить человека, таких усилий не требовалось. Дождь смывал кровь с развороченного горла, и она тонким ручейком стекала на асфальт. Глаза Сереги были открыты, дождь бил по ним, вскипая пузырями вокруг головы, между приоткрытых губ виднелся кончик языка.

— Дела... — пробормотала я, устраиваясь на корточках.

Видеть его глаза было неприятно, точно человеку пересадили глаза куклы, и я поспешила их прикрыть. Смерть в тот миг казалась безликой, начисто лишенной трагизма, а я некстати подумала: интересно, кто закроет глаза мне? Нинка хоть и боялась покойников, но не утерпела — выглядывая из-за машины, наблюдала за мной.

— Чего жмурик-то? Знакомый?

— Знакомый.

Я достала мобильный и набрала номер Ника.

— Хочешь в мои объятия? — дурашливо спросил он.

— Очень. Но с этим придется подождать.

— Ты нашла другого?

— Как тонко подмечено, — вздохнула я. — Нашла. Лежит в луже с перерезанным горлом.

— Кто? — спросил Ник. Теперь его голос звучал требовательно.

— Ремезов, — ответила я и объяснила, где нахожусь.

— Буду через десять минут. Постарайся, чтобы менты меня не опередили.

Ник приехал через семь минут. Нинка мгновенно исчезла, лишь только о нем услышала, шепнув мне:

— Я Виссариону скажу, чтоб с ментами не спешил.

Ник бросил машину недалеко от светофора и сюда пришел пешком. Увидев меня, нахмурился, приблизился к трупу и тщательно его осмотрел.

— Что скажешь? — спросил сердито.

— А чего тут скажешь? — разозлилась я.

— Девочка моя, тебе не кажется происходящее интересным?

— Не кажется.

Ник ухватил меня за плечо и развернул к себе.

— Может, объяснишь, что произошло?

Я повторила свой рассказ, Ник наблюдал за мной с таким видом, точно заранее решил не верить ни одному моему слову. Признаться, это не удивило.

— Он позвонил, и ты пошла сюда? — Голос звучал издевательски.

— Не сюда, а в бар.

— Он тебе что, каждый вечер звонит?

— Пару раз звонил. Давно.

— То есть, с твоей точки зрения, сегодняшний звонок — в порядке вещей?

— Не заводись, Ник, — попросила я мягко. — Мне самой это все не нравится. Он хотел со мной поговорить. Меня, как и тебя, его звонок удивил. Но я вспомнила наш с тобой разговор и твой совет приглядываться и прислушиваться и решила, что не худо бы с ним поговорить.

— Почему мне не позвонила?

Я пожала плечами.

— Ну... — рявкнул он.

— Не видела необходимости. Для начала следовало послушать его, а потом...

— Деточка, я тебе смиренно напоминаю: у нас второй труп, а у тебя есть особый повод не любить этих мальчиков.

Ремезов был одним из тех, кто нас с Машкой воспитывал, так что Ник прав — для меня обстоятельства складываются неважно.

— Я бы начала с тебя, — сказала я зло. И схлопотала по физиономии, после чего отвернулась и предпочла помалкивать.

— Его нашла девка? — спросил он, чуть помедлив.

— Да.

— Когда он звонил?

— Почти час назад.

— И ты все это время сидела в баре?

— Я пришла туда минут десять двенадцатого.

— Надеюсь, он скончался позднее и у тебя есть алиби.

— Думаешь, оно мне понадобится? — насторожилась я.

— Черт! — выругался Ник. — Кто-то режет наших парней, точно кур по осени, а мы ни ухом ни рылом. Надо найти этого урода.

— Почему ты думаешь, что он один?

— Да ничего я не думаю... — буркнул Ник. — Идем отсюда. Скажи своему Виссариону, чтобы вызывал ментов. Нет, подожди... пусть его кто-нибудь другой найдет. А тебя сегодня в этом кабаке вовсе не было. Поняла?

— Конечно.

Ник направился к своей машине, а я на пару минут заглянула в бар. Объяснив Виссариону, что к чему, я вновь выскочила под дождь, который опять разошелся не на шутку, машина Ника теперь стояла напротив входа в бар. Я устроилась в салоне рядом с ним, и мы поехали к моему дому.

Ник молчал. Приткнув машину недалеко от моего подъезда, заглушил двигатель, я поняла, что он намерен остаться у меня. Хотела выйти, но он взял меня за руку.

— Твоя работа? — спросил, заглядывая мне в глаза.

— Нет. Я тебе говорила: мне эти придурки по фигу.

— Врешь, — сверля меня взглядом, сказал он. — Ты не из тех, кто забывает.

— Я не забыла. Мне по фигу. Понял?

— Послушай, деточка, если это все-таки ты... это плохая идея.

— Если бы я решила с кем-то из них разделаться, придумала бы что-то поумней, — не выдержала я.

Ник неожиданно успокоился.

— Надеюсь, — кивнул он и вышел из машины первым.

На следующий вечер около девяти я припарковала свою машину в трех кварталах от бара любителей футбола. Настроение было скверное, и виной тому вовсе не дождь, который лил как из ведра. Половину ночи я ублажала Ника, а вторую половину мы посвятили совместным гаданиям: что за псих завелся у нас под носом? И то, и другое восторгов не вызвало.

Ближе к обеду я заглянула к Виссариону узнать новости. Труп утром обнаружил дворник, из милиции у моего друга уже побывали, задавали вопросы, девок еще не допрашивали, зная, что в это время они спят, но вечером менты непременно появятся. Я отправилась к дружкам Сереги, пытаясь выяснить, чем он накануне занимался. Никто из них толком ничего не знал, внезапная кончина приятеля погрузила их в глубокие раздумья, но толка от этого я не видела.

Разумеется, меня очень интересовал вопрос: о чем он собирался со мной поговорить? Если это касалось наших общих дел, логичнее обратиться к Нику, но Серега, по неведомой причине, хотел поговорить именно со мной, однако кто-то его такой возможности лишил. Опять же логично предположить: этот кто-то был заинтересован в том, чтобы наша встреча не состоялась, но здесь вовсе получалась чепуха, потому что выходило, будто человек этот меня боялся. Чушь. Значит, скорее всего, убийство с предполагаемым разговором никак не связано. Или связано? К примеру, убийца хотел, чтобы подозрение пало на меня... Не думаю, что хозяева почувствовали боль от внезапной утраты кого-то из «шестерок», но их не мог не заинтересовать тот факт, что некто нахально разделывается с их людьми. Как ни крути, а мне от этих убийств одна головная боль...

Укрыв машину за кустами, чтобы с дороги она не бросалась в глаза, я взглянула на себя в зеркало, поправила парик и подкрасила губы. Черный парик каре изменил мой облик почти до неузнаваемости, и увиденным я осталась довольна. Вышла из машины и пешком отправилась к бару. Из темноты вынырнул Витька, я едва не натолкнулась на него и выругалась от неожиданности.

— Тебя не узнать, — хмыкнул он.

— Стараюсь.

— Парень уже в баре. Полчаса тебе хватит? — Отвечать я не сочла нужным, и он добавил: — Действуем, как договорились.

В этот вечер в баре было многолюдно, но свободный столик остался, я прошла к нему и села, бросив сумку на соседний стул. Попросила официанта принести кофе и не спеша огляделась.

Нужный мне человек сидел в компании усатого типа в клетчатом пиджаке и как раз напротив, что можно было считать удачей. На мгновение наши взгляды встретились, он улыбнулся, а я нахмурилась.

Кофе мне принесли, я достала журнал и принялась его листать. Клетчатый допил пиво, простился со своим приятелем и ушел, а тот устремил взгляд в мою сторону.

— Я жду своего парня, — сказала я тихо, но так, чтобы он услышал. Мужчина развел руками и опять улыбнулся. А я добавила: — Он придурок, ему везде соперники мерещатся.

— Может, не такой он идиот? — подзадорил меня мужчина.

— Идиот, не сомневайся.

— Вы красивая, так что его чувства можно понять.

— Говорю, он идиот. — Я углубилась в журнал, а мужчина стал пялиться в телевизор.

Дверь открылась, и появился Витька, плюхнулся напротив, загородив от меня мужчину.

— Где ты была? — начал он грозно. Кое-какие задатки актера у него имелись, а может, часто приходилось практиковаться — вышло натурально.

— У Вики, — ответила я.

— Врешь!

— Говори тише, — перешла я на зловещий шепот.

Мужчина прислушивался к нашему разговору, хотя по-прежнему смотрел на экран.

— Тебя там не было, я заезжал к ней, — зашипел Витька.

— Была.

— Врешь.

В таком духе мы продолжали пару минут, потом Витька приподнялся и въехал мне по физиономии. Игра его чересчур увлекла, ударил он сильно, я почувствовала кровь на губах.

— Эй, ребята, — позвал бармен, призывая нас к порядку, а переполнявшее меня весь день раздражение, внезапно вырвалось наружу, и я дала Витьке сдачи, причем себя не сдерживала и удар тоже не рассчитала. Витька под изумленными взглядами публики повалился на пол вместе со стулом, откуда смотрел на меня с большим неудовольствием.

— Ты, мать твою... — начал он, выпав из роли.

— Катись отсюда! — рявкнула я.

— Ну... — прошипел он, поднимаясь, народ напрягся, бармен переместился к нам поближе, но Витька поспешно удалился.

— Ты случаем не чемпион по боксу? — спросил меня бармен с дурацкой улыбкой, еще не зная, как реагировать на происходящее.

— А ты желаешь побоксировать? — проявила я любопытство.

— Да ладно, мне чужие дела по барабану, лишь бы посуду не били.

Он поднял стул и вернулся к стойке. А я отодвинула журнал и обвела взглядом зал, предлагая вдоволь мною полюбоваться и поскорее вернуться к своим делам.

— Представление окончено, — сказала я сердито.

Вообще-то по сценарию в это время я должна была рыдать. Предполагалось, что интересующий нас человек выступит в роли моего утешителя, но теперь сценарий летел к чертям. Впрочем, он мне с самого начала не очень-то нравился.

— Он и вправду идиот, — подал голос мужчина и обезоруживающе мне улыбнулся.

— Что я говорила? Закурить есть?

Он пересел за мой стол, протянул пачку сигарет, чиркнул зажигалкой. «Неужто все мужики такие придурки?» — с печалью думала я.

— А вы девушка боевая, — не без робости заметил он.

— Приходится. Извините, что так вышло. —

Я опустила взгляд, демонстрируя смирение. — Ужасно стыдно.

— Он не вернется?

— Нет. Неделю носа не покажет. Потом явится и будет клясться, что пальцем меня не тронет.

— На его месте я бы поостерегся руки распускать. Отдача замучает.

— У меня нечаянно получилось. Разозлилась очень. При людях... стыдно, да и вообще... Все никак не могу с ним порвать.

— Что мешает?

— Привычка, наверное.

— Еще кофе?

— С удовольствием. Только я сама расплачусь. Ладно?

Я посмотрела на своего визави. Тридцать два года, разведен, в настоящее время постоянной подруги не имеет. Домой не спешит и рад случайному знакомству. Я старалась обнаружить в нем что-нибудь отталкивающее, но он был вполне приличным парнем, и я в досаде гнала прочь ненужные мысли. Мое дело привести его в парк, вот и все. Чем меньше я буду о нем думать, тем лучше.

— Мне пора, — взглянув на часы, объявила я. — Завтра на работу.

Я боялась, что он скажет «пока» и останется в баре, и одновременно очень хотела этого. Ник с меня шкуру спустит, а парень поживет лишние несколько часов. Только и всего. Так что в моих интересах, чтобы он оторвал задницу от стула. Витька с дружками ждет на улице, и до своего дома ему сегодня все равно не дойти, а мои душевные муки гроша ломаного не стоят. Хотя, конечно, я могу его предупредить. Почувствую себя человеком, правда, очень непродолжительное время. Ну, давай, парень, поднимайся... Поднялся.

— Я тебя провожу. Что, если твой дружок болтается по соседству?

— И что? Набьешь ему морду?

— Почему бы и нет? — улыбнулся он, подхватил куртку, которая висела на спинке стула, и мы пошли к выходу.

— Похвальная тяга к печатному слову, — веселился Ник, беря у меня из рук газету. — Все прошло отлично. Даже поганая «Вечерка» не вякнула, что это заказное убийство. «Разыскивается девушка...» — процитировал он. — Описание совсем тебе не подходит, фоторобот вовсе никуда не годится. «Браслет из крупных жемчужин...» Это что такое?

— Жемчуг искусственный, купила на распродаже, их только что не бесплатно раздавали. Уже выбросила. Зато девицы по соседству смотрели на браслет, а не на мою физиономию.

— Восхищаюсь твоей предусмотрительностью.

— Все для тебя, родной. Лишь бы ты остался доволен. Что там с убийствами? — помедлив, спросила я.

— С какими?

— Если тебе пришла охота повалять дурака, ради бога.

— С убийствами мрак кромешный. Менты решили — бандитские разборки. Им на фиг не надо носом землю рыть, без того забот выше крыши.

— Менты меня интересуют мало.

— Говорят, ты вопросы задаешь? Подалась в частные сыщики?

Я оставила его слова без комментариев.

Мы сидели в баре уже полчаса, и нежелание Ника говорить на волнующую меня тему здорово нервировало. Газета тоже раздражала. Не сама газета, естественно, а заметка о гибели журналиста. Его тело обнаружил милицейский патруль в три часа ночи. Мне очень хотелось выбросить этого парня из головы, но мысли о нем упорно возвращались.

92

— Тебе покойники снятся? — вдруг спросила я и тут же прикусила язык, но было поздно. Ник взглянул на меня, улыбка исчезла с его физиономии, и ответил он серьезно, чуть помедлив:

— Иногда. Но к этому привыкаешь.

— Правда?

— Конечно. Человек такая скотина, привыкает буквально ко всему. Сначала ты боишься, потом злишься, потом вовсе ничего не чувствуешь. Тебе давно пора переходить к следующей стадии. Все мы смертны, рано или поздно, но конец один, так что не вижу повода особо переживать... Мне шепнули, что у Сереги были большие долги, — после непродолжительной паузы сказал Ник. — Я проверил. Так и есть. Он задолжал всем казино в городе.

— И ему за это распахали шею? — усмехнулась я.

— Всякое бывает, — пожал Ник плечами.

— Трудно поверить, что кто-то решился на такое, зная, что Серега работал на тебя.

— Если долг большой, а человечек, то есть Серега, столь незначителен, то вполне могли... Меня его смерть не особенно взволновала, а хозяевам сейчас и вовсе не до таких мелочей. Их интересует, кто пронюхал о грузе. Менты на дороге ряженые, их личности до сих пор не установлены.

— Гастролеры?

— Скорее всего. Утечка информации, несомненно, произошла у нас. Разумеется, хозяев сие весьма насторожило. Логично предположить: кто-то из своих решил сорвать куш и смыться.

— Ты сам-то в это веришь? — усмехнулась я.

— Я — нет. — Ник был по-прежнему серьезен. — Но они такие затейники, что верят. Мое дело — слушать старших товарищей, а не высказывать свое мнение.

— Мы ведь уже обсуждали это: о грузе знали многие. Не лучше ли сосредоточиться на убийстве Гороха? Если оно связано с нападением на транспорт, мы сможем выйти на исполнителей.

— Тебя очень занимают эти убийства? — усмехнулся Ник.

— Занимают, — не стала я отрицать.

— Понимаю. Что ж, давай поищем нашего злодея. Можем начать прямо сейчас.

— Сейчас не могу. Меня Машка ждет. Не так часто у нее выпадает свободный день.

— Вот так всегда. Поманила подружка пальцем, и старый добрый Ник уже не нужен. Топай. Если еще кого-нибудь пришьют, позвоню.

— Плохая шутка, — разозлилась я и поспешила удалиться, пока он не передумал.

Машка ждала в моей квартире и встретила меня вопросом:

— Как ты смотришь на то, чтобы напиться?

— С восторгом, — ответила я.

— Тогда начнем. — Она потащила меня в комнату, где был накрыт стол.

— Планы изменились? — удивилась я. — Мы же хотели в ресторан?

— Ресторан никуда не денется. Кстати, наличность у тебя есть?

— Наскребу.

— Отлично. Будем пить до утра.

Мы выпили, по-дурацки улыбаясь друг другу, но беседа не клеилась.

— Я виделась с Ником, — сказала Машка, и мне стало понятно, что ее так беспокоило. — Он расспрашивал о тебе.

— Обо мне?

— Да. Задал мне кучу вопросов, один нелепее другого. Я чуть с ума не сошла от страха. Что происходит, а?

— Какой-то псих прирезал Серегу. Два трупа на неделе, это многовато, вот Ник и нервничает.

— Какой Серега? Ремезов?

— Он.

Машка вернула бокал на стол и уставилась на мен.

— Кто убил?

— Машка, ну откуда я знаю?

— Постой... Двоих уже нет. Ведь так?

— Ну... выходит, что так... — развела я руками.

— И обоих внезапно укокошили без видимой причины?

— Причина, конечно, есть, просто мы ее не знаем.

— Юлька, это ведь... — начала она испуганно.

— Спятила? — посуровела я. — Выбрось из головы! И вообще, мы отмечаем мой день рождения, так что завязывай со всякими такими разговорами. Пьем и радуемся жизни.

Разумеется, напиться мне так и не удалось, но я очень старалась. Ноги заплетались, язык отяжелел, но спасительное безмыслие не наступало. Впрочем, не очень-то я на это и рассчитывала. Мы пили у меня, потом зашли к Виссариону, девки под мой аккомпанемент исполнили «Happy birthday...» и подарили коробку конфет, которую позаимствовали все у того же Висссариона. Я поставила выпивку, выслушала поздравления и заверения в том, какой я хороший человек. Кажется, в этом никто не сомневался.

Потом мы, прихватив бутылку, залезли на крышу дома, где любили таращиться на звезды во времена своей счастливой юности. Чтобы попасть на крышу, пришлось сломать замок, с чем я блестяще справилась. Мы сидели под звездами, я учила Машку пить из горлышка и была абсолютна счастлива, хотя крыша теперь не казалась такой уж высокой (рядом понастроили домов в шестнадцать этажей), а небо, наоборот, стало бесконечно далеким. Но это обстоятельство моего настроения не испортило.

— Юлька, — позвала Машка, — ты сегодня что-нибудь ела?

— Наверное. Мы же закусывали.

— Есть хочу невыносимо. Идем в ресторан?

— Есть в первом часу ночи? По-моему, это извращение.

— Значит, я извращенка. Что ж теперь? Зато поем. Идем, — потянула она меня за рукав.

— А ты дойдешь?

— Конечно.

— А я?

— Не прикидывайся. Нас ждут великие свершения.

Мы покинули крышу, оставив бутылку недопитой. Лифт не работал, и пока мы спускались по лестнице, дважды едва не упали.

— Я приглашаю тебя в «Багратион», — сказала Машка, устраивая голову на моей груди.

— Жутко дорогой кабак. Нас с позором выгонят, потому что у меня нет денег и мы еле стоим на ногах.

— У меня полно денег. Честно. Они ведь принимают карточку? У меня так много денег, что мне ни в жизнь их не пропить.

— Давай попробуем, — согласилась я.

Мы остановили такси и поехали в «Багратион». Там оказалось закрыто. Машка колотила в дверь снятой туфлей, пришлось ее спешно запихивать в машину.

— Все равно куда, лишь бы еще работали, — скомандовала я таксисту.

Водитель остановил возле подсвеченных огнями дверей, у которых замер швейцар.

— Дяденька, — повисла на нем Машка. — Здесь карточки принимают?

— Так точно, — невозмутимо ответил он, насмотревшись за свою жизнь дураков и похуже, но все-таки не удержался и добавил: — Может, лучше домой?

— Ничего не лучше, — буркнула Машка. — Дома по углам черти пляшут, а здесь побоятся.

Мы вошли в просторный холл. Я пыталась сообразить, куда мы попали, и малость замешкалась, оглядываясь. Машка шла напролом в направлении распахнутых дверей в зал, не заметила фонтанчик, который шутник-дизайнер поместил посередине, качнулась в сторону, желая избежать столкновения, оступилась и точно бы рухнула на мраморный пол, если бы в этот момент из туалета не вышел парень. Реакция у него оказалась отменной, и Машка рухнула прямиком в объятия его раскинутых рук.

— Вас господь послал, — заявила она с улыбкой, закрыв глаза.

— Леди, вам бы лучше не расслабляться, — жалобно ответил он. — Я сам не трезв и могу упасть в любую минуту.

— Порядок, — сказала я, принимая Машку из его рук. — Эй, ты хотела есть, а не спать! — позвала я Машку.

— Я вас лучше провожу, — приглядываясь к нам, сказал парень. — У меня сомнение, что вы до стола доберетесь.

— Он сомневается в наших способностях, — подзадорила я Машку. — Давай покажи ему, что мы девушки не промах и до стола всегда доходим.

— Он симпатичный? — сощурилась Машка.

— Оцени.

— Нет, лучше ты скажи, он постоянно прыгает, мне не удается его разглядеть.

— Я не прыгаю, — обиделся парень. — Я хожу-то с трудом, а вы говорите — прыгаю...

— Да ладно, — махнула я рукой. — Я и тебя доведу.

— Юлька у нас чемпион мира по доведению мужиков, — обрадовалась Машка. — Честно! Ну, так что? Он симпатичный?

— На мой взгляд, лучше не бывает. И ходит хорошо, правда, медленно.

— Я симпатичный, — кивнул парень. — И хожу быстро, только не сейчас. Вон там сидит мой друг. Он меня ждет. А вас кто-нибудь ждет?

— Еще бы. Дед Мороз. Я забыла его под елкой в прошлом году, а он все ждет и ждет.

— Не бросай меня, милый, — сказала Машка, укладывая голову на плечо парня. — Я без тебя умру.

— Вряд ли. Но упадешь почти наверняка.

Тут я услышала громкий смех и рядом с собой обнаружила еще одного парня.

— Тони, где ты их нашел? В туалете?

— Ничего подобного. Они спустились с небес, прямо мне в руки. Это ангел. Ты что, не видишь?

— По-моему, она больше похожа на чертенка, — веселился второй парень, он вроде был потрезвее товарища.

— Я — ангел, — заявила Машка, а я подтвердила:

— Точно.

Совместными усилиями мы добрались до стола. Машка села рядом со своим спасителем и держала голову на его плече, а глаза закрытыми.

— Девчонки, что у вас за праздник? — спросил тот, что потрезвее.

Тут Машка распахнула глаза и сообщила:

— У Юльки день рождения. Был. Мы решили напиться и обещание выполнили.

— Молодцы, — похвалил парень. — Значит, тебя зовут Юля, — повернулся он ко мне. — А ее?

— Ангел, — ответил тот, кого назвали Тони.

— Это я понял, но у ангелов есть имя?

— Есть, — кивнула Машка и назвалась. — А как тебя зовут, моя любовь? — прошептала она с улыбкой.

— Антон.

— Это хорошо.

— Наверное. А вот его зовут Борькой. Он мой друг, но сегодня пьет мало.

— Ужас. Это выглядит подозрительно. Я всегда

пью много, так что ты можешь мне доверять, — скосил тот глаза в мою сторону.

Парни подозвали официанта и сделали заказ. Несмотря на то что Машка пришла сюда якобы есть, ограничились выпивкой. Антон, которого друг упорно называл Тони, вскоре задремал в обнимку с Машкой. Та спала на его плече, сладко причмокивая губами.

— Пора их отправлять, — сказал Борька.

Он расплатился, мы с трудом растолкали дремлющих сотоварищей и потащили к выходу. На счастье, такси долго ждать не пришлось. Я собиралась проститься с парнями, загрузив Машку, но Антон вознамерился ее проводить. Я попыталась втолковать ему: чем скорее он окажется в своей постели, тем для него лучше.

Но он вопил на всю улицу:

— Ангел, возьми меня с собой!

— Конечно, я не оставлю тебя с этими черствыми людьми, — вторила ему Машка.

Таксист ухмылялся, но когда-нибудь ему это надоест. Антон устроил свою голову на Машкиных коленях и махнул рукой:

— Мы улетели, пока, ребята.

Машина уехала, а Борька взял меня за руку.

— Далеко до твоего дома?

— А мы где? — в свою очередь спросила я.

— На Воронцова.

— Здорово. Только я все равно не знаю, где это.

— Если мы немного пройдемся, возможно, станет легче. Как думаешь?

— Я не думаю, я надеюсь. Давай пройдемся.

Он взял меня под руку, и мы побрели в направлении площади. Наконец я стала узнавать дома вокруг и приободрилась.

— Машка твоя подруга?

— Подруга.

— Где-то я ее видел.

— Неудивительно. Вы же родственники.

— Мы?

— Вы. И мы. Все люди — братья, так что, по большому счету, мы все родня.

— Ужас какой-то, — сказал он. — Заниматься любовью с собственной сестрой... Нет, мы с тобой не родственники. В конце концов, Машка ангел, и ты тоже.

— Я не ангел. То есть я, конечно, ангел, но падший.

— Слава богу. Тогда ты должна меня соблазнять.

— Я бы с удовольствием, но у меня язык заплетается.

— Язык в таком деле не главное.

Болтая таким образом, мы вышли к реке и немного постояли на мосту. Поднялся ветер, Борис покрепче прижал меня к себе, но я все равно дрожала от холода.

— Пойдем ловить такси? — шепнул он мне на ухо.

— Без надобности. Мой дом в трех кварталах отсюда.

До моего дома мы шли молча, потому что здорово продрогли.

— Лифт не работает, — предупредила я.

— Девятый этаж?

— Пятый.

— Повезло.

Мы вошли в квартиру, и Борька принялся оглядываться. Там, где у людей вешалка, у меня плакат с портретом Че Гевары.

— С революционным приветом! — козырнул Борька. — Мао Цзэдуна читаешь? — повернулся он ко мне.

— Не-а.

— Хорошо. Я испугался, что нарвался на идейную.

— У меня нет идей, одни пороки.

— Ты мне дико нравишься.

— Ты мне пока не очень, но в принципе сойдешь, — сказала я серьезно, чтоб он не очень-то расслаблялся.

— Где можно куртку повесить, товарищ Ангел?

— В комнате.

— Почему в комнате?

— Потому что вешалка там.

И в самом деле вешалка у меня там.

— В этом что-то есть... — озадачился Борька.

— Нет. Когда в последний раз мыла полы, утащила ее туда, чтоб не мешала. С тех пор и стоит.

— Гениально. Ты сводишь меня с ума. Как только я тебя увидел, скромно виснущую на Тошкином локте, сразу подумал: «Вот девушка, которая сведет меня с ума». Так и вышло.

— Чего-то ты совсем расклеился. Садись, заварю чай, у меня есть отличный рецепт.

На кухне я возилась долго и не удивилась бы, усни он за это время, но Борька стоял возле двери на балкон и с интересом ее разглядывал.

— Она заколочена, — сказала я.

— Зачем?

— Падшие ангелы не летают, они плюхаются в бездну вниз головой. Как-то по пьянке я чуть не свалилась, теперь опасаюсь.

— Много пьешь?

— Стараюсь.

— Послушай, а ты случаем не сумасшедшая?

— Наконец-то догадался, — хихикнула я, разливая чай.

— Нет, я серьезно.

— Серьезно у сумасшедших не спрашивают, сумасшедшие ли они.

— Ты кажешься мне немного странной.

— Это от выпитого. А еще от освещения. Не люблю яркого света.

— Я тоже. В полумраке женщин легче соблазнять.

— Что ж, приступай.

— Ты не очень-то любезна.

— Это тебе в отместку за излишнее любопытство.

— Клянусь, что больше не задам ни одного вопроса. Я буду говорить исключительно о твоей красоте.

— О, такие темы всегда интересны, — засмеялась я.

— У тебя глаза египетской богини. Ленивые и опасные. В этом серебристом платье ты похожа на змею. Красивая и коварная.

— Сравнения у тебя какие-то двусмысленные, — нахмурилась я.

— Это оттого, что я не могу как следует сосредоточиться. Меня очень волнует твое колено.

— Я могу отодвинуться.

— Нет, лучше придвинуться ближе.

— И ты найдешь подходящие сравнения?

— Я буду красноречив, как Хайям. Как все восточные поэты, вместе взятые.

— Имей в виду, я могу уснуть в любой момент.

Тут зазвонил телефон. Я сняла трубку — звонила Машка.

— Кажется, я влюбилась, — хихикнула она.

— Завидую, — вздохнула я.

— Что, все так плохо?

— Лучше не бывает. Он обещал быть красноречивым.

— Мой ничего не обещает. Он спит. Я испытываю к нему материнские чувства.

— Ты в своей квартире? — спросила я и вздохнула с облегчением, услышав:

— Нет. Я бы ушла, спать в своей постели куда приятнее, но не могу, ноги совершенно не ходят.

— Это временно.

— Я люблю тебя.

— Взаимно. — Я отложила телефон, а Борька улыбнулся:

— Машка? Как они добрались?

— Понятия не имею, но твой друг спит.

Борька засмеялся.

— Завтра у него будет горькое похмелье и масса сожалений.

— Никогда не знаешь, что в этой жизни лучше.

— Интересное замечание для красивой девушки.

— Опять что-нибудь сболтнула?

— Слушай, а чем ты занимаешься в жизни?

— Пью.

— Нет, я серьезно. Так чем? Ну, когда не пьешь и не дразнишь мужиков своими коленками...

— Тебе интересно, как я зарабатываю на жизнь?

— Ну да.

— Сейчас я в очередном поиске. С одной работы меня уже вышибли, а другую я еще не нашла.

— А что ты умеешь?

— У меня масса талантов, но с ними на работе подолгу не держат. Последний раз работала продавщицей.

— Шутишь? — не поверил Борька.

— Как насчет того, что все работы хороши, а? — хихикнула я.

— Ты меня разыгрываешь. У тебя на полке Хемингуэй в подлиннике.

— Выпендриваюсь, — махнула я рукой. — Я девушка без образования, ищу работу по специальности.

— Этот анекдот я знаю.

— Жаль. Тебе не кажется, что мы чересчур далеко отклонились от намеченной темы? — спросила я.

— Что плохого в том, чтобы чуть лучше узнать друг друга?

— Валяй рассказывай.

— Я? — возмутился он.

— Конечно. Буду узнавать тебя лучше.

Предложение ему не очень понравилось. Я разглядывала его, гадая, как он поступит. Попытается уклониться и перейдет к решительным действиям или предпочтет поболтать? Поболтать он любит, это ясно. Я прикидывала, кем он может быть. Внешность у

Борьки самая обыкновенная, среднего роста, крепыш, довольно длинные волосы, зачесанные назад. Золотисто-карие глаза, которые часто встречаются у шатенов, были по-настоящему хороши. Большие, с длинными ресницами, взгляд с поволокой обещал райское блаженство. Кольца на пальце нет, но предпочел поехать ко мне, значит, если не женат, то имеет постоянную подругу, а может, просто осторожничает. Хотя вряд ли у такого парня дома золото-бриллианты, которые может свистнуть залетная девица... Мне надоело гадать, и я поторопила:

— Куда испарилось твое красноречие?

Он усмехнулся.

— А знаешь, довольно непросто рассказать о себе в двух словах.

— Я и три послушаю с радостью, — заверила я.

— Ну... мне тридцать четыре года. Разведен. Дочь живет с матерью, встречаемся редко, отчима она зовет отцом, а меня дядей Борей, и меня это бесит.

— Поэтому вы редко встречаетесь?

— Поэтому. Я прекрасно понимаю, что делаю только хуже, но... Эй, куда это меня занесло? Не возражаешь, если я тебя поцелую? — виновато спросил он.

— Нет.

— Правда?

— Если ты так и не решил, чего хочешь, мы можем еще выпить и поболтать.

— Слушай, ты еле на ногах стояла, а теперь производишь впечатление вполне трезвого человека.

— Просто ты меня догнал, — заверила я.

Он обнял меня и неуверенно поцеловал. На райское блаженство я не очень рассчитывала, но и гнать его не хотела и ответила на его поцелуй.

Мы увлеченно целовались, пока не свалились с дивана на пол, принялись хохотать, как сумасшедшие, и почувствовали друг к другу большое расположение.

— Ты прелесть, — сказала он, когда я уже погружалась в сон.

— Надеюсь, твое мнение не изменится, когда завтра с утра мы будем страдать с перепоя.

Голова болела нещадно, оттого утром просыпаться я категорически отказывалась.

— Юлька, — потряс он меня за плечо. — Мне на работу надо.

— Валяй. Дверь захлопнешь, замок автоматический.

— А чашку кофе страдальцу?

— Сам. Все сам. Привет.

— Юлька...

— Еще слово, и я тебя убью.

— Понял. Сам так сам.

Он поцеловал меня и наконец заткнулся. Должно быть, ушел.

До двенадцати мне удалось поспать, потом пошли звонки по телефону. Звонили все, кому не лень. Когда я решила выбросить телефон в окно, выяснилось, что спать уже не хочется. Я прошлепала в ванную, по дороге заглянула в кухню. На столе лежала записка: номер телефона, под которым Борис размашисто написал: «Браво! Брависсимо! Незабываемо! Если я сегодня умру от головной боли, то без сожаления. Все, что стоило испытать в этой жизни, я испытал».

— Придурок, — усмехнулась я, скомкала записку и выбросила в ведро. Но, стоя под душем, улыбалась.

Звонить ему я не собиралась, не потому, что на трезвую голову он был мне несимпатичен. Как раз наоборот. Привязываться к кому-либо вредно для здоровья, для моего здоровья точно. «Волки бегают в стае, — вспомнила я слова Ника и нервно хихикнула. — А самые умные в одиночку». Как-то, изрядно напившись, Ник излагал мне свою теорию, я слушала, пока хватало терпения, потом заявила, что все это — старая лагерная бодяга «не верь, не бойся, не проси», то есть чистый плагиат. Ник обиделся и с теориями завязал. Помнится, люди у него делились на шакалов, волков и зайцев. Почему именно зайцы, он не объяснил, вероятно, они ему просто нравились. Зайцев жрут, шакалы правят, а волки в основном грызут друг друга, если верить Нику. Но в одном он прав: легко поймать на крючок того, у кого есть привязанности. Самого Ника хрен поймаешь, у него одна привязанность — к себе, любимому. Вот и мне надо брать пример со старшего товарища. Так что о Борьке я уже забыла. А вот что там с Машкой, очень меня интересовало.

Покинув ванную, я позвонила ей в офис. Голос ее звучал страдальчески.

— Сочувствую, — сказала я. — Спешу напомнить: это было коллективной идеей.

— А я и не жалуюсь, — ответила Машка. — Если бы еще народ не жужжал вокруг... Все точно сговорились, так и лезут, так и лезут!

— Как там твой Антон? — все-таки спросила я, хотя, по большому счету, делать этого не следовало. Машка умница и сама все прекрасно понимает.

— Тони. Друзья его зовут исключительно так. Он пробовал объяснить, с какой стати стал рассказывать историю своего детства, и заснул ближе к середине. Так что я знаю только то, что его зовут Тони и что у него было детство.

— Может, тебе повезло?

— Наверное. А знаешь, он симпатичный.

— Ага. Мне он тоже понравился. Правда, помню я его смутно. Он вроде рыжий?

— Иди ты к черту, — засмеялась Машка, и мы простились.

Убедившись, что холодильник пуст, я отправилась

завтракать в ближайшее кафе. Нормальные люди к этому моменту уже обедали, и я, влившись в толпу трудящихся, взяла себе полноценный обед. И тут же заскучала, потому что вспомнила: сегодня понедельник, значит, как ни крути, а завтра вторник, следовательно, Ник спросит меня, где я теперь прикладываю свои умения, знания и опыт.

— Красивая девушка ищет работу без намека на оную, — грустно процитировала я.

Надо срочно что-нибудь придумать. Мои симпатии разделились между дворниками и смотрителями в музее. В пользу дворников — свежий воздух, в пользу смотрителей — хроническая спячка, которую я предпочла назвать медитацией. Я размышляла, к кому примкнуть, пока на ум не пришел Виссарион. И я устремилась в «Бабочку», лелея в душе надежду. Бар был еще закрыт, но, постучав в стеклянную дверь, я вскоре увидела Виссариона. Он не спеша подошел, открыл дверь и сказал:

— Дождя нет. — Точно я пришла за тем, чтобы узнать это. — Прекрасно выглядишь, — продолжил он, наливая мне чай.

— А ты меня хорошо видишь? — усомнилась я.

— Женщина обязана прекрасно выглядеть, проведя ночь с возлюбленным.

— А-а... тогда, конечно. Откуда пришла благая весть?

— Девки, — пожал он плечами, — сказали, приличный парень, сразу видно, у вас любовь. И ушел он в восемь утра. О чем-то это говорит?

— О том, что ему на работу к девяти, — подсказала я.

— Я рад, что у тебя приличный парень. Твой Ник мне не нравится.

— А кому он нравится? — удивилась я.

— У него глаза дурные.

— Он сам дурной.

— Можно я спрошу тебя одну вещь?

— Валяй, — милостиво разрешила я.

— Ты красивая девушка. По мне, так даже очень красивая. Красивые девушки стараются выглядеть красиво, одеться, причесаться, подкраситься. А ты...

— Чего это на тебя нашло? — вытаращила я глаза.

— Ты словно нарочно ее прячешь.

— Кого?

— Красоту, — разозлился он.

— Я не прячу, я не демонстрирую. Когда не особо демонстрируешь, вокруг поменьше желающих тебя трахнуть.

— Ну, по большому счету, — засмеялся Виссарион, желая обратить разговор в шутку, — как раз об этом многие и мечтают.

— Ага. Тебя когда-нибудь трахали?

— Как же без этого, — вновь пожал он плечами. — Пей чай, стынет.

— Извини, — вздохнула я. — Страдаю с перепоя, тянет говорить людям гадости.

— Дождя нет, и слава богу.

— Обещают потепление, — поддакнула я. — Виссарион, возьми меня на работу.

— Кем? — удивился он.

— Ну... давай подумаем.

— Повар у меня есть, ей одной работы мало, а если я возьму тебя барменом, чего сам делать буду?

— Давай ты возьмешь меня музыкантом, — озарило меня. — А что? Инструмент простаивает. Будем каждую ночь петь хором.

— И сколько я тебе за это должен платить? — нахмурился он.

— Согласна работать за кормежку. Наташка готовит так скверно, что я при всем желании много не съем, так что ты не обеднеешь. Правда, тебе придется оформить меня официально и платить налоги. Зато я могу еще мыть полы. Ну, так что? Согласен?

— Я подумаю.

— Некогда думать. Говори сейчас, не то придется мне идти в дворники. Ужас как не хочется.

— Ладно, — буркнул Виссарион, а я вздохнула с облегчением.

— Ты хороший человек. Когда помрешь, попадешь сразу в рай.

— В дурдом я с вами скоро попаду.

— Я тебя буду навещать.

— Убирайся с глаз и помни: сегодня мы поем хором.

Совершенно счастливая я покинула заведение. Теперь можно встретиться с Ником. Но он, точно нарочно, о работе не спрашивал. Я не выдержала и похвалилась:

— Сегодня приступаю.

— Да неужели? — съязвил он. — Тебя взяли мыть сортир на вокзале?

— Пальцем в небо. У меня теперь творческая профессия.

— Рисуешь «зебру» на асфальте?

— Руковожу хором.

— Ветеранов?

— Работников обслуживания. Волнуюсь, вдруг не получится.

— Брось. Тебе присвоят звание заслуженный работник культуры, а старым шлюхам сразу народных артисток.

— Каким еще шлюхам? — обиделась я.

— Значит, ты будешь развлекать девиц игрой на рояле... Старый идиот спятил, согласившись на это. Господи, как ты мне надоела! Ты разбиваешь мое сердце своим стойким нежеланием трудиться. Если так пойдет дальше, окончательно превратишься в обезьяну.

— Обезьяны не играют на рояле.

— В цирке? Сколько угодно.

— Если взглянуть на проблему с этой точки зрения, вся наша жизнь сплошной цирк.

— Попробуй сказать, что я не схожу по тебе с ума, — сказал Ник сурово. — Тебе легко сходит с рук то, за что другому давно бы башку оторвали. Плевать мне на твою работу, — огорошил он. — Менты установили личность одного из убитых псевдогаишников. И знаешь, кем он оказался?

— Нет, но надеюсь, ты расскажешь?

— Бывшим сотрудником транспортной фирмы «Максим».

Хозяин этой самой фирмы Максим Полозов доводился Нику родным братом, так что гнев последнего был вполне понятен. Хозяева запросто могли связать троицу воедино, и в этом свете положение Ника представлялось незавидным.

— Садись в машину, навестим этого придурка.

— Может, вы сами, по-родственному? — неуверенно предложила я, зная, как Ник скор на расправу.

— Садись, — грозно повторил он, и я ласточкой впорхнула в его джип.

Фирма располагалась на территории хладокомбината. Мы домчались туда в рекордные сроки, миновали ворота с охраной и свернули к офису.

Ник шел впереди, а я поотстала. Секретарша, завидев Ника, попыталась укрыться за компьютером, а потом полезла под стол, сделав вид, будто что-то уронила. Предупредить шефа она даже не пыталась. Ник пнул дверь ногой, и шоу началось.

— Брат... — радостно проблеял Максим, быстро меняя цвет лица с красноватого на серо-зеленый, вскочил из-за стола и простер к Нику руки.

Ник, в три шага преодолев расстояние, их разделявшее, сгреб братца за шиворот и ткнул лицом в стол. Тот взвыл. Ник чуть приподнял его за волосы и шваркнул вновь. «С таким хрустом только кости ломаются», — решила я, стоя у окна и разглядывая двор.

— Ты мне нос сломал! — взвизгнул Максим, а я удовлетворенно кивнула: «Угадала».

Ник вновь приподнял его за голову левой рукой, а правой бросил на стол фотографию.

— Это что, придурок?

— Фотография, — резонно ответил Максим.

— Да неужто?

— Подожди-подожди... — взмолился тот.

Максим был старше Ника лет на десять и до смерти его боялся. Так боялся, что это было даже смешно. Правда, не сейчас. Сейчас он обливался кровью, потому что Ник не только сломал ему нос, но и почти наверняка выбил зубы, и, если этим ограничится, мужику, считай, повезло.

— Брат! — завизжал он так, что у меня заложило уши, я невольно поморщилась и с удвоенным усердием принялась разглядывать двор. — Объясни, в чем дело?

Ник выпустил из рук волосы страдальца и заговорил с преувеличенной лаской. Знающих людей такая перемена не успокаивала, а даже напротив, настораживала. Максим был знающим человеком и продолжал затравленно коситься на братскую руку.

— Нет, это ты мне объясни! — Ник ткнул пальцем в фотографию. — Ты его знаешь?

— Нет.

— Не торопись, подумай.

— Богом клянусь, я его не знаю.

Несколько минут было совершенно неинтересно, потом Ник вызвал начальника отдела кадров, тучную даму пенсионного возраста. Толку от нее не было вовсе, потому что при виде Ника и разбитой физиономии шефа она лишилась дара речи и способности что-либо понимать. Я взяла ее под руку и отвела в родной кабинет, где она через некоторое время пришла в себя и мы смогли поговорить.

Кириллов Илья Сергеевич, запечатленный на фотографии, действительно работал у них в течение двух лет. Уволился месяц назад, нашел работу, которая устраивала его больше. Здесь он трудился водителем. Характеризовался положительно, непьющий, никаких нареканий. По поводу его личной жизни дама ничего сообщить не могла. Официально не женат, а там кто его знает. С товарищами отношения поддерживал хорошие, но ни с кем в особенности не дружил.

Я отправилась прогуляться по территории в сопровождении охранника и немного потолковала с людьми. Охранника я взяла с собой для того, чтобы наше знакомство с работниками прошло быстрее и без лишних объяснений, а главное, стало задушевнее. Большинство водителей было в рейсах, но кое-что интересное узнать удалось. Когда Ник ко мне присоединился, физиономия его уже приобрела спокойное выражение, но лучше было его некоторое время не нервировать, и я скромно помалкивала, пока он сам не спросил о моих достижениях:

— Ну?

— У них договор с фирмой «Корвет», загружаются на Воровского, — начала докладывать я. Кстати, на Воровского и мы загружались перед тем, как отбыть с транспортом. — На мой взгляд, о грузе он узнал случайно. Может, что-то увидел или услышал.

— Ага, — хмыкнул Ник. — И решил сорвать куш? А что он собирался делать с грузом? На рынке торговать прямо с машины? И главное: как думал жить дальше?

— Уносить ноги, естественно, — пожала я плечами. — Их было трое, значит, вовлекать кого-то в это дело они боялись, надеялись справиться своими силами, точно зная, сколько человек обычно сопровождают груз. Но, безусловно, был кто-то четвертый, кому они собирались машину перегнать и кто, скорее всего, отвечал за реализацию. Об остальных что-нибудь известно?

— Второй тип три месяца назад приехал из Белоруссии. Недавно освободился. Третий из Рязани. Тоже сидел, освободился полгода назад.

— Что их связывало с Кирилловым?

— С Волковым, это тот, что из Рязани, Кириллов отбывал срок на малолетке.

— Ну, вот, — кивнула я. — Очень подходяще. Один знал о транспорте и исходил слюной, тут объявляются дружки без гроша в кармане, но с дурными склонностями. Один сказал, другой воодушевился, третий поддержал. Но должен быть и четвертый, тот, кто пообещал им товар сбыть. Они надеялись получить от него бабки и смыться.

— А он на что надеялся?

— Хороший вопрос, — вновь кивнула я. — Это не супостаты-конкуренты, что совершенно ясно. Уж очень все по-дурацки. Значит, искать надо среди вольных стрелков, рисковых и не очень умных, или тех, кому этот товар нужен до зарезу. К примеру, среди террористов. Или отморозков, только-только объединившихся в банду. Риск, конечно, для них большой, зато в случае удачи им хватило бы на средних размеров армию.

— Только террористов нам не хватало... — буркнул Ник, но заметно спокойнее. Должно быть, уже прикидывал, что доложит начальству. — Террористы или нет, но их надо найти.

— Найдем, — вздохнула я, не особенно веря, что нам повезет. Если парень не идиот, то он уже за тысячу километров отсюда. — Кстати, Илья как-то подвозил одного из слесарей домой — они жили неподалеку, иногда вместе выпивали, — так вот, тот пару раз видел его в компании молодого парня кавказской национальности, а неделю назад увидел того же парня здесь, возле базы. Он сидел в машине и вроде бы кого-то поджидал. Слесарь к нему подошел и сказал, что Илья уволился.

— И где мы будем искать эту кавказскую рожу? — скривился Ник.

— На рынке, естественно. Возьмем фотографию Ильи и поспрашиваем, не видел ли кто парня в обществе единоверцев.

— Вот и займись, — съязвил Ник.

— Могу заняться, но лучше б ты ментов напряг. Это их работа, в конце концов.

— Сами справимся, — отмахнулся он, спорить я не стала. Сами так сами.

Мы отправились на рынок и больше четырех часов тыкали добрым людям фотографию в физиономию. Никто нашего Илью не знал и даже не видел. Ник начал смотреть на меня с неудовольствием, а я еще раз предложила обратиться к друзьям из милиции. Мое предложение он и на сей раз проигнорировал, заявил, что оголодал, и мы зашли в кафе на рынке, вполне приличное, кстати. Хозяин сам обслуживал нас — Ника он знал, оттого нервничал, гадая, зачем того черт принес. Ник показал фотографию и ему, и тут удача повалила.

— Был он у меня в прошлую пятницу, — сказал хозяин. Заметив интерес в наших глазах, воспрял духом и продолжил с большой охотой: — В пятницу у Руслана был день рождения, погуляли немного, вот я и запомнил. Эти пришли поздно. Их за стол звали, но они отказались вежливо, и сразу стало ясно — люди поговорить пришли. Вон в том углу сидели.

— Сколько их было?

— Четверо. Двое по виду русские, а один из Дагестана, чем тут занят, не знаю, но на рынке я его не раз видел. Спроси у Мусы, третий дом по улице Левитана. Парень из русских, что помоложе, из блатных.

— Откуда знаешь?

— Слышал, как говорит.

Ник выложил еще две фотографии.

— Вот этот, — взглянув, указал хозяин на фотографию Волкова. — Только здесь он бритый. Второго не видел.

— Нас больше интересует тот, кто был с ними.

— Лет сорока, невысокий, сутулился и все отворачивался, вроде как не хотел, чтоб лицо запомнили. Он все больше слушал и кивал, а говорил в основном вот этот. — Он ткнул пальцем в фотографию Волкова.

— Пожалуй, ты права, — сказал Ник, заметно успокоившись, когда мы покинули кафе. То ли слова старика так на него подействовали, то ли хорошая еда, то ли то и другое вместе. — Похоже, что увести у нас транспорт надумали придурки из бывших уголовников.

— Если так, то мы этих деятелей быстро найдем.

— Ага. И шкуру спустим в назидание другим.

Насчет шкуры Ник не шутил, особенно насчет того, что ее спустит, — понимать это надо буквально. Я от всей души пожелала двоим неизвестным раствориться как можно скорее на просторах необъятной родины и забыть дорогу в этот город.

— К Мусе заглянем? — спросила я, садясь в машину.

— Конечно, — кивнул Ник.

Улица Левитана прилегала к рынку. Дома здесь в основном старые, еще довоенной застройки, с многочисленными сараями и гаражами. Стойкий дух гниения после затяжных дождей ощущался особенно сильно. Улицу облюбовали торговцы с юга, снимали здесь жилье. В основном комнаты, если повезет, квартиру, но не гнушались и сараюшками, где складировали товар, а зачастую и спали. Возле каждого дома «Газели», а то и две-три. Дорога разбита, грязь невероятная.

— Что за народ? — возмущался Ник, высматривая нужный нам дом. — Где жрут, там и...

— Вот третий дом, — кивнула я, взгляды Ника по национальному вопросу были мне хорошо известны, так что особенно интересным замечание не показалось.

Ник подошел к воротам и грохнул по ним кулаком. Через пару минут одна из створок приоткрылась, и мы увидели паренька лет пятнадцати. По-русски он говорил плохо и, похоже, ничего не понимал, но имя Муса уловил и вскоре вернулся с носатым мужиком лет шестидесяти. Тот посмотрел на меня, на Ника и спросил:

— Чего хотите?

— Поговорить, дядя, — ответил Ник. — Не возражаешь, если мы зайдем?

Во дворе стоял стол со скамейками вокруг него. Возле стола устроились трое молодых мужчин, наверное, радовались робко проглядывавшему солнышку, вот и не спешили в дом.

— Садись, — кивнул Муса Нику, мне парнишка принес стул.

Один из мужчин наклонился к Мусе и что-то шепнул. Наверняка узнал Ника, потому что в лице мужчины сразу же наметилось беспокойство.

— Идем в дом, — поспешно предложил он. — Посидим, выпьем.

— Я не пью, — отмахнулся Ник, сделав небольшое отступление от истины, но комментировать его я, разумеется, не стала. В разговоре тоже не участвовала, сидела и наблюдала за мужчинами, один из них обращался к Мусе на родном языке, но Ник с улыбкой предложил: — Говори по-русски. — И тот заткнулся.

Что-то их беспокоило. И здесь они не просто так собрались. Ник расспрашивал о парне, с которым предположительно был Илья, и показал фотографию последнего. Мужчины попытались прикинуться неосведомленными: мол, Илью не видели никогда, а парень... мало, что ли, парней?

— Ты хотя бы имя скажи.

— Имя вы мне скажете, — ответил на их разглагольствования Ник. — И чем скорее, тем лучше. Не то терпение мое лопнет, и я вам быстро обрисую, как следует вести себя в гостях. Погромов на рынке давно не было?

Мужчины вновь переглянулись.

— Тот, кого ты ищешь, умер, — наконец сказал Муса. — Он вот ему, — Муса ткнул пальцем в одного из мужчин, — родня. Племянник жены. Хотели домой отправить — болтался без дела, совсем пустой человек. Доверить ему торговлю никак нельзя. Мать жалко, вот и держали. А три дня назад он исчез. Не могли найти, никто не видел. Сегодня утром нашли, в сарае, за ящиками. Туда редко кто заглядывал. Теперь думаем, что делать. Документов нет, ничего нет. Мать его жалко.

— Покажи, где это? — хмуро бросил Ник, поднимаясь.

К старому сараю пристроили навес, который обшили с боков железом, все пространство было заставлено товаром, оставался лишь узкий проход, он вел к двери в сарай, запертой на ключ. Ник вслед за мной протиснулся в узкое пространство между стеной и ящиками. Парень лежал на полу, прикрытый телогрейкой. Ник ее приподнял, а я отвернулась.

— Черт, он у вас протухнуть успел, — возмутился Ник. Судя по запаху, так и было.

— Сюда редко заглядывают, — виновато ответил Муса. Я не спеша огляделась.

— Когда вы его нашли, он что, сидел?

Крыша была низкой, и повеситься парень на поперечной балке никак не мог, роста он был выше среднего, ему бы пришлось ноги поднимать.

— Сидел. Вот здесь сидел. А веревку вот сюда продел.

— Значит, вашему парню кто-то помог, — заметил Ник и недовольно добавил: — Идем отсюда. Чего ментам не сообщили?

— Думаем.

Мы вернулись за стол во дворе, и Ник начал задавать вопросы. Отвечали ему с неохотой, однако удалось выяснить, что накануне исчезновения парня его разыскивал человек, спрашивал людей на рынке. Описание этого человека вполне подошло бы мужчине, с которым покойники, будучи еще живыми, встречались в кафе, — лет сорока, сутулый, без особых примет.

— Чернота темнит, — высказал свое мнение Ник уже в машине. — Что-то они знают. И боятся. Вряд ли надумали сами убийцу искать, тут что-то другое.

— Если удавленник здесь не торговлей промышлял, а, к примеру, был идейным борцом, ничего они не скажут, здоровье дороже.

— Разберемся, — удовлетворенно кивнул Ник. — Пока все более-менее ясно.

«И есть что хозяевам доложить», — подумала я, а вслух спросила:

— Какое ко всему этому имеют отношение Горох и Серега?

— Кто знает? Может, и имеют. Горох, кстати, сидел. Мог кто-то из старых друзей у него нарисоваться. А что? Увидел его на базе, подошел... Дядя мне нравится, работает грамотно, свидетелей не оставляет. Горох не дурак, мог сообразить, что к чему, если не был с ними в сговоре, оттого и скончался. И Серега мог что-то узнать об этом...

— И позвонил мне?

Ник, не желая спорить, пожал плечами. Его версия мне в общем-то нравилась, все вполне могло быть именно так: один из дружков случайно узнает о транспорте, и у него возникает идея погреть руки, уголовники любят выпендриваться: мол, нам сам черт не брат, не только Ник с его хозяевами, обтяпаем дельце в три счета... и прочее в том же духе. Не от большого ума такие идеи, но вполне могли прийти в чью-то голову. И Горох в самом деле мог встретить дружка на базе. А что? Он там часто бывал, вот и свела нелегкая. Только у меня большие сомнения, что Горох на это дело подписался. Ума у него немного, но с чувством самосохранения полный порядок. Предположим, он не согласился, оттого и скончался. Четвертый дядя — личность ключевая и самая загадочная. По рынку он болтался, о парне расспрашивал, значит, успел засветиться, и мы его в конце концов найдем. Одно меня очень смущает: допустим, Серега что-то узнал обо всем этом, но зачем ему звонить мне? С какой стати? Нет, тут что-то другое. И это «что-то» по-прежнему не давало покоя.

Мы собрались проститься с Ником, когда у меня зазвонил телефон. Номер оказался незнакомым, но я ответила.

— Юля? — Голос в первое мгновение я не узнала, и только когда мужчина добавил: — Это Антон, — сообразила, с кем имею дело. — Простите за беспокойство, вы не могли бы мне дать номер телефона Маши?

Ник поглядывал с интересом, а я мысленно чертыхнулась, уж очень не вовремя позвонил наш новый знакомый.

— Так получилось, что мы расстались неожиданно, — неуверенно продолжил он. — И я... в общем, я бы очень хотел ей позвонить.

— Она потеряла мобильный, а домашнего телефона у нее нет.

— А рабочий?

— Она временно безработная.

— Тогда, может быть, вы сообщите ее адрес?

— Не сообщу. Я и сама его не знаю.

— По-моему, вы мне морочите голову, — сказал он с обидой.

— По-моему, вы мне тоже. Если она не оставила вам номер телефона, значит, не хотела, чтобы вы ее нашли.

— Премного благодарен, — буркнул Антон и отключился, а я ответила широкой улыбкой на заинтересованный взгляд Ника.

— Кого ты опять подцепила?

— Я — никого. К Машке привязался один тип, когда мы отмечали мой день рождения. Она его отшила, а он все никак не успокоится.

— И звонит тебе?

— Только не спрашивай, откуда он узнал номер. Понятия не имею.

— Я рад, что ты весело проводишь время, — хихикнул Ник, и мы наконец простились.

Я вернулась домой, по дороге перекусив в кафе, постояла под душем и немного посмотрела телевизор. Сегодня мне предстояло выйти на работу, и я отнеслась к этому событию очень серьезно. Даже порылась в шкафу и отыскала ноты, бог знает зачем перевезенные сюда из отчего дома. В дверь позвонили, и в некотором удивлении я пошла открывать. Навещали меня только Ник и Машка. С одним мы расстались недавно, и его общество я, мягко говоря, не жаловала, другая была занята всю неделю. Я распахнула дверь и невольно поморщилась в досаде. На пороге стоял Борька. Вот уж кого я меньше всего хотела увидеть.

— Салют, — сказала я, привалясь к дверному косяку, тем самым намекая, что в квартиру его пускать не намерена.

— Забавное приветствие, — улыбнулся он.

— Рада, что тебе нравится.

Я замолчала, Борька тоже не знал, что сказать, пауза затягивалась.

— Может быть, ты позволишь мне войти? — спросил он, точно очнувшись.

— Я, собственно, собралась уходить.

— В купальном халате?

— Ладно, заходи, — не стала я спорить, пропуская его в прихожую.

120

— Салют, команданте, — приветствовал он Че Гевару, подняв руку с сжатыми в кулак пальцами. — Как себя чувствуешь? — повернулся он ко мне.

— Революционеры умирают, но не сдаются.

— Вид у тебя цветущий.

— Если хочешь выпить, в холодильнике немного осталось.

— Не говори мне о выпивке, — взмолился он. Ему пришлось почти кричать, потому что я отправилась в ванную переодеваться — короткий халат на голое тело не самый удачный наряд, если намереваешься отшить парня. В комнате, где он устроился, я появилась в джинсах и футболке.

— А знаешь, ты выглядишь совсем иначе, — приглядываясь ко мне, заметил он.

— Не уверена, что ты хорошо помнишь, как я выглядела вчера.

— Нет, серьезно. Эта прическа очень меняет твой облик. — Я плюхнулась в кресло напротив него и вздохнула. — Что-нибудь не так? — спросил он после паузы.

— О чем ты?

— Я зря пришел?

— Это ты думаешь или я?

— Я не собирался приходить, — пустился он в откровения. — А потом поймал себя на мысли, что постоянно о тебе думаю. И жду звонка. Но ты не позвонила.

— Целый день страдала с перепоя. Как только башка не треснула...

— Может, прогуляемся? — неуверенно предложил он. — Посидим в кафе.

— Давай в другой раз. Мне на самом деле пора уходить. Ты застал меня по чистой случайности.

— Я понимаю, надо было позвонить, но ты не оставила мне свой номер.

— Что не помешало тебе его узнать, — усмехнулась я. — Мне звонил твой друг.

— Антон? Твоя Машка исчезла, как видение, — словно оправдываясь, сказал Борька. — Я только-только порадовался, что мне повезло больше, но ты со мной ужасно холодна... — Он хотел, чтобы его слова прозвучали весело, однако на самом деле вышло печально. — У тебя кто-то есть?

— В том смысле, который ты вкладываешь в этот вопрос, нет.

— Ты жалеешь о том, что произошло?

— Боря, все нормально, — развела я руками. — Просто я действительно страдаю с перепоя, и мне действительно пора уходить.

Очень часто мужчины казались мне странными созданиями. Вот и этот ведет себя глупее не придумаешь: вместо того чтобы встать и уйти, пытается устроить сцену, причем весьма неумело. А если бы я полезла к нему с подобными глупостями, наверняка убежал бы как ошпаренный, что, безусловно, и делал не раз.

Но Борька оказался разумным парнем. Поднялся и с улыбкой сказал:

— Хорошо. Встретимся, когда у тебя улучшится настроение. Я могу тебе позвонить?

— Сколько угодно, — заверила я, провожая его до двери. Он все-таки задержался на мгновение и нерешительно меня поцеловал.

В девять я была в «Бабочке», решив, что в первый день работы просто обязана прийти пораньше. Бар был пуст, если, конечно, не считать Виссариона, который, стоя за стойкой, читал книгу, водрузив очки на нос.

— А где воспитуемые? — с кислым видом обводя бар, спросила я.

— Вот послушай, — ответил Виссарион и стал цитировать: — «Ложное или ненадлежащее злоупотребление словами странно подчиняет понимание, ибо слова абсолютно владеют пониманием и ввергают все предметы в хаос».

— Что за дрянь ты читаешь? — возмутилась я.

— Фрэнсис Бэкон, — сказал он с укоризной.

— Все англичане — страшные зануды.

— Сегодня нет дождя, — изрек Виссарион. К его манере вести беседу я давно привыкла и даже смогла приноровиться. — Время, — добавил он и пожал плечами. Понимать это можно было так: для девок еще слишком рано, к тому же сегодня хорошая погода и они будут торчать на улице, боясь проворонить клиентов.

Надо сказать, что своим стремлением спасать заблудшие души Виссарион подорвал репутацию заведения, нормальные люди сюда не заглядывали. Правда, бывали ненормальные, приходившие сюда в поисках экзотики, а также случайные, кто знать не знал, от чего здесь спасают.

— Могу тебя накормить, — сообщил Виссарион. — Наташка ушла, но можно подогреть в микроволновке.

— Я лучше поиграю, не то получится, что я даром ем твой хлеб.

— Поиграешь потом.

— Нет. Меня будет мучить совесть.

Я села за рояль, а Виссарион отложил книгу. Странное дело, но игра доставила мне удовольствие, но главное, конечно, что я доставила удовольствие Виссариону. На глазах его стояли слезы.

— У тебя прекрасная душа, — изрек он.

— У меня просто хватило терпения окончить музыкальную школу.

— Твой отец профессор, — подумав, сказал Виссарион. — Зачем якшаешься со всяким сбродом?

— Ты кому вкручиваешь? — усмехнулась я. — Моя биография тебе наверняка известна.

— Допустим, — не стал он спорить. — Но ты всегда можешь уйти. Можешь?

— Нет, — покачала я головой. — Не спрашивай почему. Не могу.

Тут дверь открылась, и в бар вошел Борька. Пока я собиралась высказаться по этому поводу, он добрался до стойки, взял чашку кофе и скромно устроился у окна, поглядывая на улицу.

— Кажется, у нас приличный посетитель, — шепнул Виссарион. Разубеждать я его не стала и принялась играть.

Вечер был полон неожиданностей. Минут через десять в бар заглянула парочка. Огляделись и неуверенно прошли к стойке, выпили кофе, заказали еще, в общем, остались. Вскоре явились две девушки с кошкой в сумке, потом еще парочка. Часам к одиннадцати почти все столы были заняты, такого наплыва граждан я припомнить не могла. Пока я ходила в туалет, Виссарион извлек пухлый том «Антологии английской поэзии» и приступил к выразительному чтению. Не знаю, кого он в этот раз спасал, но впечатление в любом случае произвел, большинство посетителей притихли и задумались, а некоторые откровенно обалдели, как я когда-то. Девки, забежавшие выпить кофе, оценив ситуацию, пристроились возле стойки, точно испуганные птицы, и рот не смели открыть, дабы не испортить впечатления и не лишить Виссариона заслуженного триумфа. Народ от души хлопал, а Виссарион кланялся. Я с чувством исполнила «К Элизе», и публика, к облегчению моему и девок, начала расходиться. Борька сидел как приклеенный.

— Тебя ждет, — шепнул довольный Висарион.

— Мне еще работать, — возмутилась я, но Виссарион замахал руками так отчаянно, а выглядел таким довольным, что портить настроение ему не хотелось.

— По-моему, все удалось, — сказал он мне на прощание.

— Ты был великолепен, — ответила я.

Борька ждал меня на улице.

— Я и не знал, что в городе есть такое кафе, — улыбнулся он. — Музыкально-литературный салон, так, кажется?

— Ты как сюда забрел? — спросила я, сообразив, что зубы заговаривать он не умеет.

— Я решил, что у тебя свидание. Я ужасно ревнив. Почему ты не сказала?

— О чем?

— Куда идешь. Это что, какой-то клуб? Ты здесь на общественных началах? Кстати, классно играешь. Я в детстве на скрипке играл, но, в отличие от тебя, скверно. Как же я сразу не догадался, что ты пианистка? — улыбнулся он, взяв меня за руку. — У тебя очень красивые руки. Преподаешь где-нибудь?

— Задолбал вопросами, — хмыкнула я. — А головная боль у меня еще не прошла. Значит, ты за мной следил?

— Не злись, ладно? Сам не знаю, что на меня нашло. Каких только глупостей не собирался сделать, вхожу, а ты сидишь за роялем... Знаешь, у тебя странное лицо. Ты постоянно меняешься. Вчера я видел одну девушку, сегодня в твоей квартире другую, а в баре третью.

— Это называется шизофренией, — напомнила я. Борька засмеялся, казалось, его хорошего настроения ничто не испортит, и мне злиться уже надоело. — Ладно, — вздохнула я, решив, что небольшое отступление от правил особого вреда не принесет. — Ты предлагал кафе. Я согласна на ресторан. Твой бюджет это выдержит?

— Да я банк ограблю, лишь бы ты осталась довольна! — засмеялся он. — Вообще-то ты имеешь дело с вполне преуспевающим человеком.

— Повезло. Зайдем ко мне, переоденусь. Если уж ты решил раскошелиться, надо показать товар лицом.

В квартире я налила ему чашку чая и замерла перед открытым шкафом, размышляя, что надеть. Бог знает что нашло на меня в тот вечер, но привычные мысли не одолевали. Я готовилась пойти с парнем в ресторан, и у меня было лишь одно желание: понравиться ему.

— Что скажешь? — повернувшись к Борьке, спросила я, прижимая платье к груди.

— Ты очаровательна.

Я засмеялась.

— Твое красноречие еще не истощилось?

— Оно возросло. Надень платье или разденься совсем и разреши раздеться мне.

— Ухожу в ванную, — усмехнулась я, — не то не видать мне ресторана.

Я торопливо удалилась, а через полчаса была готова с ним на край света.

— Можем идти, — сказала я весело.

Он встал, но вдруг замешкался, и с красноречием вышла неувязка, он явно подыскивал слова. Потом спросил серьезно:

— Ты не боишься, что я влюблюсь в тебя?

— Немножко. И это доставляет известное удовольствие. Разве нет?

— Мучить такого беднягу, как я, для тебя удовольствие? — засмеялся Борька.

— Не прикидывайся, в твоих глазах таится страшная угроза женщинам.

— Ты чувствуешь угрозу своему покою? — насторожился он.

— Боюсь, моему покою пришел конец, — порадовала я.

— Это шутка, да?

— Разумеется. Мы идем или так и будем стоять столбом?

В ресторан мы так и не попали. Для начала решили прогуляться. Свернули к реке, любовались звездами и занимались прочими глупостями. То, что мне это нравилось, более или менее понятно — в то время, когда другие девицы тратили время на романтические прогулки, небо я видела в клеточку, а вот что Борьку заставляло валять дурака, для меня загадка. Одно несомненно: делал он это с удовольствием. Потом идти в ресторан уже не было смысла.

— Пора прощаться, — сказала я. — Тебе завтра на работу.

— Я тебя провожу, — ответил он, останавливая машину.

Сцена прощания у подъезда вышла трогательной. Борька, должно быть, ждал приглашения подняться, осторожно привлек меня к себе и поцеловал, но я так же осторожно высвободилась из его рук и прошептала:

— Пока.

— Да, спокойной ночи.

На следующее утро он позвонил. Я ждала Ника, и желания болтать с Борькой у меня не было. В трубке стоял страшный шум, точно на стадионе во время матча, и я спросила:

— Ты что, на станке работаешь? Что у тебя там за грохот такой?

— Чернорабочие прессы, — хихикнул он.

— О, черт... И чем ты сейчас занят?

— Звоню тебе, а вообще-то пытаюсь наскрести материал на приличную статью.

— Так ты журналист... — вздохнула я. — То-то мне сегодня кошмары снились.

— Кошмары тебе снились, потому что ты меня прогнала. Что ты имеешь против журналистов?

— А чего в вас хорошего? В какой газете трудишься?

— В «Вечерке».

— Паршивая газетенка.

— У нас самый большой тираж в области, — весело сообщил Борька, ничуть не обидевшись.

— Поздравляю.

— Ты ведь не разлюбишь меня, правда?

— Постараюсь это как-то пережить. В конце концов, все мы в жизни ошибаемся.

Он опять засмеялся, потом сказал:

— Слушай, а я, кажется, влюблен.

— Сочувствую.

— Нет, серьезно. Не хотел тебе звонить, но еле дождался двенадцати.

— Почему двенадцати?

— Если бы позвонил раньше, перестал бы себя уважать.

— Как все сложно... Ладно, ты стойкий парень, выдержал положенное время, теперь трудись с полной самоотдачей.

— Эй, подожди. У меня есть обеденный перерыв, а у тебя? Давай встретимся? К примеру, в час? Я тебя накормлю сегодня, раз уж вчера не удалось.

— Я тружусь без перерывов и перекуров.

— Ты меня дразнишь.

— Ничего подобного. Салют.

Разумеется, новость не пришлась мне по душе. Журналисты народ дотошный, их хлебом не корми, дай что-нибудь нарыть. А «Вечерка» сделала себе имя на скандальных публикациях. Но особой причины переживать я тоже не видела — с нашей нежной дружбой пора завязывать в любом случае, так что это лишний повод поторопиться.

Однако в моих поступках, в отличие от намерений, логики не прослеживалось: позвонил Ник и сказал, что его планы изменились, и я тут же перезвонила Борьке.

— Ты не поверишь, но я только сейчас узнала, что перерыв на обед есть и у меня.

— Ты спасла мне жизнь. Я смотрел в окно и думал: выброситься сейчас или немного подождать, вдруг ты все-таки подобреешь.

— Какой этаж?

— Четвертый.

— Это серьезно. Где встретимся?

Погода, точно одумавшись, радовала солнцем и безветрием. Граждан, измученных затяжными дождями, тянуло на улицу, все спешили урвать немножко тепла перед скорыми холодами. В многочисленных кафе в центре поспешили вынести столы на улицу, взор вновь радовали разноцветные тенты, толпы туристов бродили с очумелым видом, при взгляде на них хотелось лета, праздника жизни, и в душу невольно закрадывалось сомнение: разве можно работать в такую погоду. Борька сидел, вытянув ноги и передвинув стул так, чтобы солнце не било в глаза, но можно было видеть всю площадь. Машину я бросила возле универмага, перебежала на другую сторону, заметив его еще издали.

— Салют, — сказал он весело, поднимая руку со сжатыми в кулак пальцами.

— Здравствуй, товарищ, — ответила я.

— Значит, обеденный перерыв все-таки существует? — хихикнул Борька.

— Революцию лучше делать на сытый желудок. Ты что-нибудь заказал?

— Ждал тебя. — Он подозвал официантку, мы сделали заказ, и, пока его ждали, Борька заявил: — Между прочим, мы впервые видим друг друга при свете дня.

— Ужас какой.

— Нет, серьезно. При свете дня ты еще прекраснее.

— Ты неприхотлив.

— А как тебе моя физиономия?

— Мне важно, что у тебя пламенное сердце и талант оратора. Так что ты там говорил о моей красоте?

Ника я увидела, только когда он оказался возле нашего столика. Улыбка от уха до уха и насмешливый взгляд.

— Салют, девочка, — сказал он, от этого «салют» Борьку заметно передернуло. — Развлекаешься?

129

— Обедаю с соратником.

— Помни, на свете много мест, где нас ждут. Обожаю тебя, — сказал Ник, целуя меня. Разумеется, я ответила со всей страстью, ожидая, что будет дальше.

Ник вновь улыбнулся, демонстрируя свои белоснежные зубы, но, несмотря на все усилия дантиста, назвать его улыбку приятной никак нельзя — Ник не умел улыбаться, только скалиться. Борьку он разглядывал с интересом, а вот тому Ник явно не нравился, что, впрочем, неудивительно.

— Посидишь с нами? — спросила я.

— Не хочу вам мешать, — вздохнул Ник, продолжая от души веселиться, но что-то в его взгляде настораживало.

— Не ревнуй, ладно? — попросила я.

— Не буду, — ответил он и, целуя меня перед тем, как уйти, шепнул на ухо: — Будь осторожна, враги не дремлют.

— Но пасаран! — ответила я.

Ник растворился в толпе, я проводила его взглядом, в душе удивляясь его покладистости. Борька едва дождался этого момента и очень резко спросил:

— Ты знаешь, кто это?

— Разумеется, раз я с ним разговаривала. — Я принялась есть салат, тем самым давая понять, что его тон впечатления не произвел и выяснять отношения я не намерена: делать это с набитым ртом все-таки затруднительно. Но Борьке, как видно, не было до таких тонкостей никакого дела, потому что он переспросил с повышенной нервозностью:

— Ты знаешь, кто он?

— Его зовут Никита, — пожала я плечами. — Занятный парень.

— Серьезно? И что же в нем занятного?

— Ты намерен потратить обеденный перерыв на разговоры о нем? Ник разделяет мои убеждения, мы мечтаем замутить революцию в российской глубинке, будем шастать по болоту и кормить комаров.

— Откуда ты его знаешь? — не унимался Борька.

— Откуда я знаю тебя и еще десяток мужчин? — искренне удивилась я.

— Послушай, твой Никита... как бы это помягче выразиться... он работает на одного типа по фамилии Долгих. Слышала о таком?

— Нет, — покачала я головой. — И не хочу. Избавь меня от подобных разговоров.

— Я не понимаю, что вас может связывать, — сказал Борька и покраснел, сообразив, какую глупость сморозил.

— Журналист виден в тебе за версту. Может, избавишь меня от необходимости давать интервью?

— Наверное, я делаю глупость, говоря тебе это, — тяжко вздохнул он. — Но мне очень... не нравится, что у тебя такие знакомые.

— Вот уж действительно глупость, — согласилась я.

До конца обеда мы сидели молча, ощущая раздражение и недовольство друг другом, и, когда наконец расстались, вздохнули с облегчением.

Нику следовало сказать спасибо — я была уверена, что Борька больше не позвонит. Я бы на его месте точно не позвонила. Меня такое развитие событий вполне устроит, так что можно было с уверенностью сказать: все к лучшему в этом лучшем из миров. Устроившись в машине, я набрала номер Ника.

— Уже скучаешь, моя радость?

— Еще бы.

— А как тот кривоногий коротышка с сонным взглядом? Уже успел тебе надоесть?

— Ты же понимаешь, он тебе в подметки не годится, — усмехнулась я.

— Главное, чтобы это понимала ты, — в тон мне ответил Ник. — Где ты его подобрала, деточка?

— Познакомились в ресторане.

— Ты с ним трахаешься?

— Если ты скажешь, что надо для дела, конечно, трахнусь.

Ник засмеялся.

— Ладно, я сворачиваю на Мичурина. Подъезжай к бензозаправке.

Весь день мы таскались по городу. Заглянули и в трактир на Ивановской. То есть туда отправилась я одна, Ник ждал в машине. Встретили меня в трактире настороженно, правда, кое-с кем удалось переговорить, и мне доверительно сообщили, что я напрасно теряю время. Дважды заезжали на рынок, даже наведались к Арнольдику — вдруг толстяк встречал наших мальчиков в каком-нибудь притоне? Но удача от нас отвернулась. Ник злился и срывал злость на мне, а я старалась быть максимально полезной и раздражала его еще больше.

— Отправляйся домой, — сказал он. — От тебя все равно никакого толка.

Толка не было и на следующий день. Еще с утра Ник наорал на меня по телефону, и я только порадовалась, когда он сказал, что без меня обойдется. Однако дома не осталась. Поехала в бильярдную на Гастелло, где собирались дружки Гороха, и немного с ними потолковала. Ничего интересного они не поведали, и мне пришлось убраться восвояси, с прискорбием констатируя, что это явно не мой день.

Поставив машину на стоянке, я шла домой мимо газетного киоска. Он был открыт, и в глаза бросился свежий номер «Вечерки». «Завеса приоткрывается» — крупный шрифт заголовка и три вопросительных знака. Внизу портрет погибшего журналиста. Я купила газету, устроилась неподалеку на скамейке и первым делом посмотрела на подпись под статьей, интересующей меня. Б. Шлиман. Фамилия могла принадлежать как мужчине, так и женщине, но женское имя на Б в голову не приходило, зато на ум сразу пришло мужское. Я была уверена, что статья написана Борькой. Кстати, она мне понравилась. Ярко, энергично, пожалуй, даже страстно. При этом мой друг был логичен и конкретен. Однако новость, которая в статье содержалась, понравиться мне никак не могла. По подозрению в убийстве арестован некий молодой человек, чье имя в интересах следствия не указывается. Борька утверждал, что теперь версию о «бытовом» убийстве вряд ли можно воспринимать всерьез. Далее следовал намек на открывшиеся обстоятельства, конкретизировать он не стал, опять-таки в интересах следствия, но чувствовалось, нарыли что-то серьезное. Мне посвятили целый абзац, следователи просто жаждали со мной побеседовать, но ответного желания не вызвали.

Отбросив газету в сторону, я немного поскучала, разглядывая прохожих, потом позвонила Нику. Телефон был отключен, это означало одно: Ник не желает, чтобы его беспокоили. Для связи с хозяевами у него был особый мобильный, а остальным надлежало звонить в казино, и уж тут дружок Ника Денис решал, стоит соединять звонившего с ним или нет. Я позвонила, и бодрый мужской голос заверил, что Ник здесь, но общаться ни с кем не желает. Сомнительно, чтобы новость еще не коснулась его ушей, и у стремления остаться в заветной комнате могло быть две причины: либо он празднует полную и безоговорочную победу, либо заливает грусть-тоску. Я решила выяснить это на месте и остановила такси. Охранник на входе взглянул сочувственно и шепнул:

— Один. Пьет.

«Наши дела плохи», — сделала я вывод и побрела по коридору. Он был пуст, тишина здесь царила наподобие кладбищенской, что еще больше утвердило меня в том, что у нас большое горе. Ник терпеть не мог, когда его одиночество нарушали, и на теплый прием я не рассчитывала, постучала с опаской и, мысленно перекрестившись, заглянула в комнату.

— Заходи, — сказал Ник, сидя ко мне спиной.

— Это я, — сообщила я на всякий случай.

— Знаю, что ты, — отозвался он.

— У тебя глаза на затылке?

— Я вижу тебя своим сердцем. Садись. Выпей. Водка — дрянь, но ты в ней все равно ничего не смыслишь.

Я устроилась напротив Ника, он налил мне рюмку, и я выпила.

— Ну, что? — спросил он.

— Я в ней ничего не смыслю.

— Я не об этом.

— Читала сегодняшнюю «Вечерку».

— Я-то все думал, отчего у тебя такая любовь к прессе... А оказывается, не к ней, к одному из этих писак... — Его осведомленность снова не удивила.

— Я была так пьяна в момент нашего знакомства, что журналиста в нем не распознала. Они действительно кого-то арестовали? — спросила я.

Ник кивнул.

— Нашего друга Витеньку. Я собирался напиться, радость моя, и знаешь почему? От скорби. Вокруг одни идиоты. Такое впечатление, что нормальных людей уже не осталось. Я скорблю и оплакиваю человечество... Он снял часы с этого придурка, — совсем другим тоном сообщил Ник. — И пытался загнать их на рынке. Они оказались именными.

— Действительно, идиот, — вздохнула я

— Таких, как он, надо казнить публично, — продолжал разглагольствовать Ник. — Что-нибудь из старинных рецептов: отрубить руки и ноги и сжечь внутренности на его глазах, пока глупое сердце еще бьется.

— Хорошая идея, — согласилась я.

— Может быть, тогда идиоты присмиреют.

— Он будет молчать, это в его интересах.

— За него я не беспокоюсь, — отмахнулся Ник. — Но два дня назад мы сидели с ним в кафе, а за соседним столиком пристроился один тип. Мент. Из тех, кто верит в справедливость. Невероятно, но такие еще встречаются.

— Не вижу в этом ничего особенно скверного.

— Ты думаешь, я жажду встречи с ментами? Ни малейшего желания увеличивать свое досье, с ним и так могут соперничать только счета миллионера, у которого красотка-жена на сорок лет моложе.

— Надеюсь, ты не просто глушишь водку в одиночестве, а...

Ник махнул рукой.

— Я скорблю. О том, что люди глупы, и о том, что жизнь не оставляет мне выбора. В душе я не желал бы обидеть и мухи... Поедешь со мной, — без перехода сказал он, взглянув на часы.

Я пожала плечами, еще не зная, что он затеял. Во дворе казино стояли старенькие «Жигули», Ник уверенно направился к ним.

— Садись за руль.

— А где ключи? — спросила я.

— Хозяин забыл оставить. — Ник перегнулся вперед, соединил провода. — Поехали. На Западной свернешь в первый переулок, встанешь возле телефонной будки.

Капитан был высок и грузен, дышал с трудом, поднимаясь в гору. Бог его знает, о чем он думал в свои последние минуты. Радовался, что возвращается домой, где ждали жена и две девчонки, или мечтал о том, как уютно устроится перед телевизором... Я даже не знаю, вспомнил ли он о той встрече в кафе, или, в отличие от меня, к печатному слову он не тяготел и не придал значения двум событиям, происшедшим в разное время. Одно несомненно: в свой последний вечер он был спокоен и намеревался еще пожить на этом свете, когда из темноты вынырнул Ник и пуля, угодившая капитану в голову, прервала его путь и земное существование.

— Порядок, — сказал Ник, вернувшись в машину. — Есть что отпраздновать.

На следующий день я узнала от Розги, что Витька скончался в следственном изоляторе от сердечного приступа.

— Говорят, его так прихватило, что язык вывалился до пупка, — прокомментировал он это утверждение с непонятной веселостью.

— Все там будем, — немного подумав, согласилась я.

Розга посмотрел на меня как-то странно и вдруг загрустил.

Появление Борьки явилось полной неожиданностью. Три дня он не звонил, и я успела забыть о нем, радуясь, что все так мирно и без лишних разговоров закончилось. В субботу я собралась навестить отца, наметив поход в гости часа на три, и уже стояла в прихожей с сумкой в руке, когда в дверь позвонили.

— Салют, — кивнула я. — Если я скажу, что собралась уходить, ты все равно не поверишь.

Он закрыл дверь, привалился к ней спиной и невесело улыбнулся.

— Скажи что-нибудь оптимистичное.

— Идеи революции живут и побеждают.

— А как насчет места в твоем сердце?

— Последнее свободное занято на той неделе.

— Я серьезно.

Он потянул меня за руку, сопротивлялась я слабо, и вскоре мы увлеченно целовались. Борьке этого показалось мало, он принялся стаскивать с меня одежду, но делал это крайне неумело, путаясь в пуговицах и крючках. Он и с себя не смог бы стащить свитер без моей помощи, так его трясло от волнения. Я даже решила: ничего у него не выйдет, но он оказался на высоте.

Я обнаружила в холодильнике остатки водки, разлила ее в две рюмки и принесла в комнату, украсив напиток кубиками льда.

— Извини, коньяк отсутствует, а шампанское я терпеть не могу. Не очень романтично, зато не отравимся.

— За нашу встречу, — улыбнулся Борька.

Поездку в отчий дом я решила отложить, тем более что отца мои посещения не особо радовали, а мне и вовсе были ни к чему. Встречались мы по взаимному обязательству — он выполнял отцовский долг, а я дочерний. Если Машка не позвонила, значит, сегодня занята, так что ничто не мешало предаться сладострастию. Наверное, мы бы так и провалялись в постели, но холодильник был пуст, а любовные утехи вызывают аппетит.

— У тебя даже хлеба нет, — сетовал Борька. — Придется взять шефство над твоим холодильником. Одевайся, поедем в ресторан.

— Может, проще сбегать в магазин?

— А потом целый вечер жарить курицу? Ну, уж нет.

— Ресторан так ресторан, — не стала я спорить.

Хорошая погода простояла недолго — снова зарядил дождь. Мы жались друг к другу под зонтом, и я предложила отправиться в грузинский ресторан, который был в трех кварталах от моего дома. Идея оказалась крайне неудачной, но об этом я узнала позднее, поначалу все складывалось прекрасно.

Зал был почти пуст. Мы заняли место у очага, где пылал настоящий огонь, выпили коньяка и уставились друг на друга влюбленными глазами.

Потом мне понадобилось в туалет, и я мимоходом заглянула в бильярдный зал. Вот тут-то и выяснилось, что идея явиться сюда была далеко не лучшей: в бильярдной гоняли шары мои дружки — точнее, дружки Ника — во главе с Розгой. Никогда раньше я их здесь не встречала, впрочем, я и сама не была здесь завсегдатаем. Настроение не то чтобы испортилось, но домой потянуло. Однако заказ нам только-только принесли, а объяснять Борьке, почему я хочу уйти отсюда, не хотелось, и я решила радоваться жизни, наплевав на малоприятное соседство.

Розга направился в бар и не увидеть меня, конечно, не мог. В какой-то момент я подумала: он пройдет мимо. Наверняка та же мысль мелькнула и у него, но в последнее мгновение он передумал.

— Какие люди! — сказал насмешливо, с паршивой улыбкой пялясь на Борьку.

— Еще один член революционной бригады? — спросил тот задиристо, обращаясь ко мне.

— Он мне что, хамит? — изумился Розга, предвкушая приятное зрелище поверженного врага.

— Нет, он тобой восхищается, — ответила я и попросила: — Шел бы ты себе мимо, брат.

Он бы и ушел, но беспокойство о своем достоинстве было в нем чрезвычайно сильно, и уйти просто так он считал недопустимым, но и затевать скандал опасался, не зная, что я здесь делаю, оттого принял соломоново решение: съязвил.

— Надеюсь, Ник в курсе, как ты проводишь время.

— Он меня благословил.

— Я ему позвоню на всякий случай.

— Да ради бога, — разрешила я, и Розга наконец-то убрел восвояси.

— Значит, Полозов твой любовник, — от недавнего счастливого блеска в глазах Борьки и следа не осталось.

— Наша любовь была скоротечной, но ему нравится делать вид, что от нее что-то осталось.

— И ты с ним, конечно, спишь?

Вопрос вызвал невольную усмешку, особенно когда я вспомнила, что не так давно и Ник мне его задавал, имея в виду Борьку. Но, несмотря на сходство, вопрос звучал по-разному. Ник наверняка прикидывал, как можно при случае использовать это обстоятельство, а Борьке был неприятен не тот факт, что я могу делить постель с кем-то еще, а то, что этот «кто-то» именно Никита Полозов. Возможно, у него были к нему личные счеты, а может, он просто презирал и ненавидел таких, как Ник, но одно мне стало ясно: вечер испорчен.

— Я живу так, как считаю нужным, — ответила я. — И не собираюсь менять что-нибудь в угоду тебе.

Он собрался ответить резко, я видела это по его глазам, но вдруг опустил взгляд в тарелку и принялся жевать. Через полчаса мы кое-как смогли наладить беседу, вертелась она в основном вокруг грузинской кухни. Когда я собралась домой, сказав, что рано утром поеду к родителям, Борька не возражал. Он расплатился и пошел из зала, чтобы взять вещи из гардероба, пока я загляну в дамскую комнату. Я подкрашивала губы, когда услышала поблизости от туалета истеричный женский визг и решила взглянуть, что происходит.

В узком коридоре, из которого двери вели в мужскую и женскую комнаты, прижавшись к стене, стояла женщина. Сцепив на груди руки, она истошно вопила, глядя куда-то в пол. Я переместила взгляд в том направлении и увидела, как из мужского туалета ползет Розга. Я бы решила, что парень надрался так, что ходить уже не в состоянии, если бы не кровавый шлейф, тянувшийся за ним. Розга хватался за горло, как будто стараясь остановить кровь, я бросилась к нему, опустилась на колени и спросила:

— Кто?

Розга попытался ответить, открыл рот... Кровь била фонтаном между его пальцев, он захрипел, глаза закатились, и голова со стуком опустилась на мраморный пол.

Я пнула дверь мужского туалета. Здесь, как и в дамской комнате, было окно, чуть приоткрытое. Я быстро огляделась, узкий коридор упирался в металлическую дверь, она выходила в переулок, так же, как и окно мужского туалета. Женщина все еще вопила, а Борька с выпученными глазами наблюдал за моими маневрами.

Через несколько минут возле трупа собралась целая толпа, но приятели Розги, сообразив, что дружку ничем не поможешь, поспешили удалиться. Один из них весьма выразительно взглянул на меня, но тоже предпочел раствориться в толпе, используя чужие спины как прикрытие.

Я бы с удовольствием последовала его примеру — встречаться с милицией не было ни малейшего желания, но Борьку вряд ли заставишь проявлять благоразумие, а с его помощью менты быстро выяснят, кто я, и мое нежелание с ними встречаться будет истолковано весьма превратно. Пока основная масса граждан вопила или таращила глаза, кто-то все-таки догадался вызвать милицию, и вскоре она появилась. Следователь задал мне обычные вопросы и отпустил, из чего я заключила: обо мне он ничего не знает, так же как и о моем знакомстве с убитым. Однако я не очень верила, что и он, и его коллеги лишены любопытства, и не особо надеялась избежать неприятностей.

Очень хотелось поскорее позвонить Нику, но рядом был Борька и изводил меня своими вопросами.

— Кто мог его убить?

— Кто угодно, — буркнула я.

— Что значит «кто угодно»?

— Я понимаю твой профессиональный интерес, но лично меня убийства не занимают.

— Он ведь твой знакомый, и тебя не интересует...

— Кстати, ты сказал ментам о том, что он мой знакомый?

— Нет. Кажется, нет. Если честно, я был в таком состоянии, что толком не помню... По-моему, следователь об этом не спрашивал, он интересовался, с кем был убитый... Его убил кто-то из них?

— Откуда мне знать? Я была с тобой.

— Ты его спросила: «Кто?»

— Ага. Спросила, но он не ответил.

— Чего ты на меня злишься? — удивился Борька.

— Не на тебя, на судьбу. Видишь ли, я не люблю трупы. Их вид портит мне настроение. Странно, правда? Угораздило нас отправиться в этот ресторан, теперь замучают вопросами.

— Ты так говоришь, будто его смерть сама по себе ничего для тебя не значит.

— Я скорблю, если ты об этом... Просто, в отличие от тебя, могу обходиться без лишней болтовни.

Теперь он вроде бы обиделся.

— Если хочешь, я могу поговорить с одним человеком... — все-таки сказал он, немножко помолчав. — Он мой друг, работает в прокуратуре. Очень хороший человек...

— На кой черт мне твой хороший человек, не подскажешь? — не выдержала я. — Ладно, ты ни в чем не виноват, я ни в чем не виновата, но вечер испорчен. Давай прощаться.

— Я должен хотя бы проводить тебя до подъезда, — расстроился Борька, но мне не терпелось избавиться от него.

Отправив его на такси, я тут же позвонила Нику. Он уже знал о том, что лишился еще одного соратника, что меня не удивило — парни наверняка успели сообщить. Ник сказал, что поминает друга в казино, и я отправилась туда. Компания была в сборе, обстановка царила нервозная. Ник был задумчив и отмалчивался, говорили в основном приятели.

— Черт, что за дерьмо! — больше всех возмущался Артем, адресуясь к Нику, чья задумчивость была ему непонятна и оттого пугала.

— Горох, потом Серега, теперь Розга. Это не просто так.

Соратники притихли и замерли, глядя на меня так, точно всерьез верили: вот сейчас я открою рот и все им объясню.

— Ты там была? — подняв голову, спросил Ник.

— Была, — кивнула я.

— И что?

— Похоже, кто-то ждал его в туалете. Там окно, выбраться проще простого, но я бы на его месте прошла через дверь. Швейцара нет, в холле почти всегда пусто, из гардеробной холла не видно. В туалете четыре кабинки, дверь одной можно заблокировать и спокойно ждать, когда Розга там появится, а потом уйти через переулок. Дверь на улицу забрана решеткой, но замок плевый, можно шпилькой открыть.

Парни переводили взгляд с меня на Ника, он нахмурился, вроде бы соглашаясь с тем, что я сказала, и спросил:

— Менты что думают?

— Скорее всего, что убийца проник через окно и также ушел.

— Почему?

— Вроде там хороший отпечаток на подоконнике.

— Но ты так не думаешь?

— Не думаю. Зачем ему окно, когда проще воспользоваться дверью?

— Значит, ждал, когда Розга появится в туалете... — медленно произнес Ник. Что-то ему очень не нравилось. Впрочем, сам по себе факт, что кто-то планомерно расправляется с его людьми, способен привести в бешенство, а Розга к тому же был ему другом. Единственным, кстати. Так что можно было лишь восхищаться терпением, с которым Ник расспрашивал о случившимся. — Ему кто-нибудь звонил?

— Нет, — замотал головой Артем. — Ни ему, ни он. То есть он позвонил только тебе после того, как увидел Юльку с этим типом...

«Значит, все-таки звонил», — мысленно отметила я.

— Мобильный на столе валялся, и он к нему ни разу не подходил, — закончил Артем.

— А убийца терпеливо ждал... хотя Розга мог пойти в туалет не один... или там мог оказаться кто-то еще...

— Он мог проводить его до дома, — подала я голос, хотя на этот раз моего мнения не спрашивали, — если бы вдруг не повезло в ресторане. Когда-нибудь Розга остался бы один. А вообще... — Я замолчала, подумав, стоит ли продолжать, но Ник смотрел выжидающе, и я со вздохом закончила: — У меня сложилось впечатление, что это экспромт. — Нижняя челюсть Ника выдвинулась вперед, что являлось показателем большой задумчивости. Парни заволновались, и я пояснила: — Он шел наудачу.

— Что значит «наудачу»? — возмутился Артем, но Ник кивнул и сказал:

— Я думаю, его даже не очень интересовало, кто в сортире окажется первым, Розга или кто-то еще.

Слова Ника повергли дружков в оцепенение. Они с недоумением переглядывались, но я-то очень хорошо понимала, что Ник имеет в виду. Мысль показалась мне интересной, хотя и опасной. Я немного поразмышляла над ней. Из тех, кто некогда повеселился со мной и Машкой, в живых остались Артем и Вовка. Не считая Ника. Только они продолжали землю ногами топтать. Прочие участники шоу — Горох, Гоша Солодов, Серега и Розга — покинули нас при обстоятельствах весьма загадочных. Ладно, раненного в перестрелке с псевдоментами Гошу пристрелил Ник, но с остальными действительно ничего не ясно. Кому потребовалось их убивать? Первое, что приходило на ум, — недавнее нападение на транспорт. Четвертый фигурант этого дела бродит на свободе, и что, он не придумал ничего умнее, как перерезать всех дружков Гороха? Тогда выходит, что они его хорошо знали? Но даже причастность самого Гороха к нападению и то не доказана. Нет, тут что-то другое.

— Кто под нас копает? — выпалил Артем, чьи мысли, судя по всему, двигались в том же направлении.

— Может, есть что-то такое, о чем я не знаю? — обвел присутствующих взглядом Ник.

«А что? — подумала я. — Вдруг придурки кому-то здорово напакостили, и теперь этот «кто-то» решил разделаться с обидчиками?»

— Ник, да мы... да... — возмущенно залепетал Вовка Купреев. В общем, идей, кто точит на них зубы, у парней не было.

Тут я с некоторым удивлением отметила, что себя почему-то в опасности не ощущаю. А между тем у пресловутого «кого-то» могли быть серьезные претензии ко мне. Почему бы и нет? Допустим, в городе появился борец за справедливость, который вершит правосудие над теми, кого считает преступниками. Такое, скорее всего, годится для сюжетов отечественных боевиков, но в принципе вполне возможно. Другой вариант: конкуренты производят зачистку в преддверии каких-то решительных действий. Менее вероятно, но на худой конец тоже сгодится...

— Если это какой-то псих, — начала я, — искать мы его будем очень долго.

— Какой еще псих? Ты что... — возмутился Купреев, но, так как Ник продолжал разглядывать столешницу, замер на середине фразы.

— Короче, так, — когда тишина начала давить на уши, а народ принялся ерзать, произнес Ник. — Смотрите в оба и проявляйте разумную осторожность. Для особо одаренных поясняю: до бесчувствия не напиваться, почаще за спину поглядывать, варежку держать закрытой, а вот глаза широко распахнутыми. Обо всем подозрительном сразу же докладывать мне.

С тем нас отпустили. Я была рада уже тому, что Ник не вернулся к своей идее, будто это я якобы мщу обидчикам. Представляю, что бы тут началось. Но то, что из подручных Ника раннюю кончину нашли как раз те, кто тогда принимал самое активное участие в нашем с Машкой воспитании, признаться, настораживало.

Вернувшись домой, я долго бродила из угла в угол, затем устроилась в кресле и попыталась восстановить события последних дней. Первым погиб Горох — через несколько часов после того, как Ник сообщил нам о транспорте. Убит в собственной квартире человеком, которого не опасался. Кем-то из наших?..

Я и не заметила, как написала последнюю фразу в блокноте, что лежал возле телефона, положила блокнот на колени, чтобы было удобнее, и продолжила размышления, занося на бумагу основные моменты.

Итак, Ник везет меня на квартиру Гороха и показывает труп. Желает проверить реакцию? Выходит, он уже тогда заподозрил меня, хотя логичнее было бы связать убийство с нападением на транспорт. С Гошей все ясно: он тяжело ранен, Ник не желает с ним возиться и просто пристреливает. При этом присутствовали я и Розга. Знают ли остальные, что застрелили его вовсе не менты? Вряд ли. Я молчала о том случае, Розга, скорее всего, тоже, и Нику распространяться о нем ни к чему. Хотя теоретически Розга мог проговориться. Ну и что с того? Кто-то затаил обиду и убил Розгу? Логичнее было бы убить Ника. Я поставила жирный знак вопроса против имени Гоши.

Дальше Серега. С какой стати он мне позвонил? Знал что-то об убийстве? Если он подозревал Розгу, вряд ли бы решился обратиться к Нику, но и разговор со мной ничего бы не дал. Допустим, он хотел выяснить, действительно ли Гошу пристрелил Ник. Не замечала, чтобы они особо дружили, но кто знает. По этой причине и намеревался поговорить со мной? И потому ему перерезали горло? Кто? Ник или тот же Розга, не желая, чтобы правду о гибели Гоши кто-то узнал? По большому счету, Нику плевать на то, что думают соратники, они его так боятся, что, даже узнай правду, никто бы не вякнул. Серега мне звонит и предлагает встретиться, однако я отказываюсь встречаться с ним в своей квартире и предлагаю бар, где он так и не появился, но от лицезрения трупа меня это не избавило. Так же, как и в случае с Розгой. Кто-то, точно нарочно, сует трупы мне под нос. Ник прав, выгляжу подозрительно: мои враги повержены, а я попираю их прах. Чушь, конечно, но для идиотов, каковыми в большинстве своем являются его дружки, вполне сгодится. В самом деле, следует держать ухо востро и почаще оборачиваться. «Я вижу трупы», — написала я и трижды подчеркнула. Затем добавила: «Все четверо мои личные враги». Мне казалось, если я напишу эту фразу несколько раз, то разгадка придет сама. Точно кто-то шептал на ухо: все ведь ясно, ну как же ты не видишь?! Но я не видела. Приходилось это признать, и я в крайней досаде отбросила карандаш.

Посидела, глядя перед собой, и, несмотря на поздний час, позвонила Машке. Она не спала. Голос звучал возбужденно, и я невольно нахмурилась, а Машка, точно оправдываясь, принялась что-то торопливо рассказывать: про работу, про платье, которое купила... Я не вслушивалась в ее слова, терпеливо ждала, когда ей надоест болтать, и тогда сообщила:

— Розга погиб. — Настороженная тишина. — Ты слышишь? — спросила я требовательно.

— Конечно, слышу, — вздохнула Машка. — Что с ним произошло?

— Натолкнулся на нож в туалете ресторана.

— Пьяная драка?

— Убийство. И подозреваемых нет. У милиции, по крайней мере.

— Боже мой... — Теперь ее голос звучал так, точно она готова была разрыдаться сию минуту. — Юлька, скажи, кому это надо?

— Этот вопрос и меня очень волнует.

— Ник... не может он думать, что мы...

— Ты никому не рассказывала?

— О чем?

— О том, что тогда произошло? О том, что они вытворяли...

— Нет! — почти крикнула Машка. — Кому я могла рассказать?

— Не знаю. Случайному попутчику в поезде, психиатру, кому-нибудь...

— Что ты городишь? Какой попутчик? Какой психиатр? Меня трясет, стоит лишь вспомнить... а ты говоришь — рассказывать. Постой, ты в самом деле думаешь, что кто-то...

— Я думаю, они могли проделывать такое не раз, — сказала я, желая ее успокоить. — И кто-то решил с ними расплатиться.

— Они заслужили это, — вздохнула Машка. — Но я им смерти не желала. Не желала лично им. Ты понимаешь, о чем я?

— Разумеется. Остались Артем и Вовка, — задумчиво добавила я. А Машка испугалась.

— Как странно ты это сказала...

— Кстати, мне звонил твой Антон, — решила я сменить тему.

— Да? — Голос Машки приобрел какую-то странную интонацию, будто она чего-то стыдилась.

— Да. Просил твой телефон.

— А ты?

— Сказала, что у тебя его нет.

— Правильно. Он тебе совсем не понравился?

— Антон? По-моему, нормальный парень.

— Но ты не хочешь, чтобы мы встречались?

— Странный вопрос, — растерялась я.

— Я просто так спросила, не обращай внимания.

Разговор оставил неприятный осадок, что было тем более непонятно, поскольку причины для этого я не видела.

Весь следующий день мы опять потратили на бесполезные поиски. Ник хмурился, на любое мое слово зло огрызался. Я замолчала, прекрасно понимая его состояние. Оставалось лишь гадать, зачем он таскает меня с собой, если мое присутствие так его раздражает. После пяти он сказал:

— Отправляйся домой.

— Есть новости? — все-таки спросила я, имея в виду убийство Розги.

— У меня нет. А у тебя?

— Меня наверняка вызовет следователь... — не обращая внимания на его тон, продолжила я.

— Боишься, что твоему любовнику откроют глаза на то, в чьих объятиях он проводит время?

— Я думала, у нас проблемы посерьезнее.

— В самом деле?

— Ты же понимаешь, это кто-то из наших. Кого Розга мог подпустить так близко к себе?

— Он успел тебе что-то сказать? — быстро спросил Ник.

— Нет. Ты бы знал об этом.

— Надеюсь. Иди домой, меня раздражает твоя кислая физиономия.

Я все-таки решила навестить отца, раз в выходной не удалось. Не хотелось еще один вечер потратить на бесконечные гадания: кто убил и с какой целью? Я взяла машину и поехала в отчий дом, но отца не застала. Его супруга далее порога меня не пустила, пришлось отчаливать.

Я прошлась по магазинам, выжидая время, когда начнется моя трудовая вахта у Виссариона, но все равно пришла на час раньше.

— Тебя спрашивали, — заявил он. — Молодой человек задавал вопросы. По-моему, он серьезно к тебе относится.

— Какой молодой человек? — насторожилась я.

— Тот самый, что сидел у окна.

— И что его особенно интересовало?

— Давно ли я тебя знаю, где ты работаешь... Много всего.

— И что?

— Справок не даем.

— Разумно, — кивнула я и пошла к роялю.

Из-за соседнего столика поднялась Любка-Кошка и направилась ко мне. Она была в запое по случаю несчастной любви и оттого не работала.

— Слышь, Юлька... — начала она, воспользовавшись тем, что Виссарион ненадолго скрылся в кухне. — Дай взаймы пятьсот рублей. Я тебе кое-что расскажу.

Пятьсот рублей я дала, не особо рассчитывая узнать что-то интересное. Любка сунула деньги в бюстгальтер, заговорщицки оглянулась, точно ей везде мерещились враги. Начало многообещающее.

— Мужик тут один тобой интересовался, — наконец сообщила она с таким видом, как будто всерьез ожидая, что стены после ее слов обрушатся прямо нам на голову.

Я печально вздохнула и ответила с кивком:

— Ничего удивительного, девушка я красивая.

С полминуты Любка таращила на меня глаза — особой толковостью она никогда не отличалась, а тут еще страдала с перепоя. Я готова была пожертвовать тысячей, лишь бы ей жизнь казалась веселее, но тратить время на бестолковые разговоры было жаль.

— И совершенно не поэтому.

— Да? А почему?

— Откуда мне знать? Но мужик странный, в башке у него полно тараканов.

— Знаю я того мужика, — отмахнулась я. — Он и к Виссариону приставал.

— При чем тут твой Борька? — возмутилась она. — Борька — понятное дело...

— Ты его знаешь? — не смогла я скрыть удивления. В тот вечер, когда он появился у Виссариона, Любки в кафе не было. Разумеется, ничто не мешало Борьке иметь обширные знакомства среди проституток нашего города, но, если честно, не очень-то я в это верила. Может, статью какую писал и брал у Любки интервью?

— Ну, не скажу, что знаю, не знакомились, — ответила она. — Но видела, и девки сказали — хахаль твой.

— Есть что-нибудь в этом городе, о чем вам неизвестно? — покачала я головой.

— Чего?

— Ничего. Давай про мужика.

— Говорю, чудной. Я даже подумала — маньяк. Ага. Глаза дурные, и вроде как услуги его не интересуют, а это верный признак: что-то с клиентом не так, если трахаться не хочет. За что ж тогда деньги платить?

— Подозрительно.

— Вот и я про то. Короче, было так. Стою я себе, тоскую, своего Кольку жду, а тут Упырь мимо катит. Ты знаешь, как я к нему отношусь, задолбал вконец, скотина: ветер, видишь ли, у меня в голове, не работаю, а стенку задницей подпираю. А сам, когда от него помощи ждали... Ты ведь помнишь, как нас менты забрали, а этот козел...

— Ты мне про кого сейчас рассказываешь? — озадачилась я.

— Про Упыря.

— На кой хрен мне твой Упырь? Ты про мужика давай.

— Ну, так я к тому и веду. Короче, я от Упыря в подворотню. Стою, курю, тоску гоняю. Дождь задолбал, почти как Упырь, и вдруг этот... Вывернул откуда-то из-за спины, я и не заметила. Глянула на его рожу, аж сердце в пятки.

— Что там такого с его рожей?

— Рожа как рожа, — подумав маленько, ответила Любка. Как я уже сказала, девица она бестолковая, и я опасалась, что мы до сути и до утра не доберемся. — Взгляд дурной, вот и напугал. Говорит, не прогуляться ли нам тут неподалеку? Чего ж, отвечаю, не прогуляться... Ну, пошли. На Красноармейской, в переулке, дом под снос, знаешь? Он меня туда и ведет. В любое другое время я б еще подумала, а тут с этим дождем ну полный простой. А в доме-то еще живут, то ли бомжи, то ли таджики со стройки. Короче, я ему говорю: знаешь что, дядя, бабки вперед и без фокусов, а то знаю я ваши шуточки, понабегут человек пять... Он мне бабки сразу отдал и говорит: «Не бойся». Ну, думаю, либо дурак, либо правда маньяк, но место-то не совсем глухое, решила рискнуть. Зашли мы в квартиру, и похоже, что там-то он и живет. Мебелишка кое-какая и занавески на окнах. Стал мне парить, что выселяться не хочет, вроде ему квартиру аж за железкой дали, потому что одинокий, и он права качает. А я поддакиваю, хоть и знаю, что врет. В этой квартире Витя однорукий жил, сапожник, замерз прошлой зимой. У него раньше будка была на Рогожской. Народ к нему валом валил. Хороший мастер, даром что с одной рукой...

Я закатила глаза, решив, что такими темпами мы не только к утру, но и к обеду не управимся.

— На чем я остановилась? — задумалась Любка.

— Из квартиры он выезжать не хотел.

— Точно. В общем, вешает лапшу на уши, я вроде слушаю и верю. Время идет, а мне что? Деньги его. И вдруг он о тебе спрашивает. И знаешь, хитро так, издалека и вроде между прочим.

— Вот тут бы поподробней, — встряла я. — Поточнее то есть.

— Поточнее я уж не помню. Короче, сама не поняла как, а вдруг оказалось, что мы уж о тебе говорим.

— Говорили-то чего?

— Спросил, знаю ли я тебя. Само собой, говорю, она к Виссариону ходит, на рояле играет, но все интеллигентное, хотя я больше «Таганку» люблю. Жалостливая песня, так душу рвет, не поверишь, каждый раз слезы на глазах сами наворачиваются.

— Я тебе ее пять раз сыграю, плачь на здоровье, только не отвлекайся.

— Короче, спрашивал: с кем живешь, что да как? Телефоном твоим интересовался и адресом. Я в отказку, откуда, говорю, мне телефон знать, а про дом сказала. Да он и сам про него знал, я только квартиру назвала. Не я, так соседи, все равно вызнает. Дал еще сотню и просит: ты, говорит, помалкивай, и никакой тебе любви. Смекаешь? Ясное дело, что с придурью мужик. Я думала-думала и решила тебе все рассказать, душа-то болит. Ясно, что псих. Не убьет, так ограбит, не зря ж про квартиру спрашивал. А мне зачем грех на душу? Вот я и...

— Когда это было?

— Во вторник. Колька мой запил и пропал, как раз со вторника и пропал. На ипподроме его видели, с Зинкой-певицей, шлюхой из «Летучей мыши». Клейма негде ставить, а она из себя порядочную гнет. А этот козел ел-пил, шлялся на мои деньги, а теперь... Выгонит она его, назад не возьму. Мне хоть пусть в ногах валяется, хоть что... Все, кончилось мое терпение. Чуть что, так к этой твари бежит, глаза б ей выцарапала, так ведь здоровая, сволочь, как слон. Но ничего...

— Мужик как выглядел?

— Который?

— Тот, что про меня расспрашивал.

— А-а... ну, взгляд такой... неприятный. Глазки глубоко сидят и рядом. И буравят, и буравят... А так нормальный мужик. Если б не маньяк, так даже симпатичный.

— Рост, телосложение, цвет волос, глаз, нос большой или маленький, во что одет? — засыпала я Любку вопросами. Та, приоткрыв рот, смотрела на меня с томлением и вроде бы готовилась разреветься. — Давай по порядку, — вздохнула я.

Если верить Любке, мужик был лет сорока, выше среднего роста, средней комплекции, сутулый, шатен, глаза вроде карие. Нос обыкновенный, а вот рот маленький, точно у бабы. Никаких особых примет.

— И знаешь что, — немного подумав, изрекла она. — Сдается мне, прячется он. А вот теперь мне даже кажется почему-то, что он тебя раньше знал, что знакомый твой давний.

— С чего вдруг?

— Ну, похоже... Уж и не знаю, как объяснить. Выспрашивал, а морда грустная такая. И как я про Ника сказала, ну, что он у тебя частый гость, он вроде как расстроился. Я вот что думаю, может, и не маньяк он вовсе? Может, любовь твоя какая давняя? Сел в тюрьму, вышел, а у тебя уже другой. Мы ведь, бабы, сами хороши, редко какая по-настоящему ждать умеет, а мужики, они ведь тоже люди, и душа, поди, у них болит. Каково узнать-то...

— Заткнись, пожалуйста, — попросила я. — Нет у меня старых знакомых, которых я из тюрьмы не дождалась.

— Да? Ну и хорошо. Тогда выходит, что маньяк. Ой, только чего ж тут хорошего?

Честно говоря, при упоминании о «старом знакомом» сердце у меня заныло, что было и неожиданно, и неприятно, потому что я некстати вспомнила Пашку. Однако маловероятно, что он был в тюрьме, Ник бы наверняка мне об этом сообщил. И в город он вряд ли вернется. Хотя, как знать, времени прошло много, и его предполагаемые разногласия с тем же Ником потеряли свою актуальность. За эти годы он мог очень измениться, и от былой красоты могло ничего не остаться. Но близко посаженные глаза это не про него. Хотя принимать Любкины слова всерьез... Скверное чувство меня не оставляло, и чем дальше, тем сильнее оно становилось. Понаблюдав за эффектом, который произвел на меня рассказ, Любка, повторив: «Выходит, маньяк», отбыла в неизвестном направлении.

— Что она тебе напела? — спросил Виссарион, дождавшись, когда за ней закроется дверь.

— Маньяков боится, — вздохнула я. Любкины страхи были общеизвестны, если ей верить, маньяки в нашем городе водились в изобилии и по неведомой причине тянулись к ней, как алкаш к бутылке. Маньяками она беспрестанно пугала всех, но особенно, конечно, себя. Хотя лично я ни о каких маньяках не слышала, а если они и обретались по соседству, то вели себя смирно.

— Кто-то действительно тобой интересовался, — взглянув на меня поверх очков, заметил Виссарион.

— Откуда знаешь? — насторожилась я.

— Люди говорят, — пожал он плечами. — На улице нет секретов.

— Тебя тоже выспрашивали?

— Меня только твой новый знакомый. А вот девкам вопросы задавали. Молдаванке, к примеру. Она, кстати, того мужика с Гороховым видела. А тот ведь вроде помер?

— Ага, — сказала я, устраиваясь за стойкой напротив него. — Это меня очень интересует.

— К Молдаванке подсел в баре мужик, похоже, тот же самый, что и к Любке подкатывал. Налил водки, о тебе выспрашивал. Чем занимаешься, с кем встречаешься... А до того она его с Гороховым видела в том же баре.

— В каком? — нахмурилась я.

— В «Тройке», забегаловка на углу Конной.

— Там, где тир?

— Точно. Думаю, недруг у тебя объявился, — глубокомысленно изрек Виссарион.

— Почему сразу недруг?

— А друзьям прятаться ни к чему.

— Можешь узнать, что за тип? — подумав, спросила я.

— Чем, по-твоему, я сейчас занят? До сих пор молчал, потому что сказать нечего, но раз уж эта сорока растрезвонила... Если намекнешь, откуда могло его ветром надуть, узнать, что да как, будет легче.

Виссарион уткнулся в книгу, давая понять, что я вправе не обратить внимания на его последние слова. Я задумалась, а через несколько минут с прискорбием констатировала:

— Черт его знает. Был у меня когда-то приятель, но на него не похоже.

— Ага, — кивнул Виссарион. Это его «ага» звучало скорее как «не хочешь — не говори», на том можно было бы разговор и закончить, но я, против обыкновения, решила продолжить.

— Кто-то устроил в городе настоящую резню. И выбирает почему-то моих знакомых.

Виссарион оставил книгу и теперь смотрел мне в глаза, ожидая продолжения, но я не спешила. И так сказала достаточно.

— Они не очень хорошие люди, — изрек Виссарион.

— Допустим. Но мне бы хотелось знать, кого посетила идея избавить от них этот мир.

— Потому что кое-кто может решить, что тебе их смерть на руку?

Разговор принял опасный характер. И я, и Виссарион это понимали и говорили так, точно ступали по тонкому льду. Я кивнула, отводя взгляд, и он кивнул.

— О тебе говорят разное. Возможно, есть в этих разговорах правда. Но у меня есть глаза, и я ими многое вижу. Например, я вижу, что ты хороший человек. Не усмехайся. И я хочу тебе помочь.

— Спасибо, — сказала я. — А теперь, если не возражаешь, я вернусь к роялю.

— Считай, что сегодня у тебя выходной.

— С какой стати?

— Твой парень.

Виссарион качнул головой в направлении двери. Она открылась, и в бар вошел Борька. Вид он имел странно-виноватый и даже боязливый, как будто опасался, что его выгонят.

— Салют, — сказал с улыбкой, улыбка вышла неестественной, он смутился и добавил: — Мне нравится это приветствие.

— А ты нравишься ей, — заметил Виссарион, кивнув на меня, хотя его об этом никто не просил.

— Я поднимался к тебе, — переминался Борька с ноги на ногу. — Потом подумал, что смогу застать тебя здесь.

— Она заглянула на пять минут, — вновь вмешался Виссарион.

Я взяла Борьку под руку, и мы вышли на улицу.

— Ты ко мне по делу? — спросила я.

— Просто хотел тебя увидеть, — вроде бы удивился он.

Неужто еще не знает, дружок из прокуратуры не успел открыть ему глаза? Впрочем, это вопрос времени. Не знает, так скоро узнает.

— Куда мы идем? — спросил Борька.

— Ко мне. У тебя есть другие предложения?

— Я за тобой хоть на край света, — нервно хихикнул он.

— Серьезно? С чего это вдруг?

— Ну... — Борька пожал плечами, покрутил головой и усмехнулся: — Звучит ужасно глупо, но, кажется, я влюбился.

— Действительно, глупо, — согласилась я.

— Я тебе не нравлюсь? — теперь он нахмурился.

— От «нравишься» до «влюбился» довольно большое расстояние.

— Но у меня есть шанс? — Он хотел, чтобы его слова прозвучали шутливо.

— Шанс всегда есть. — Мне уже надоел этот разговор, и я порадовалась, что мы подошли к дому.

Как я умудрилась не заметить машину Ника, не знаю. Должно быть, глубокие размышления сыграли со мной дурацкую шутку: я ничего не видела вокруг. Открыла дверь, пропустила вперед Борьку и лишь тогда сообразила, что у меня гости. Ник в компании Артема пялился в телевизор с банкой пива в руках.

— А вот и наша красавица, — повернувшись ко мне, возвестил он. — Здравствуй, моя прелесть.

— Мы начали скучать, — поддакнул Артем, глядя на Борьку с пакостной улыбкой. Разумеется, ничего хорошего от этой встречи я не ждала. Трудно представить, что придет в голову Нику. То есть представить можно любую пакость. Я к его пакостям привыкла, а вот на неподготовленного зрителя они, как правило, производят неизгладимое впечатление.

В Борьке чувствовалась растерянность. Он еще не понимал, что происходит, и понятия не имел, как себя вести.

— Познакомь нас с дружком, — загнусавил Артем.

— Не вижу необходимости.

— А где же вежливость? Должны мы знать, кто теперь тебя трахает?

— Провожу человека до двери и все тебе подробно

расскажу, — спокойно ответила я. Сейчас главное избавиться от Борьки, пока он не пришел в себя и не наделал глупостей. — Идем, — позвала я.

— Нет-нет, что ты, — вдруг заговорил Ник, поднимаясь. — Мы, собственно, на минуту. — Улыбка выглядела вполне по-человечески, но это мало что значит.

Подхватив меня под руку, Ник пошел на кухню.

— У тебя занятные знакомства, — ласково сказал он, кивнув в сторону комнаты. — Надеюсь, ты в курсе, что они с нашим общим приятелем, ныне покойным, были друзьями? Может, не такой он дурак?

— Может, — согласилась я.

— Что ж, если светлый разум тебя не оставил, я могу быть совершенно спокоен.

Ник поцеловал меня и пошел к входной двери, позвав Артема. Тот в некотором недоумении поплелся следом. Дверь за ними захлопнулась, а Борька обрел голос.

— Пожалуй, я тоже пойду...

Сказать-то он так сказал, но продолжал топтаться на месте.

Я вернулась в кухню и стала готовить кофе. Через минуту там появился Борька.

— Как я должен это понимать?

— Что? — не поворачиваясь, спросила я.

— Все это. Ты спишь со мной, а в твоей квартире сидят какие-то придурки, точно у себя дома.

— Я как-то пробовала их выгнать и схлопотала по шее.

— Юля, послушай... Я понимаю, у всех в жизни бывают ошибки, но...

— Вот сейчас ты делаешь одну из них, — перебила я. — Собираешься читать мне проповедь. Хочешь, садись и пей кофе, не хочешь — уходи. Только избавь меня от банальностей.

— Ты с ним спишь? — зло спросил он. Уйти он по

неведомой причине не мог, а злился за это, разумеется, на меня. Сообразив, что отвечать я не буду, Борька продолжил с обидой: — У него ключи от твоей квартиры. Зачем ты привела меня сюда? Нарочно устроила этот спектакль? Для чего?

— Ты говорил, у тебя есть друг в прокуратуре? — спросила я.

— Говорил, — помедлив, ответил Борька. — При чем здесь мой друг?

— Можно обойтись без друга, — согласилась я. — В моей биографии есть кое-что, что должно тебя заинтересовать. К примеру, довольно большой срок за распространение наркотиков. Со справкой об освобождении устроиться в этой жизни довольно сложно. Я не жалуюсь, а объясняю ситуацию. Как ни странно, помог мне Ник. Многие считают его мерзавцем, и я, кстати, тоже, но он мне помог. И я ему благодарна за это. Оттого терплю его выходки и иногда ложусь с ним в постель, когда он этого хочет. Вот и все.

По Борькиному лицу я поняла, что Америку не открыла, о моей судимости он знал, должно быть, его уже просветили, тем более мне было непонятно его поведение. Ему было больно, я это чувствовала. И он ничего не мог поделать с этой болью.

— Тебе не стоило приходить, — сказала я.

— Ты поэтому не позвонила тогда? Поэтому? Хорошо, допустим он тебе когда-то помог, большое ему за это спасибо, но теперь, если вас ничего не связывает, кроме твоей дурацкой благодарности... Извини, — вздохнул он. — Извини, не знаю, что со мной происходит. То есть знаю, конечно. Я, кажется, в самом деле влюбился в тебя. Скверно, правда?

— Никуда не годится, — кивнула я. — Тем более что я в тебя, кажется, тоже.

— Это уж совсем плохо, — улыбнулся он.

— Еще как. Вот что я подумала: а не поехать ли нам куда-нибудь и не напиться ли по такому поводу?

— Гениально.

Я пошла переодеваться, Борька застегнул мне «молнию» на платье, и когда мы уже готовы были выйти из квартиры, обнял и поцеловал.

— Мы безбожно напьемся.

— Да.

— А потом поедем ко мне. И если захочешь, ты останешься у меня навсегда.

Я засмеялась, и он засмеялся вслед за мной, а я подумала, что все зашло слишком далеко, причем я даже не успела понять, когда, в какой момент это произошло.

— Куда мы едем? — спросила я, когда Борька остановил такси.

— В «Золотой павлин», — сказал он водителю. — Любимый ресторан Тони, — пояснил он мне. — Скорее всего, они ужинают там сейчас с твоей Машкой, а у меня как раз приподнятое настроение, когда так приятно подложить свинью другу.

— Она ему все-таки позвонила? — покачала я головой, не сдержав улыбки.

— Он ей.

— А номер телефона ему сорока на хвосте принесла?

— Нет. Номер телефона ему дал я. Вспомнил, где ее видел. Она ведь секретарша Углова.

— Ты с ним знаком?

— Немного. С полгода назад я брал у него интервью, и еще тогда меня поразила красота твоей подруги. Я даже выпрашивал у нее телефон, намекал на возможное блаженство, но она была непреклонна, чем ранила в самое сердце. И я решил, что брюнетки не для меня.

— А он нас не прогонит?

— Кто, Тони? Что ты, он на редкость миролюбив, несмотря на боевое прошлое.

— Расскажи мне о своем друге, — попросила я.

— Честен, благороден, отважен. С женщинами ему хронически не везет.

— Странно. По-моему, он очень симпатичный.

— По-моему, тоже. На самом деле он считал, что его профессия несовместима с представлением женщин о семейном счастье. Он офицер, воевал, но теперь ушел в запас, так что, может быть, у них с Машкой что-то получится.

В ресторане мы действительно застали Машку с Антоном.

— Салют, амигос, — приветствовала их я.

Машка сидела в платье цвета морской волны, невероятно красивая. Глаза ее сияли, правда, в тот момент, когда она увидела меня, в них появился испуг. Она виновато улыбнулась, сказала «салют» и поцеловала меня, пряча взгляд.

Борька много пил, болтал сверх меры и умудрился чем-то разозлить Антона. Пока мужчины спорили, Машка тихо спросила:

— Ты сердишься?

— Нет, с чего ты взяла?

— Я вижу, сердишься. Ты считаешь, я не должна была этого делать.

— Ты сидишь в ресторане с парнем, я тоже здесь сижу и тоже с парнем. С какой стати мне сердиться?

Спор мужчин грозил перерасти в ссору. Антон горячился, Борька, с красным лицом, не в меру резкий, продолжал над ним посмеиваться.

— Идем потанцуем, — позвала я Борьку.

Он с готовностью поднялся, Машка с Антоном тоже пошли танцевать. Когда мы вернулись к столу, атмосфера дружеского ужина была восстановлена.

— Еще одно слово о политике, — предупредила Машка, — и дамы поменяют кавалеров.

— Серьезное предупреждение, — кивнул Борька. — Смотри, кто пришел, — вдруг сказал он Антону.

Я проследила его взгляд: в зал вошли трое мужчин. Впереди высокий брюнет, в шикарном сером костюме в полоску, блистал белозубой улыбкой и бриллиантовыми запонками. Он был вызывающе красив и сам себе безумно нравился. Узкие усики делали его похожим на героя немого кино. Женщины дружно проводили его взглядами.

Физиономия этого парня часто мелькала на страницах газет, так что я без труда поняла, кто передо мной. Рахманов Олег Николаевич (правда, с отчеством я могла напутать, ну да бог с ним, с отчеством), известный в городе адвокат, личный друг и, по слухам, компаньон господина Долгих в его малозаконном бизнесе. Редкая сволочь в красивой упаковке.

Мне вдруг стало смешно, потому что, шествуя по залу и раскланиваясь, он невероятно напоминал Ричарда Гира в «Чикаго» — уверенность, напор и само очарование. Пародия на опереточный образ.

Рахманов повернулся в нашу сторону, и улыбка его вышла из берегов. Он уверенно направился к нам, за версту протягивая руку и восклицая:

— Тони, дружище!

Антон вскочил, и они заключили друг друга в объятия.

— Рад тебя видеть, — приговаривал Рахманов, косясь на меня.

— Решил отдохнуть в мужской компании? — спросил Антон.

— Деловая встреча. Мой привет дамам.

Я заметила, что Борьке он руки не подал, ограничился едва заметным кивком, а Борька и вовсе его проигнорировал.

— Знакомьтесь, — продолжая стоять, сказал Антон. — Это Мария, из-за нее я теперь не сплю по ночам.

— Надеюсь, с удовольствием? — банальности Рахманов произносил с видом царя Соломона.

— Какое удовольствие, если я не сплю в одиночестве? — развел руками Антон.

— С Борисом вас знакомить не надо...

— Это уж точно, — буркнул Борька.

— А рядом его любимая девушка, Юля.

Рахманов вновь задержал взгляд на мне, затем перегнулся через стол и поцеловал мне руку.

— Преклоняюсь, — сказал насмешливо, метнув взгляд в сторону Борьки. — Редкая девушка способна его вынести.

— Да пошел ты... — пьяно отмахнулся тот.

— Не позволяйте ему напиваться.

— А это мой друг Олег, — продолжил Антон, теперь представляя Рахманова нам. — Собственно, он так известен в нашем городе, что его представлять даже как-то неловко.

— Адвокат дьявола, — кивнул Борька.

— Надеюсь, такие красивые девушки не имеют отношения к журналистике? Терпеть не могу журналистов.

— Ага, ему куда больше нравится помойка под названием политика, — не унимался Борька. — Мы еще увидим этого парня в Государственной думе.

— Бери выше, Боря, бери выше! — засмеялся Рахманов. — Приятного вечера. — Он кивнул всем по очереди, и Антон занял свое место.

— Не понимаю, что у тебя общего с этим надутым павлином, — начал приставать к нему Борька.

— Детство, — пожал плечами Антон. — Тебе прекрасно известно, что мы дружим с того момента, как научились ходить.

— Тебе не приходило в голову, что он давно отклонился от маршрута?

— Ты к нему несправедлив.

— Это ты мне говоришь? Твой друг — цепной пес

подонка Долгих. Всякий раз, когда того собираются взять за задницу, появляется этот хлыщ со сводом законов под мышкой и...

— Ты же сам сказал: со сводом законов. Он не нарушает закон, он прекрасно выполняет свою работу...

— Не нарушает? О господи, не нарушает... Торговля оружием, наркота... Такие сволочи, как он, превратили страну в побирушку, и им плевать на все, лишь бы набить карманы, а потом свалить куда-нибудь.

— Не начинайте сначала! — взмолилась Машка. — Давайте поговорим о чем-нибудь приятном.

— Приятно — это когда таких, как Рахманов, ставят к стенке.

— Точно, — вмешалась я, видя, что разговор приобретает опасное направление, и желая все обратить в шутку. — Выпьем еще и всех поставим к стенке.

— Свобода или смерть! — хихикнула Машка.

— Да здравствует команданте! — подхватила я.

— За него и выпьем. — Машка разлила водку по рюмкам. — За ветер революций! — торжественно провозгласила она.

— Терпеть не могу такие шутки, — серьезно сказал Антон.

— Что ты имеешь против команданте? — полез к нему Борька.

— Дурацкая болтовня иногда дорогого стоит.

— Мужчинам больше не наливать, — улыбнулась Машка.

— Нет, постой! — не хотел успокаиваться Борька. — Юлька обожает Че Гевару, а я его уважаю. Справедливость надо восстанавливать, а не болтать о ней.

— Свобода или смерть... Я этого до блевоты наслушался. Какого хрена ему понадобилось в Боливии?

— Не знаю, — затряс головой Борька. — Юлька, ты знаешь? Юлька все знает. Она обожает Че. Так что ему понадобилось в Боливии?

— Он был влюблен в революцию, — ответила я. —

А она ему изменила. Грустная история. Мужчины вечно любят не тех.

— И ты его за это обожаешь?

— Конечно. Он был ей верен до конца. И никто другой ему был не нужен. Умереть во имя любимой — разве это не романтично?

— Еще один великолепный миф, — разозлился Антон еще больше. — Бац, и ты уже герой. Скалишь зубы со всех плакатов. Почему бы вам не полюбить Хаттаба? Они даже внешне похожи. Один этот дурацкий берет чего стоит.

— Ты можешь полюбить Хаттаба? — повернулся ко мне Борька.

— Нет.

— Вот видишь! — Он снова посмотрел на Антона.

— Куда это нас занесло? — забеспокоилась Машка.

— Нет, пусть объяснит, какая между ними разница, — гнул свое Антон.

— Между идеалистом и наемником? Примерно такая, как между Джульеттой и уличной шлюхой.

— Ненавижу войну, — выпив водки, сказал Антон. — И идиотские разговоры тоже.

— Если я тебя поцелую, ты нас простишь? — обнимая его, спросила Машка.

— Если ты меня поцелуешь, я соглашусь со всем на свете, — жалея о своей вспышке, ответил Тони.

— Ловлю на слове, — подняв рюмку, сказал Борька. — Мы тут все революционеры, хоть завтра в бой. Свобода или смерть! — Борька повернулся ко мне. — Вдруг твоей любви и мне перепадет немного. Скажи, что я должен сделать, чтобы тебе понравиться?

— Перестать болтать чепуху.

— Вот видишь, в ее сердце нет места для меня. Посмотри на эту женщину, амиго. Она сводит меня с ума. Что за глаза! Ты видел когда-нибудь такие глаза? А этот ее взгляд? Женщина-гладиатор. Чтобы такая, как она, тебя полюбила, надо как минимум загнуться в боливийских болотах.

— Что мне за радость от этого? — рассмеялась я. Надо было прекращать дурацкий разговор, пока мы окончательно не переругались. Я видела, что Борька раздражен, что он ищет выход для своего гнева, а сам беспомощен и жалок, как капризный ребенок. — Просто он очень сексуален. Мне нравится его берет, его улыбка и его сигара.

— За сексуальность в революции! — подхватила Машка.

— Во всем надо видеть светлую сторону, — кивнул Борька. — Ты что-нибудь имеешь против сексуальности? — полез он к Антону.

— Нет, — отчаянно замотал тот головой.

— Значит, мы единомышленники.

— У меня подарок для тебя, — сказала мне Машка. — Эти типы едва все не испортили, ну да ладно... — Машка достала из сумки черный берет. — Держи, и пусть все твои враги сдохнут, — сказала она так серьезно, что пьяные улыбки сползли с наших лиц, а мужики притихли. — Таскаю его третий день.

— Спасибо, — сказала я и повертела берет в руках. — Хочешь, чтобы я его надела?

— Конечно.

— Подожди, — засуетился Антон, шаря по карманам. Достал из бумажника звездочку и прицепил к берету. — Вот теперь надевай.

Я лихо заломила берет на одно ухо, и мы принялись хохотать как сумасшедшие.

— Он обещал с ней не расставаться, — шепнул мне Борька. — Звездочка была его талисманом, с первого ранения, когда он был еще зеленым лейтенантом.

— Что ты там бормочешь? — подозрительно спросил Антон.

— Пытаюсь объяснить девушке, какой дорогой подарок ты ей сделал.

— Если на трезвую голову ты о нем пожалеешь, — улыбнулась я, — обещаю вернуть.

— Не пожалею. Она принесет тебе удачу, вот увидишь.

Мы выпили в атмосфере братской любви и всеобщего счастья, и тут в досягаемой близости от нас вновь появился Рахманов.

— Не возражаете, если я к вам присоединюсь? — спросил он таким тоном, что становилось ясно: он и мысли не допускает, что кто-то способен отказаться от своего счастья.

— А как же твои друзья? — усмехнулся Борька.

— Не друзья. Деловая встреча. Слава богу, она закончилась. Ужасно скучные люди.

Подскочивший официант уже пододвигал ему стул. Так получилось, что Рахманов оказался между мной и Машкой. Взгляд его, обращенный ко мне, был весьма красноречив: оценивающий и сладострастный. Борька не мог не обратить на него внимания — он нервно сжал челюсти, и без того уже красная его физиономия еще больше налилась кровью. Рахманова его нервозность веселила, он принялся что-то рассказывать, и вот тогда стало ясно, что он своего рода гений. Сирена, на зов которой плывут, теряя собственную душу. Элегантный, красивый, остроумный, адвокат был поистине неотразим. Невозможно было не поддаться обаянию его подвижного, мужественного лица, его сильного грудного голоса, магнетизму чуть насмешливой улыбки, магии жестов его рук, больших, крепких, с сильными пальцами. Даже Борька, сам того не желая, слушал с интересом, беспокойно поглядывая в мою сторону. Рахманов был любезен с Машкой, но я чувствовала: говорит он только для меня, — и решила, что из дурацкого желания досадить Борьке. Но в этом желании он зашел слишком далеко, потому что сам увлекся.

Он смотрел на меня и вдруг замирал на полуслове,

и взгляд его был — как касание рук, страстный и осязаемый. Борька хмурился все больше, наблюдая за нами, а я смотрела поверх плеча Антона и улыбалась странной шутке судьбы. Рядом со мной сидит человек, который одним движением руки, как император в Колизее, может лишить меня последнего, что еще осталось: моей никчемной, дурацкой жизни. Одно его слово, и я буду петь под его дудку или вовсе без музыкального сопровождения, а он тратит столько слов, чтобы мне понравиться. Чем больше сил сейчас у него уходит на обольщение, тем дороже придется мне платить потом. Над этим стоило подумать. Но тут в голову пришла непрошеная мысль: а вдруг это шанс? Говорят, раз в жизни он выпадает каждому. Королевский случай. Ведь иногда и шлюхи становились маркизами. Вчерашняя маркитантка, привыкшая к пинкам и затрещинам солдатни, назавтра просыпалась чуть ли не императрицей. Плевать мне на империю, мне бы вырваться. И вытащить Машку. Послать Ника к чертям и раз в жизни доставить себе удовольствие: увидеть бессилие на его роже.

«Смотри, как бы твои мечты не вышли тебе боком», — ядовито напомнила я самой себе.

— Вам очень идет этот берет, — улыбнулся Рахманов.

— Она обожает Че Гевару, — сказал Борька. — Так что тебе ничего не светит.

— Мне нравятся романтичные девушки. — Улыбка Рахманова стала шире. — Кстати, Че Гевара мне тоже нравится.

— Серьезно? И чем же?

— О господи, не начинайте снова! — взмолилась Машка. — Команданте сегодня в гробу перевернется от ваших глупостей.

— Он царит в ее сердце, — хихикнул Борька и повторил: — И тебе ничего не светит. Ты насквозь буржуазен, а она грезит о революции.

— Это правда? — спросил Рахманов. Ему не нужен был ответ, он просто смотрел в мои глаза, а чувство такое, что он целует меня в губы.

— Я хотела бы с ним станцевать танго... — полуприкрыв глаза, ответила я.

— Станцевать? — Борька давился от хохота. — Ты действительно хотела сказать «станцевать»? Станцевать с команданте? Это что-то новенькое.

— А что? — влезла Машка. — Он аргентинец и просто обязан был быть хорошим танцором.

— Вы танцуете танго? — обрадовался Рахманов.

— Вот это вопрос! — захлопала Машка в ладоши. — Она танцует танго, и вы даже представить не можете, как она танцует! Юлька, станцуй им революцию, чтобы амигос рыдали от счастья и захотели умереть героями!

— Сколько мы сегодня выпили? — попыталась я призвать всех к порядку, но Антон уже болтался возле музыкантов, а Рахманов поднялся и подал мне руку.

Через пару минут я оценила продуманность его имиджа. Тонкие усики, костюм в полоску, взгляд профессионального соблазнителя... образ был бы неполным, не умей он танцевать. Он наверняка безумно гордился своими достижениями, слушал джаз и танцевал танго, сводя баб с ума. Беспомощные куклы в его руках обмирали от страха сделать что-нибудь не так, и вряд ли он ожидал, что на сей раз будет по-другому. Он действительно оказался неплохим танцором, и этого хватило, чтобы я в одно мгновение забыла все: Ника, свой вой по ночам, липкие взгляды и скрежет замка за спиной. Я была свободна, как тогда с Машкой, до одури танцуя среди облезлых стен и окон с решетками. Улетай, душа! И она летела, и смеялась, и повторяла: «Я свободна...»

И вдруг все кончилось. Мы стояли друг против друга, тяжело дыша, и слышали, как бьется сердце, одно или сразу два, но в унисон, так что казалось, что все-таки одно. Взгляды столкнулись, и внезапно пришла уверенность: Рахманов у меня на крючке. Он никогда этого не забудет. «К сожалению, я тоже», — пришлось признать мне, и мгновенный триумф сменила печаль.

Я повернула голову и увидела Борьку. В его взгляде застыла горечь. А еще в нем было смирение. Он показался мне до нелепости смешным с этой его горечью и потерянной любовью. А Борька вскинул голову и, наверное, прочитал мои мысли, потому что теперь в его глазах была ненависть.

Мы вернулись к столу, Рахманов держал меня за руку и выпустил ее лишь на мгновение, чтобы пододвинуть мне стул.

— Ты была великолепна, — сказала Машка. Остальные молчали, Антон старался не смотреть на Борьку, поспешно отводил взор, как при встрече с тяжелобольным.

— Вы произвели фурор, — наконец сказал Борька. — Пожалуй, это самое яркое событие сезона. Почему бы вам не попробовать себя на сцене? Хотите, буду вашим импресарио?

— Борис, пожалуйста... — повернулся к нему Антон.

Рахманов поднялся и потянул меня за руку.

— Идем.

— Вот это называется искусством обольщения... — засмеялся Борька.

— Не переживай, — презрительно бросил Рахманов. — Это хороший повод напиться. Идем, — повторил он мне нетерпеливо.

— Вы прекрасная пара, дьявол вас побери! — крикнул Борька нам вдогонку.

Меня слегка покачивало от выпитой водки, а чувство было такое, будто я смотрю на все и всех откуда-то сверху. Голова шла кругом, и хотелось беспричинно смеяться, как на карусели, когда поднимаешься все выше и выше. Я нервно хихикнула и оступилась, туфля слетела, и я запрыгала на одной ноге, повиснув на локте у Рахманова. На улице шел дождь — сплошная стена воды, способная охладить любые чувства.

— Мы вымокнем до нитки, — сказала я, пытаясь попасть ногой в туфлю.

Он обнял меня и принялся целовать под укоризненным взглядом швейцара, который, не удержавшись, спросил:

— Вызвать вам такси?

— Брось свои туфли, вон там мой дом! — крикнул мне, не обращая на него внимания, Рахманов.

Мы бросились бежать, брызги летели во все стороны. Консьерж увидел нас в окно и поспешил открыть дверь.

Мокрые следы на ступеньках и стук сердца... Как там сказала Машка: «Станцуй ему революцию»? Я готова. Это мой шанс, и я на него поставлю.

Я проснулась в пять утра, смотрела в потолок и прислушивалась к чужому дыханию. Тихо поднялась и вышла из спальни, спотыкаясь в темноте. В гостиной на низком столике недопитая бутылка шампанского. Я подошла и глотнула из горлышка, вернула бутылку на стол. Зачем-то подошла к окну. Странная тоска навалилась, а ведь вроде бы я должна быть довольна. Все получилось так, как я рассчитывала, — африканская страсть, разбросанная по дороге в спальню одежда... Моя большая старательность вызвала ответные чувства. Потом мы тихо разговаривали, лежа в объятиях друг друга, пытаясь отдышаться, и испытывали друг к другу нежность. Мои слова, что «никогда ничего подобного», произнесенные с должной растерянностью, и его о том же в ответ, и вновь объятия, и желание сделать друг друга счастливыми, вполне искреннее желание... И умиротворенность, и даже что-то в самом деле похожее на счастье... Ведь все это было пару часов назад. Отчего вдруг такая тоска?

Я смотрела в окно, ветви березы раскачивались в темноте. Опять ветер, опять дождь... И я вдруг заревела, как мне казалось — без причины. Хотя знала, что лукавлю. Причина есть. Вот так, вдруг, узнаешь о себе занятные вещи: я все еще его люблю. Оттого чувство такое паршивое, точно и впрямь изменила, предала. Только моей любви никто не хочет, она не нужна ни Пашке, которого где-то носит по жизни осенним листком, ни тому, кто недавно шептал: «Я обожаю тебя». И нет ни ощущения победы, ни даже физического удовлетворения от нескольких часов удовольствия, только досада и тоска. Все неправильно, все не так. А как? Пора уяснить, что в постель ложатся не только по большой любви, и не забивать голову ерундой. «А вот если бы он... а вот если бы я...» Радуйся, ты сделала этого парня. Он у тебя на крючке, ты же видела его глаза, ты поняла... Никуда он не денется и уйти не сможет, по крайней мере, пока. А значит, надо умело разыграть свои карты, потому что он действительно способен помочь тебе и Машке выбраться из дерьма, чтобы сукин сын Ник оставил вас в покое. Пусть язвит, злится, пусть задохнется от бешенства, но сделать ничего не посмеет. Рахманов — мой реальный шанс, за который я должна благодарить небеса и прыгать сейчас от радости: ах, какая я молодец, все смогла, как задумала. Только что-то не прыгается. И чувство такое, будто проиграла на всех фронтах.

«Станцуй ему революцию...» Я невольно усмехнулась и поняла, что, если немедленно не уйду, наделаю глупостей. Я вернулась в спальню, ступая на пальцах, подхватила свои вещи с пола, а потом торопливо оделась в гостиной, очень боясь, что Олег вдруг проснется и придется что-то объяснять.

Консьерж, как видно, давно привык к ночным визитам дам и их неожиданному отбытию, сонно взглянул и предложил вызвать такси.

— Нет, спасибо, — ответила я.

Он открыл мне дверь, и я с облегчением вздохнула, подставив лицо ветру, сбрасывая остатки сна, как теплую одежду. Постояла немного и зашагала к площади. Мои шаги гулко отдавались на пустынной улице, принося в душу странное умиротворение, как будто я одна во всем мире и ничего не нужно делать, бредешь в никуда и знаешь, что впереди тоже ничего нет, и от этого ни боли, ни грусти.

Я вышла на мост. Опершись на перила, перегнулась вперед. Внизу, в темноте, поблескивала река. Одно движение, и все кончится. Войти в воду с широко открытыми глазами, мгновенный страх, недолгая боль, и все. Даже если испугаюсь и закричу, мне никто не поможет, вода холодная, долго в ней не продержишься. И не будет дурацкого чувства вины, ничего не будет...

Я криво усмехнулась. Можно сколько угодно тешить себя такими мыслями, но я не стану этого делать. Потому что мое освобождение — еще одно предательство. Машка... Даже если я скажу себе, что у нее теперь есть Антон, что она не пропадет... Да мало ли что можно сказать, чтобы оправдать себя. Так что надо топать домой и прекратить валять дурака. Какого черта я сбежала? Разыграла бы с утра сцену нежности, намекнула на большую любовь. А что? Он поверит. Он так сам себя любит, что просто убежден: любая женщина почтет за счастье... Вот и отлично. Сегодня, когда он появится, не премину продемонстрировать ему свои нежные чувства.

Я услышала шум работающей машины, а потом скрипнули тормоза. Машина остановилась за моей спиной, а я нехотя повернулась. Задняя дверца открылась, я увидела мужчину и едва не расхохоталась. Машина, конечно, была другой, но его я сразу узнала. Если бы даже его физиономия не мелькала в новостях и не украшала собой страницы газет, я бы его узнала.

— Девушка, — позвал он. — Вам не кажется, что здесь не самое подходящее место для прогулок?

Добрый самаритянин. Наверное, неплохой, в сущности, человек. Другой бы проехал мимо, а этот велел притормозить. Спасает мою бессмертную душу.

— Вам-то что за дело? — ответила я, с трудом сдерживая смех. Все-таки судьба любит пошутить.

Мужчина не поленился выйти из машины и приблизился. Предложил:

— Давайте я отвезу вас домой.

Я смотрела на него, а он на меня. Красивое умное лицо, и этот взгляд... «Узнай меня, сволочь, — едва не сказала я. — Ты помнишь? Это я». Но взгляд его не изменился. Он не узнал. Да и где ему помнить девицу, которую однажды подвозил на машине? Две девчонки на дороге и он, добрый самаритянин.

— Идемте, — позвал он, расценив мое молчание как согласие.

Я покачала головой.

— Я живу здесь неподалеку.

— Давайте я вас все-таки отвезу.

— Спасибо. Я не собираюсь прыгать с моста, если вы об этом.

Он вроде бы был в нерешительности, постоял еще немного, а я выдала свою лучшую улыбку.

— Что ж... — сказал он, пожимая плечами, и пошел к машине.

— Я вас никогда не забуду, — сказала я ему вдогонку.

Он повернулся, во взгляде недоумение. Потом, видно, решил, что понимать мои слова надо как благодарность, и улыбнулся. А через мгновение исчез из моей жизни так же внезапно, как и появился. Я покачала головой и все-таки рассмеялась. Он меня не узнал. Но теперь вместо боли и злости меня душил смех.

По дороге домой я разрабатывала план военной кампании. Я готова была снести все преграды на своем пути. Свобода или смерть.

— Что скажешь, команданте? — спросила я, войдя в квартиру.

Команданте ответил лихой улыбкой, ему сам черт не брат.

— Значит, повоюем, — удовлетворенно кивнула я.

До обеда я отсыпалась. Телефоны молчали, что слегка удивило, пока я не вспомнила, что сама же их отключила. Не успела я принять душ, как позвонил Ник. Я ждала звонка от Рахманова, и желание Ника видеть меня пришлось совсем некстати. Но я, разумеется, поехала.

Ник обедал в «Олимпии». Завидев меня, молча кивнул на стул рядом.

— Составишь компанию? — спросил он, имея в виду обед.

Я покачала головой. Он увлеченно жевал, а я спросила:

— Есть новости?

— Сколько угодно. Разбился автобус в Испании. Имеются жертвы.

— Могу я узнать причину твоего скверного настроения?

— Что ты! Сегодня я — сама доброта. — Он посмотрел на меня так, точно намеревался читать в моей душе, как в открытой книге. — Как твой журналист?

— Надеюсь, что хорошо.

— Я думал, ты ночь напролет с ним трахаешься, раз не отвечаешь на мои звонки.

Я закинула ногу на ногу и стала разглядывать зал. Ничего особо выдающегося — правда, за версту несет большими деньгами.

— Ребята нервничают, — сказал Ник, продолжая наблюдать за мной.

Я повернулась, выжидая, что он скажет дальше. Ник достал из кармана листок бумаги и перебросил его мне. Я развернула, потом перевела взгляд на Ника. Лист бумаги тот самый, на котором я тренировала свою дедукцию: фамилии убитых, обведенные кружочками, против двух имен вопросительные знаки. Как она попала к Нику, спрашивать не стоило, он часто бывает у меня в гостях, а ведет себя по-хозяйски. Однако меня удивило, что эта бумажка смогла его заинтересовать.

— И что? — спросила я, не дождавшись объяснений.

— Листок нашел Артем, и у бедняги начался припадок. Хотя, если посмотреть на события последнего времени с его точки зрения, выглядит страшненько.

— О боже, — фыркнула я. — Он решил, что это я занялась санитарной обработкой нашего города и он, бедняга, на очереди?

— Что-то вроде того, — кивнул Ник. — Тыкал мне бумажку в нос и вопил: «Я же говорил!» В следующий раз не оставляй на виду такую улику.

— Я просто ломала голову, кто мог это все сделать. — Против воли мой голос звучал так, как будто я оправдывалась.

— Выпей что-нибудь и успокойся, — перебил Ник, потом улыбнулся и подмигнул: — Вовка хоронит тетю. Что у него за родня в Сибири?

— Откуда мне знать?

— Я думаю, и он не знает. Конечно, все люди братья и какую-нибудь родню и там можно отыскать.

— Он уехал? — дошло до меня.

— Ага. Сегодня. Сказал, что никак невозможно предать тетю земле без его личного присутствия.

— По-твоему, он спятил?

— Нет, не думаю. По-моему, он боится за свою шкуру. И наш Артем, кстати, тоже. А ты боишься?

— Чего?

— Стать жертвой неведомого нам маньяка. У тебя нет тети или дяди на примете?

— Нет.

— Занятно, да? Ты не боишься. Может, потому, что знаешь, кто будет следующей жертвой?

— Ник...

— Кто? Кто будет следующий? Вовка, Артем или, может быть, я? Или меня ты оставишь на сладкое?

— Не валяй дурака. Мы уже обсуждали это...

— Ну, так кто? — вновь перебил он меня. — Готов поспорить, что Вовка, несмотря на все свои хитрости, сыграет в ящик первым. Что скажешь?

— Ник...

— Кто первый: он или Артем? Ну?

— Ты мне осточертел! — не выдержала я. — Вместо того чтобы попытаться найти убийцу...

— Я долго буду повторять?

Я очень хорошо знала Ника, чтобы стараться и дальше привести его в чувство. Поэтому просто сказала в ответ на его настойчивый вопрос:

— Черт с тобой, Артем.

— Хорошо, — удовлетворенно кивнул Ник. — Теперь остается только ждать.

— Может быть, мы поговорим серьезно?

— Валяй, — снова кивнул он.

— Допустим, смерть Гороха связана с нападением на транспорт...

— Я читал твои каракули, — усмехнулся он. — Горох что-то сказал Сереге, тот Розге, оттого они и померли друг за дружкой. По-моему, страшная глупость.

Но, безусловно, между убийствами должна быть связь. Кто-то очень рассердился на ребят.

— Ты можешь подозревать меня сколько угодно...

— Нет-нет. Я не думаю, что ты сама перепахала им горло. Скажи мне лучше, кому ты могла внушить такую большую симпатию и вместе с тем такое большое желание разделаться с твоими мучителями? Вот о чем тебе следовало подумать.

Признаться, слова его произвели впечатление. А что, если... Я не успела додумать мысль до конца, тут же осознав всю ее нелепость. Как он мог узнать? Да и зачем ему это? Он просил меня только об одном: поскорее его забыть. А если его мучает чувство вины, как меня? Чушь. Хороший сюжет для индийского кино, но никуда не годится в жизни. Он даже не мог знать. Хотя почему же не мог? То, что я и Машка молчали, вовсе ничего не значит. Кто-то из самих придурков вполне мог похвастать подвигами. И некто, сидя рядом, кивая и скаля зубы, решил, что они на этом свете лишние... Пять минут назад я собиралась рассказать Нику о мужчине, который выспрашивал обо мне девиц, а теперь вдруг решила молчать.

— У меня есть только я сама, — ответила я с усмешкой. — И Машка.

— Что-то ты темнишь, — покачал Ник головой. — Чувствую, что врешь. Ну да ладно. Значит, говоришь, Артем? Ну, посмотрим.

— Если тебе не надоело валять дурака... Я думала, у нас есть неотложные дела...

— Извини, но делами я займусь сам. Пока мне не станет ясно, что ты затеяла, тебе лучше в них не соваться.

— Как знаешь, — буркнула я, поднимаясь.

И в этот момент у меня зазвонил мобильный. Весьма некстати, потому что звонил Рахманов.

— Юлька, где тебя носит? Замучился набирать твой номер...

— Я перезвоню, — поспешно сказала я, наблюдая насмешливую улыбку Ника.

— Не стесняйся, — рассмеялся он. — Кого ты опять подцепила? Передай привет своему парню. Только не переусердствуй в любви. Береги себя, солнышко.

Разумеется, разговор с Ником мое настроение отнюдь не улучшил. Я болталась по городу, пяля глаза на витрины, то и дело мысленно чертыхаясь, пока не вспомнила, что должна перезвонить Рахманову.

— Какого черта ты сбежала? — весело спросил он, когда с приветствиями было покончено.

— Решила, что сваляла дурака.

— В каком смысле? — насторожился он.

— Все это безумно романтично, но... Слушай, давай поговорим в другой раз.

— Ты что, очень занята?

— Уже нет.

— Тогда почему бы не поговорить сейчас?

— Лучше завтра. Или послезавтра. Слушай, я за рулем и не могу разговаривать. Целую.

У меня и в самом деле не было ни малейшего желания болтать сейчас с ним, не тем голова забита. Побродив по городу еще часа полтора, я отправилась домой. Я и ярко-красный «Феррари» появились во дворе одновременно. Машина замерла у моего подъезда, и я увидела Рахманова. Костюм, улыбка, голос — сама безупречность. Однако по мере моего приближения улыбка начала сползать с его физиономии.

— Салют, — сказала я, оглядываясь. — Мы вроде бы договаривались на завтра? Извини, что была немногословна, когда ты позвонил, но в тот момент я разговаривала со своим шефом. — Назвав Ника своим шефом, я мрачно усмехнулась.

— Я думал, мы поужинаем вместе, — заявил Олег, приглядываясь ко мне. Тут я, наконец, сообразила, почему улыбка счастья исчезла с его губ и куда-то запропастилась. Надо полагать, мой внешний вид его раздражал. Ничего похожего на женщину-вамп, которая осталась в памяти. Аргентинское танго, пустопорожняя трепотня, много выпитого, а потом внезапно вспыхнувшая страсть с последующими безумствами... А теперь перед ним девица в рваных джинсах, маетой во взгляде и шефом, которого следует остерегаться. Рахманов, в отличие от меня, выглядел образцово. Герой-любовник на все времена. Если бы он сел в машину и удалился, я бы ничуть не удивилась. И не расстроилась. Хотя еще сегодня утром решила, что он — мой шанс. А теперь мне было все равно. И виной тому не только скверное настроение после дружеской беседы с Ником. Рахманов мне не нравился. Я подозревала, что за красивым фасадом ничего нет. Просто ничего. Хуже того, я вдруг поняла, что ничем он мне не поможет. Такие, как он, этого просто не умеют, не видят необходимости. И лишь только он узнает... хорошо, если просто сбежит, вполне возможно, надумает отыграться. В общем, если бы он в самом деле взял и уехал, я бы, скорее всего, вздохнула с облегчением.

— Мы так и будем здесь стоять? — спросил он.

— Собственно... — заунывно начала я, но, натолкнувшись на его взгляд, вздохнула и сказала: — Хорошо. Идем ко мне.

Я вошла в подъезд первой и, не оборачиваясь, направилась к лифту, а когда двери лифта закрылись, я подумала, что раз уж ни на что хорошее рассчитывать не приходится, то я вполне могу поэкспериментировать в свое удовольствие. И, не говоря ни слова, повисла на нем, целуя в губы, и его роскошный костюм едва не лишился пуговиц. Это было вопросом времени, а его как раз не оказалось: лифт остановился, двери открылись, а я с серьезным видом направилась в свою квартиру. Олег чуть поотстал, и когда мы оказались в прихожей, на его физиономии блуждала улыбка.

— Твой приятель? — кивнул он на плакат.

— Лучший друг.

— Надеюсь, он не ревнив? — засмеялся Рахманов, заключая меня в объятия.

Женщины существа непостоянные. Взять хоть меня, скажем: решаю одно, делаю другое. Например, демонстрирую страсть, да с таким вдохновением, что и сама не знаю, где тут притворство, а где искренние чувства. Все смешалось: и мои чувства, и наша одежда на полу... вешалка упала со страшным грохотом, едва не задев мою макушку... я принялась хохотать, а вслед за мной и Рахманов...

— Черт, кто придумал эти крючки? — в сердцах воскликнул он, и это были последние внятные слова на ближайшие двадцать минут. Потом обходились бормотанием, а я так даже поорала и тоже наверняка не знала, меня и вправду так разбирает или это тот случай, когда собственная игра убеждает даже играющего.

В любом случае Рахманов остался доволен, потому что простил мне и рваные джинсы, и ненакрашенную физиономию, и все то, в чем, по его мнению, я была грешна. Он гладил мои плечи и утверждал, что я красавица. Однако моя красота все же не лишила его любопытства. Где-то через полчаса он приподнялся и оглядел мою комнату.

— Ты здесь живешь? — В голосе смесь недоверия и удивления.

— Иногда, — ответила я, поднимаясь.

— Твоя квартира или снимаешь?

— Снимаю.

— А получше ничего не нашлось?

— Если тебе не нравится моя квартира...

— Мне не нравится твоя квартира, но мне очень нравишься ты. Вы давно знакомы с Борькой?

— Несколько дней.

Он удивленно поднял брови.

— Мне показалось, он очень серьезно к тебе относится.

— Почему бы и нет?

— Обычно для серьезных отношений требуется больше времени.

— Любовь либо приходит, либо нет, — рассмеялась я.

— Где вы познакомились?

— Какая разница?

— Мне интересно. Где?

— В ресторане.

— И сразу же поехали к нему?

— Я была пьяна. Мы с Машкой праздновали мой день рождения.

— Значит, ты подцепила его в кабаке.

— Как и тебя. А что? Не самое скверное место на свете.

В его глазах появилось беспокойство, а я засмеялась.

— Чего ты хохочешь? — спросил он с обидой.

— У тебя сейчас очень смешное лицо. Гадаешь, не свалял ли дурака, явившись ко мне?

— Даже если и так. Между прочим, человек моего положения...

— Вот-вот, — перебила я. — Человек твоего положения обязан думать, что может себе позволить, а что нет. Я человек без положения и могу делать все, что мне взбредет в голову. — Я навалилась на него сверху и шепнула в ухо: — Знаешь, что пришло мне в голову сейчас...

Он усмехнулся, потому что идея ему понравилась, и на некоторое время забыл о своих подозрениях, но чуть позже беспокойство к нему вернулось.

Мы стояли под душем, и я всерьез опасалась, что усну, прижавшись к его плечу, и ничего не имело значения, и мыслей не было, я просто прислушивалась к шуму воды и счастливо улыбалась, поэтому его вопрос слегка удивил:

— Чем ты занимаешься?

— Когда не сплю с тобой? Когда не сплю с тобой, я по тебе тоскую.

— Ты это и ему говорила?

— Нет. Он зануда и мне не нравился. Терпеть не могу зануд. Ты случайно не зануда?

— У меня назначена встреча. Я должен был отправиться на нее еще час назад. Завтра мне придется выдумывать какую-нибудь чушь, чтобы оправдаться. Я похож на зануду?

— Нет. Ты похож на мою мечту.

Когда мы вернулись в постель, он вновь задал тот же вопрос:

— Чем ты занимаешься?

— Сейчас?

Он прыснул:

— Не валяй дурака. Мне просто интересно знать. Учишься, работаешь?

— Я в творческом поиске. Такой ответ тебя устроит?

— А как же шеф?

— Как раз сегодня он меня уволил.

— Хочешь, помогу тебе с работой?

— Хочу, чтобы ты заткнулся. Ни малейшего желания говорить о работе. Через неделю у меня кончатся деньги, я надену деловой костюм и начну занудствовать. А сейчас я свободна как ветер. Или вместе со мной наслаждайся жизнью, или убирайся.

— А если я и вправду уйду? — спросил он с обидой.

— Выброшусь в окно. Прямо на твою красивую машину.

— Хорошо, поговорим о твоей работе через неделю.

— Все-таки ты зануда, — вынесла я вердикт.

— Не хочешь о себе рассказывать?

— Не хочу. В моей жизни ничего интересного, не считая тебя.

— Мне ты тоже вопросов не задаешь. Ты не любопытна?

— Беда с этими вопросами. Сейчас выяснится, что ты женат, я начну страдать, вместо того чтобы получать удовольствие. Я знаю твое имя, знаю, что ты классный любовник, на сегодня этого вполне достаточно. Вдруг наваждение пройдет так же внезапно, как появилось? Тогда узнавать о тебе что-то вовсе не понадобится.

— Я не женат.

— Хорошая новость. Но радоваться я подожду.

На встречу он не спешил, я могла поздравить себя с победой. Он ушел поздно, с сожалением на физиономии. Если бы я попросила, он бы, наверное, остался, но я просить не стала.

Два дня он не звонил. Должно быть, проявил любопытство. Узнать, кто я такая, для него труда не составит. Почему он этого уже не сделал, для меня загадка, может, считал, что это подождет, а может, был слишком занят. Я могла бы позвонить сама, но, естественно, даже и не собиралась. Ник тоже не появлялся. Предоставленная самой себе, я целыми днями торчала у Виссариона, покаянно сообщив, что приму любое наказание за прогул. Он ответил, что раз я работаю за харчи, то и говорить не о чем. Но я заявила, что чувствую себя обязанной, и вымыла в «Бабочке» окна. Он оценил мой трудовой порыв и накормил меня обедом.

Зато на следующий день у меня появилась Машка. Не одна, с Антоном. Он чувствовал себя не в своей тарелке и за все время произнес десяток слов, зато Машка выглядела абсолютно счастливой.

— Он переживает из-за Борьки, — шепнула она

мне, когда я готовила гостям кофе. — Борька сам не свой. Он, кажется, всерьез влюбился. А Тони чувствует себя виноватым.

— В чем?

— В том, что все так получилось. Если бы он не пригласил Олега...

— Глупости, тот сам пришел.

— Конечно. Тони считает, что Рахманов сделал это нарочно, чтобы позлить Борьку, и он действительно переживает.

Антон пил кофе с очень серьезной миной и старался не встречаться со мной глазами, но поглядывал на меня украдкой, я чувствовала его взгляд, что меня раздражало. В общем, когда они собрались уходить, я не стала их задерживать.

Машка меня беспокоила — она смотрела на этого парня с откровенным обожанием. А я гадала: что он принесет в ее жизнь? Пока Ник не интересуется, как она проводит время. А если интерес появится? Неизвестно, что придет ему в голову. А главное — как все это отразится на Машке?

Периодически в ее жизни появлялись мужчины, на вечер, от силы на два.

— С мужчинами надо заниматься любовью, — пожимала она плечами. — А меня при мысли об этом тошнит.

Я видела: с Антоном у нее все по-другому, — не знала, радоваться или бояться. А если она для него мало что значит? То есть он может думать, что влюблен, но когда все узнает... В общем, Машкино появление радости не принесло.

Всю ночь я изводила девок Бетховеном, до утра просидев у Виссариона.

— Ты влюбилась, — заявил он с серьезной физиономией.

— Ага. А он меня бросил.

— Идиот.

— Конечно. Но я все равно страдаю.

— Может, тебе неинтересно, но твой парень приходил в кабак, где убили журналиста, с твоей фоткой. Показывал ее бармену, спрашивал, не видел ли тебя кто.

Я очень надеялась, что на моем лице никаких эмоций не отразилось.

— Зачем ему это? — все-таки спросила я. Конечно, я не ждала ответа, но что-то я была должна сказать.

— Не знаю. Он ведь журналист. Говорят, погибший был его другом.

— Допустим. Только при чем здесь моя фотография?

— Менты ищут женщину. Говорят, того парня убили из-за нее. А еще говорят, что парень был кое-кому не угоден. Убийца скончался в тюрьме, и девка ментам теперь вдвойне интересна.

— Занятно, но я так и не поняла, я-то тут при чем?

Виссарион пожал плечами и уткнулся в книгу, предоставив мне возможность ломать голову в одиночестве. Я подумала позвонить Борьке. Позвонить, конечно, можно, только что я ему скажу? Спрошу, какого хрена он лезет в мои дела? То-то. Хм, а откуда у него моя фотография? Впрочем, фотография как раз не проблема. Мог щелкнуть меня так, что я и не заметила. Но как он догадался? Как это вообще пришло ему в голову? Он видел меня с Ником, а приятель из прокуратуры разнюхал, что Витька был как-то с Ником связан? Что ж, человеку с фантазией и столь скудных сведений достаточно. Если Ник узнает... Черт, что же делать? В самом деле позвонить? Но я тогда только укреплю его подозрения... Я впала в глубочайшую задумчивость, чем порадовала девок — им осточертел Бетховен.

Звонок Рахманова через два дня вызвал целый всплеск эмоций. Услышав его голос, я сначала замерла, а вслед за тем улыбнулась, едва удержавшись, чтобы не взвизгнуть от радости. Вот тут-то и выяснилось, что я ждала его звонка, все еще надеясь, хотя и заранее смирившись с поражением. Конечно, он мог сейчас звонить, чтобы просто поставить меня в известность: мол, наваждение прошло... Но с моей точки зрения, тогда и утруждать себя не стоило. Тем более что я ему не звонила и не позвонила бы, так что наши отношения сами собой сошли бы на нет.

— Привет, — сказал он. Голос звучал весело, и, опережая возможные вопросы, Олег сообщил: — Меня не было в городе два дня, приехал только сегодня.

— Отлично.

— Ты мне не звонила.

— Забыла, наверное.

Он засмеялся:

— Ни за что не поверю. Ты очень гордая, да?

— Скорее умная. Если мужчина не звонит сам, значит, мой звонок будет некстати.

— Ты — женщина моей мечты.

— Не сомневаюсь.

— Что с твоей работой?

— Неделя еще не прошла.

— Значит, у тебя полно свободного времени, и ты не откажешься сегодня пойти со мной.

— Не откажусь. А куда?

— Сегодня мой друг устраивает прием. На самом деле ужасно скучное мероприятие. Но идти необходимо. Вот я и подумал, отчего бы не сделать себе приятное и не взять тебя с собой? По крайней мере, не потрачу время впустую. Что скажешь?

— Терпеть не могу приемы, особенно скучные. Правда, я ни на одном не была, но уверена: мне не понравится.

— Разве ты не способна пострадать два часа ради

меня? При первом удобном случае мы смоемся и где-нибудь напьемся. Вся эта бодяга начнется в семь. В половине седьмого я за тобой заеду. Кстати, у тебя есть вечернее платье? Нужно что-нибудь сногсшибательное. Хочешь, пришлю своего шофера, он прокатит тебя по магазинам...

— У меня есть драные джинсы. Может, не сногсшибательно, зато оригинально.

— Это было бы забавно, — засмеялся он. — Так присылать шофера?

— Перебьюсь.

— В чем бы ты ни была, ты будешь прекраснее всех, — заверил он, а я усмехнулась.

Итак, ему пришло в голову вывести меня в свет. Довольно неосмотрительно, учитывая некоторые обстоятельства. Он считает, что я буду прекрасным дополнением к его костюму, запонкам и роскошной улыбке. Постараюсь его не разочаровать.

Я провела ревизию своего гардероба, потом извлекла на свет божий Машкин подарок. У нее мания дарить мне платья, она искренне считает, что тряпки скрашивают женщине жизнь. Мою они вряд ли скрасят, но сейчас Машке следовало сказать спасибо. Он употребил слово «сногсшибательное»? Что-то именно в таком роде и было сейчас на мне. Я повертелась перед зеркалом и осталась собой довольна. Потом побежала в парикмахерскую, а после этого еще час сидела перед зеркалом. Забавно, но все эти приготовления показались страшно увлекательными.

Ровно в половине седьмого Рахманов позвонил в дверь, и я пошла открывать, бросив быстрый взгляд в зеркало. Увидев меня, он вытаращил глаза.

— Что, так скверно? — нахмурилась я.

— Хуже не бывает, — стараясь быть серьезным, кивнул Олег. — Ты похожа на светскую львицу. Неприступную и холодную, как льдинка. Терпеть не могу таких баб.

— Насчет неприступности — пальцем в небо, — усмехнулась я, туфли полетели к потолку.

— Под платьем ничего нет? — вроде бы сомневаясь, спросил Рахманов, целуя меня.

— По-моему, очень удобно.

Команданте усмехался с плаката, наблюдая наши игры в прихожей.

— Свобода или смерть, — подмигнула я ему, когда Рахманов отправился в ванную.

На прием мы опаздывали, но Олега это ничуть не расстроило. В машине он сел вплотную ко мне и, стиснув мою руку, шепнул:

— Черт... я способен думать только о том, что под платьем у тебя ничего нет. Меня это страшно заводит.

Он шептал мне в ухо, чтобы не слышал шофер, а я фыркала, сдерживая смех.

— Зачем, по-твоему, я так вырядилась? Чтобы ты был спокоен?

— Вот дрянь! — засмеялся он, а я сунула руку ему под пиджак, сохраняя очень серьезное выражение на лице.

Машина затормозила возле украшенных разноцветными шарами дверей. Олег вышел, помог выйти мне и заговорщицки подмигнул. А я наконец-то сообразила, куда мы попали. Офис господина Долгих размещался в центре города, в недавно выстроенном пятиэтажном здании. Темное стекло и металл. Старый город новомодное строение не украшало, но впечатление производило.

Еще большее впечатление производило внутреннее убранство. Долгих обустраивался с размахом и денег не пожалел. Огромный зал на втором этаже был забит людьми до отказа. Я увидела нашего мэра в компании неприметной блондинки, тучный дядя в погонах произносил речь. То ли благодарил, то ли просто расхваливал хозяина за громадный вклад в развитие области, добавив: «И не побоюсь этого слова, всей страны».

Все дружно аплодировали, на лицах счастливые улыбки. Вряд ли хоть кому-то из присутствующих неизвестно, как Долгих зарабатывает свои деньги. И ничего, радуются. Благо всей страны его тоже вряд ли беспокоит. Пусть все ее граждане грызутся из-за корки хлеба в сточной канаве, ему это только в радость, ему так даже удобнее.

— А дядя в погонах, он кто? — не утерпев, спросила я.

— Какой-то хмырь из областного военкомата.

— Что ему здесь понадобилось?

— То же, что и всем. Хочется свой кусочек пирога, дорогая. Он выставляет свою кандидатуру на выборах. Мэр, как ты понимаешь, тоже не зря тут пасется.

— А нормальные люди здесь есть?

— Здесь вообще нет людей, только представители бизнеса и администрации. Смотри, губернатор. Некоторые маловеры сомневались, что придет.

— Ты сомневался?

— Нет, конечно. Я хорошо его знаю.

После выступления еще двух малоизвестных мне лиц слово взял Долгих. Ровным успокаивающим голосом он сообщил, что сегодня исполняется двенадцать лет его компании. Кратко обозначил этапы большого пути, отметил, что они с уверенностью смотрят в будущее, и пообещал нам в перспективе царство небесное на земле. Разумеется, для этого придется сообща потрудиться. Царство небесное всех воодушевило, хлопали минуты две, пока не отшибли ладоши, а потом потянулись к столам — перед трудами праведными решили подкрепиться.

Мы бродили в толпе, вызывая любопытство. Рахманов то и дело останавливался, чтобы с кем-то перекинуться словечком, а я нахально пялилась на него и улыбалась.

— Завязывай, — шепнул он. — Я сейчас из штанов выпрыгну.

— Лучше поедем отсюда.

— Придется еще немного потерпеть.

Мы продолжали кружить по залу, пока не оказались рядом с Долгих. Вадим Георгиевич пожал руку своему другу и с любопытством посмотрел на меня.

— Знакомьтесь, — сказал ему Олег. — Это Юлия Ким, революционерка и умопомрачительная женщина. Я от нее с ума схожу. Уже ненавижу буржуев. Если так пойдет дальше, начну расклеивать листовки по городу «Долой олигархов!» или что-то в таком роде.

— Вы тут посплетничайте, амигос, — сказала я, — а я что-нибудь съем. Должна же быть от буржуев хоть какая-то польза.

Я отправилась к столу, а минут через двадцать ко мне подошел Долгих. Олег в тот момент разговаривал с каким-то жирным типом, который перехватил его по дороге.

— Для революционерки вы безумно хороши, — улыбнулся Долгих.

Я смотрела на его лицо и удивлялась, что не чувствую ненависти. Только недоумение. Тут можно было бы пофилософствовать о противоречии формы и содержания, задаться вопросом, почему природа или господь являют миру монстра в такой симпатичной упаковке. Но мне было наплевать на философию и на размышления вообще. Требовалось что-то ответить, и я ответила:

— Вы тоже симпатичный парень.

Чувствовалось, он не привык, чтобы с ним так разговаривали, но улыбнулся еще шире и произнес неожиданное:

— Я рад, что ваше настроение изменилось. — Теперь пришла моя очередь удивляться. Он пояснил: — Мы ведь не так давно встречались. Помните, на мосту?

— А-а... добрый самаритянин. Так это были вы? У вас хобби раскатывать по ночному городу, спасая неразумных девиц?

— Так я вас спас?

— Разумеется. Я мечтала утопиться, но холодная вода и вы меня остановили.

— Ким... знакомая фамилия... Ваш отец преподает в университете?

— Вы его знаете?

— Наслышан. — Он улыбнулся, а в глазах мелькнула усмешка. Наконец он меня узнал. Не узнал — понял, кто я такая. — Мой друг в самом деле от вас без ума.

Его слова можно было расценить по-разному, к примеру, так: он спятил, притащив сюда девку с таким прошлым. И с таким настоящим.

— Это взаимно, — ответила я, пытаясь прогнать тревогу и не обращать внимания на свои руки, которые теперь мелко дрожали. Предательски.

— Неудивительно. Он известный сердцеед. Надеюсь, Олег наконец-то попал в хорошие руки. — И вновь усмешка.

Ну и что еще должно означать? Что-нибудь вроде: «Наконец-то этот павлин вляпался и получит по заслугам»? Весьма по-дружески. Олег подошел к нам, с трудом отбившись от толстяка, и спросил весело моего собеседника:

— Соблазняешь мою девушку?

— Пытался, но безуспешно, — пожал плечами Вадим Георгиевич. — Кажется, это тот случай, когда говорят: «настоящая любовь».

Какая-то дама подхватила его под руку, чем сразу же воспользовался Олег.

— Идем.

— Сматываемся?

— Нет, но есть идея.

Он потащил меня к выходу из зала, где с постными лицами паслась охрана. Парни проводили нас понимающими взглядами. Первые два кабинета оказались запертыми, что вызвало возмущение Рахманова. Он пнул дверь и выругался.

— По-моему, ты спятил, — хихикнула я.

— А кто спорит? Ну, наконец-то.

Третья дверь оказалась незапертой, и мы вломились в комнату, где были три стола, масса бумаг, компьютеры и никакого намека на мебель, которая в тот момент была нам особенно интересна.

— Пойдем искать дальше? — с сомнением спросил Олег.

— Обойдемся, — заверила я.

Через полчаса мы вернулись в зал, еле сдерживаясь от смеха и изо всех сил стараясь выглядеть пристойно. Но наши старания успехом не увенчались — граждане упорно на нас таращились. Особенно на Рахманова. Впрочем, у него было такое шкодливое выражение лица, что и дурак сообразил бы, чем он сейчас занимался. Кажется, это его вполне устраивало, а мне было все равно. Где-то часа через полтора мы смогли уйти. Шофер скучал в машине.

— Ко мне? — спросил Рахманов, как видно решив, что вполне способен напиться дома, не прибегая к услугам ресторана.

— Лучше ко мне, — ответила я.

— Почему?

— Твоя квартира навевает уныние. Очень хочется там что-нибудь разбить.

— Кстати, о квартире. Твоей придется заняться. Не можешь ты жить среди такого убожества.

— Еще как могу.

— Хорошо, я не могу. А у тебя еще тяготение к родному дому. Что мне прикажешь делать?

— Не лезть в мою жизнь.

— Поступим проще. Я сниму тебе квартиру, не хочешь в ней жить — не надо, будем там встречаться. Она станет нашим гнездом.

— Норой.

— «Гнездо» мне нравится больше.

— А мне меньше.

— Что сделать, чтобы ты заткнулась?

— Поцеловать.

Мы не успели поссориться — машина тормозила у моего подъезда.

— Не смей приставать ко мне в лифте, — шепнул он, отпустив машину.

— Я собираюсь принять душ и лечь спать.

— А что буду делать я?

— Понятия не имею. Могу почитать тебе сказку на ночь.

Он распахнул передо мной дверь подъезда, левую руку по-хозяйски устроив чуть ниже моей талии и весело скаля зубы, и тут я услышала:

— Юля.

Мы повернулись одновременно. На скамейке возле детских качелей сидел Борька. Поначалу я решила, что он пьян, потом оказалось, что просто выглядел паршиво. С его стороны было большой глупостью прийти сюда, еще большей — меня окликнуть. Борька поднялся и не спеша подошел к нам.

— Я хотел поговорить, — сказал он спокойно, глядя на меня и игнорируя Рахманова.

— Хорошо, — пожала я плечами. — Завтра. Идет? Я тебе позвоню.

— Нет, сейчас.

— Но...

— Сейчас самое неподходящее время, — вмешался в разговор Рахманов.

— Будь добр, помолчи, — попросил Борька.

— Вот что... иди, — сказал мне Рахманов, вновь распахивая дверь подъезда. — Я задержусь на минуту.

— Не задерживайся, разговаривать с тобой у меня нет ни малейшего желания, — заявил Борька с презрением.

— У меня тоже. Но иногда приходится. Было бы прекрасно, если бы ты забыл сюда дорогу.

— Это уж не твое дело.

— Мое. Понял? Я не желаю тебя здесь видеть.

— Я не спрашивал о твоих желаниях. Мне на твои желания...

— Оставь ее в покое.

— Да пошел ты...

Я все еще топталась рядом и вынуждена была наблюдать, как все неминуемо скатывается к банальной драке. Борька попытался ухватить Рахманова за отвороты пиджака, но получил неожиданный отпор. Олег, перехватив его руки, с силой оттолкнул его от себя, бросив с презрением:

— Пошел вон.

Мы вошли в подъезд, и Рахманов с силой захлопнул дверь.

— Будет допекать, скажи мне, я ему башку оторву.

— Я считала, что адвокат должен вести себя сдержанно.

— Только не тогда, когда речь идет о женщине. Ты не могла бы идти побыстрее?

Предаваясь любви, я то и дело возвращалась мыслями к Борьке. Хотя вел он себя как отвергнутый любовник, я подозревала, что вовсе не о любви он хотел сейчас поговорить со мной. Рахманов уехал часа в три ночи, а я, вместо того чтобы спать со счастливой улыбкой на устах, бродила по комнате. Я даже подумала: «А не позвонить ли Борьке?» Но идея не прижилась.

Утром меня ожидал сюрприз. В дверь позвонили, я пошла открывать, чертыхаясь на ходу, потому что уснула всего два часа назад, и обнаружила на своем пороге Антона. Я пыталась своего удивления не демонстрировать, тем более что он и так был смущен.

— Привет, — сказал Антон, отводя взгляд. — Не возражаете, если я зайду?

7*

— Конечно, нет. Я не помню, мы разве не перешли на «ты»?

— Я всегда путаюсь, «вы», «ты»... Какая, собственно, разница? — Далее последовал рассказ о том, что он заехал в одно место по соседству, но работают там только с одиннадцати, и он подумал... Предлог, конечно, так себе.

Я провела Антона на кухню и угостила кофе. Он не торопясь пил, а я за ним наблюдала, стараясь делать это незаметно. Неожиданно он мне показался старше. Свою улыбку, мягкую и невероятно обаятельную, сегодня он демонстрировал неохотно, поэтому и выглядел излишне мужественно. В его облике подкупало нечто мальчишеское, он был импульсивен, иногда несдержан, но за всем этим угадывалась доброта. Наверное, его можно было бы назвать вечным ребенком, но только не сейчас. Я смотрела на его лицо с едва заметным шрамом возле уха, на руки Антона, крепкие, сильные, и вдруг легко представила его в военной форме, чего раньше не получалось. Мне казалось, он слишком мягок для армии, а теперь стало ясно: Антон выбрал профессию не зря. Впрочем, из армии он уволился.

— Ты устроился на работу? — спросила я, чтобы нарушить затянувшееся молчание.

— Пока раздумываю. Зовут начальником охраны в одну фирму. Олег зовет к себе, тоже в охрану. Время еще есть, присмотрюсь. — Он опять замолчал.

— Еще кофе?

— Нет, спасибо.

Антон уставился в чашку и сидел так некоторое время.

— Машка сказала, ты играешь в ресторане...

— В маленьком баре.

— Главное, чтобы тебе нравилось. Не похоже, чтобы вы испытывали недостаток в средствах.

«Куда это его понесло?»

— Просто мы экономные, — улыбнулась я.

— Да... — Он опять замолчал, потом произнес, не поднимая головы: — Машка...

— Что? — не дождавшись продолжения, спросила я.

— Собиралась тебе позвонить. — Он резко поднялся. — Спасибо за кофе, извини, что побеспокоил.

Открывая входную дверь, я не выдержала и спросила:

— Может, все-таки скажешь, зачем приходил?

Он взглянул на меня, но не ответил и торопливо покинул мою квартиру. Оставалось надеяться, что его визит никак не связан с Машкой. Она говорила, Антон переживал из-за Борьки, даже считал себя виноватым. Если так, то на здоровье.

Я таки позвонила Машке в офис.

— Как твои дела?

— Мне стыдно, но я ужасно счастлива. Знаешь, я хочу иметь от него ребенка.

— Он об этом знает?

— Я ему сказала.

— И он пришел в восторг?

— Он меня любит. А главное, что я его люблю.

— Прекрасно.

Я не стала ей рассказывать о его визите, мы простились, и тут выяснилось, что у меня гости. Входная дверь открылась, Ник вошел и привалился к дверному косяку с сиротской улыбкой.

— Солнышко, я могу войти? Или ты больше не желаешь видеть старого товарища?

— Даже если я пошлю тебя к черту, ты ведь все равно не уйдешь.

— Умница, — хохотнул он, проходя в комнату. — За что я тебя обожаю, так это за сообразительность. Ну, где ты его подцепила? Вчера вы сумели произвести впечатление, он трахал тебя прямо на приеме.

— Явное преувеличение.

— От охраны ничего не утаишь. Могу показать запись. Ты была неподражаема. Так где ты его подцепила?

Я села в кресло, помолчала немного, собираясь с силами. Ник тоже молчал, наблюдая за мной.

— В ресторане. Оказывается, они со Шлиманом знакомы.

— Так твой журналист остался с носом? То-то он начал этим самым носом землю рыть... Оказывается, моя красавица наставила ему рога. Хотя я тебя прекрасно понимаю, Рахманов предпочтительнее какого-то там журналиста. Направление твоих мыслей мне понятно, но, но, но, дорогая... Я бы не советовал тебе ставить на него.

— Я же сказала, мы познакомились случайно. К тому же я не припомню случая, чтобы мне везло, так что я не собираюсь делать ставки. Что он за человек? — помедлив, спросила я.

— Тебе лучше знать. Никто не знает мужчину так хорошо, как его любовница. Так говорят. Врут?

— Я серьезно спрашиваю.

Ник улыбнулся своей обычной улыбкой, холодной и жесткой, но ответил без издевок:

— Вообще-то он не тот человек, за которым мне положено приглядывать, но кое-что я о нем знаю. Чуть больше, чем пишут в газетах.

— И я смогу узнать это?

— Думаю, да. Если мы договоримся, конечно.

— Надеюсь, моих сбережений хватит? — улыбнулась я.

— Я не возьму с тебя ни копейки, моя красавица.

Ник поднялся, прошелся по комнате, потом приблизился и положил мне руки на плечи, наклоняясь к самому уху.

— Взаимные маленькие услуги.

— Так что он собой представляет?

Ник вдруг засмеялся.

— Ты же видела. Он любит улыбаться. Деньги, конечно, тоже любит, но в нашем деле он не из-за них.

— Тогда из-за чего?

— Я же сказал. С его рожей я бы снимался в кино, но он и без кино — звезда.

— Понятно, — кивнула я.

— Рад за тебя. Он парень с шикарной улыбкой, кругленьким счетом в швейцарском банке и огромной любовью. Разумеется, к себе. Каждый месяц покупает новый костюм, каждые две недели бывает у дантиста и после каждого обеда пьет ксеникал. Это ему врач посоветовал, а врач у него, естественно, тоже лучший в городе. Рахманов просто потрясающий парень. Другого такого нет.

— Ксеникал?

— Ну да, дорогая. Я думал, ты в курсе. Голубые такие капсулы для похудения. Защита от лишнего жира. Больше всего на свете он боится потолстеть. Обычно эти мысли посещают баб, но... Уверен, без этих капсул он стал бы как его папаша или как Элвис Пресли не в лучшие годы своей жизни: расплывшаяся морда на жирной туше. Должно быть, это его ночной кошмар. В остальном он милый парень. Без фантазии. Ему нравится, что его считают бабником, у него четыре любовницы, тебя я не считаю, меняются они каждый месяц. А вообще-то бабы в нем души не чают. Он умеет с ними обходиться, хотя по-настоящему, повторяю, любит только себя. Так что, если ты всерьез считаешь, что он тебе поможет... Ты читала Данте? Ты же профессорская дочка, должна быть образованной. «Оставь надежду всяк сюда входящий». Тебе не выбраться, детка. Такие, как мы, выходят из игры вперед ногами. Но мне нравится, как ты все проделала. Ловко, очень ловко. Я не зря тратил на тебя время. — Он опять наклонился ко мне, рука скользнула на мою грудь. В жесте было что-то змеиное, и я невольно поморщилась, радуясь, что Ник не может этого видеть. — Что скажешь, дорогая?

— Ты сукин сын, но...

— Но?

— Но у меня идет кругом голова, когда ты ко мне прикасаешься.

— Маленькая приятная ложь.

— Иди к черту.

— Главное, чтобы ты помнила: другие приходят и уходят, а добрый папуля Ник всегда с тобой. И не мечтай, что избавишься от меня. Мы будем жить долго и счастливо и умрем в один день. Правда, ты чуть раньше.

Я перехватила его руку и теперь смотрела в его глаза. «Мне не нужен такой враг», — думала я, видя, как меняется выражение его глаз. Он внезапно сделал шаг в сторону и засмеялся.

— Превосходно сыграно, детка. Превосходно. Знаешь, я догадываюсь, почему он запал на тебя. Скорее всего, ты совсем ничего не делала, просто вот так смотрела. А он млел под твоим взглядом. Но я не могу себе позволить такой роскоши.

Он помахал мне рукой и направился к двери. Я услышала, как она захлопнулась, и вздохнула. Особых иллюзий я не питала: Ник прав, вряд ли такой тип, как Рахманов, всерьез решится помочь, а Ник не из тех, кто выпускает добычу из рук.

— Не сделать бы хуже, — проворчала я.

Вечером того же дня у меня появился Рахманов. Устроившись на диване, я, по обыкновению, разглядывала потолок, гадая, что следует ждать от судьбы. Меня посещали идеи одна занятнее другой, но я прекрасно понимала, что от меня, по большому счету, мало что зависит. Все дело в том, как поведет себя Олег. Ник дал понять, что наживать неприятности, тем более по такому ничтожному поводу, как я, вряд ли способен. С другой стороны, собственное чутье подсказывало: шанс есть. Сегодня он не звонил, и я не знала, хорошее это предзнаменование или плохое.

Увидев его на пороге, я почувствовала головокружение. Выражение его лица не оставляло сомнений: он все знает, и это ему очень не нравится. Он снял плащ и швырнул мне его в руки. Прошел в кухню, спросил:

— Выпить что-нибудь есть?

— Кажется, коньяк оставался...

Я пошла в кухню следом за ним, с плащом в руках, потом, точно опомнившись, определила плащ на вешалку. Олег достал из шкафа бутылку, плеснул в стакан и залпом выпил. Надо было с чего-то начинать, и я спросила:

— У тебя неприятности?

Он поднял брови и усмехнулся, что должно было означать бесконечное удивление.

— Тебя интересуют мои проблемы?

— Нет, — пожала я плечами. — Просто меня раздражает, что ты пьешь мой коньяк.

— Хватит! — рявкнул он. — Хватит этих твоих шуточек! Меня уже тошнит от них!

— Можно узнать, зачем ты пришел? — спросила я как можно спокойнее. — Сказать, какая я дрянь?

— Дрянь — весьма мягкое определение, — усмехнулся он. — У тебя впечатляющий послужной список. Чего там только нет...

— Я думала, ты знаешь, — вздохнула я.

— Что знаю?

— С кем танцевал танго, — развела я руками. — Нет, серьезно. Я очень удивилась, когда ты пришел. Была уверена, что ты... проявил интерес. А потом этот прием. Честно говоря, я решила, что ты делаешь все нарочно.

— Нарочно пятняю свою репутацию? Появляюсь среди порядочных людей со шлюхой, у которой за спиной судимость и черт знает что в придачу? По-твоему, я сумасшедший?

— Нет, — покачала я головой. — Сумасшедшая только я, потому что всерьез решила: ты сделал это, чтобы мне помочь.

— Помочь? — переспросил он с видом глубочайшего изумления.

— Теперь я вижу, как глупо было так думать, но тогда я правда считала, что ты действительно хочешь мне помочь.

— Что-то я не очень соображаю, куда ты клонишь.

— Ник, узнав, что я твоя любовница... В общем, я подумала: вдруг мне повезет и он оставит меня в покое...

— Так, значит, ты подцепила меня с этой целью? Бедная девочка в руках негодяев, а я, разумеется, прекрасный принц, который вырвет ее из их лап?

— Действительно смешно, — кивнула я. — Но я тебе ни разу не звонила и не просила тащить меня на тот дурацкий прием. Так что...

— Да, ты не звонила, — зло усмехнулся он. — Прекрасно разыгранная партия! А я совершенно поглупел, не догадываясь, что имею дело с профессионалкой.

— Тебе следовало проявить любопытство чуть раньше. Кто тебе сказал? Долгих?

— Ему-то откуда знать, кто ты такая?

— Он знает, — усмехнулась я, чем пробудила его любопытство.

— Да? — спросил Рахманов.

— Да. Со знакомства с ним, собственно, и началась моя карьера шлюхи и убийцы.

Его передернуло.

— Убийцы? Так это что, правда?

— Спроси у своего дружка, он, должно быть, в курсе.

— Я тебя спрашиваю! — Рахманов подошел стре-

202

мительно и схватил меня за плечи. — Все, что там написано, правда?

— Откуда мне знать, что там написано?

Он тряхнул меня так, что я едва не прикусила язык.

— Это правда?

— Наверное. Будь добр, отпусти меня.

— Кто тебе это поручил? — зарычал он, но этого ему показалось мало, и он влепил мне пощечину. — Кто?

Я потрогала разбитую губу и укоризненно взглянула на него.

— Нелогично.

— Что?

— Нелогично использовать меня. Ты совершенно прав, мой послужной список никуда не годится, и ты очень быстро поймешь, с кем имеешь дело. Если бы твои друзья решили тебя контролировать, нашли бы девку с безупречной репутацией.

— Значит, это твоя идея?

Я прошла к столу, налила себе коньяку и не спеша выпила. И только потом ответила:

— Мне нравилось заниматься с тобой любовью. И, как все влюбленные женщины, я питала кое-какие иллюзии. Вот и все.

— «Вот и все...» — передразнил он. — И ты надеешься, что я тебе поверю? Ты меня использовала...

— Тебе достаточно слово сказать, и я об этом горько пожалею. Я-то все знала с самого начала и нашему знакомству не очень радовалась. — Он хмуро смотрел на меня, стоя напротив. — Ты позвал, и я пошла, потому что не рискнула отказать. А потом просто решила быть счастливой: день, два, неважно. Сколько повезет. И это тоже причина моего молчания. Очень нелегко отказаться от своей любви, даже когда знаешь, что ничего хорошего она не принесет.

— Меня бесит, что ты считаешь меня идиотом, способным верить всем этим бредням.

Он ушел с кухни, и я была уверена, что через мгновение услышу, как хлопнет входная дверь, но в квартире было тихо. Минут через десять я заглянула в комнату и смогла убедиться, что Олег там. Он сидел в кресле, откинув голову, и разглядывал потолок, совсем как я недавно. Я подошла и села на пол рядом с ним.

— У тебя вид святой невинности, — зло фыркнул он.

— Откуда тебе знать? Ты на меня даже не смотришь.

— Полозов твой любовник? Эта мразь тебя трахает? — Судя по чувствам, которые бушевали в нем, именно этот вопрос больше всего не давал ему покоя.

— Эта мразь на тебя работает. Так же, как и я.

— Значит, трахает, — усмехнулся Олег. — Ты и с ним проделывала свои фокусы, да? Так же, как со мной?

— Хочешь, чтобы я его пристрелила? Только слово скажи, это моя давняя мечта.

— Я не желаю его видеть рядом с тобой. Слышишь? Пусть держится от тебя подальше.

— Скажи ему об этом сам. Если хочешь, чтобы он послушал. Прежде, чем ты уйдешь... — Я стала расстегивать ремень на его брюках, но он наотмашь ударил меня и заорал:

— Грязная шлюха, вот ты кто!

Я поднялась, развела руками и улыбнулась.

— А что мне еще остается? Не забудь свой плащ, он на вешалке.

Я пошла в ванную, с неодобрением взглянула в зеркало, потрогала разбитую губу. Мне было все равно, уйдет он или останется. И я ждала момента, когда хлопнет дверь, а я отправлюсь к Виссариону и буду играть там Генделя. Вот уж девкам радость. Дверь ванной со скрипом открылась. Рахманов прошел, сел на край ванны, не глядя на меня. Я не могла выйти, зажатая между раковиной и ванной, и молча ждала, что будет дальше.

— Пошли они все к дьяволу, — сказал он, потянул меня за руку и привлек к себе. Мне пришлось сесть рядом. — Знаешь, я тебе верю. Я адвокат и за годы работы научился безошибочно распознавать, когда человек врет, а когда говорит правду. — Он провел пальцами по моим губам. — Извини, кому приятно думать, что его используют.

— Если мы расстанемся... — начала я.

— Это мало что изменит. Во-первых. А во-вторых... я не хочу с тобой расставаться. Я хочу тебя. Даже если ты гениальная притворщица и просто пудришь мне мозги. Ты делаешь это так мастерски, что я почти верю: ты меня любишь. Что еще нужно мужчине? — невесело усмехнулся он.

Я обняла его и уткнулась носом в его грудь. И на мгновение мне показалось, что он прав. Я чувствовала тепло его рук, его дыхание, а на душе было тихо и радостно, и я готова была повторить его слова: даже если он гениальный притворщик, пусть. Лишь бы чувствовать его тепло и слышать его слова. В конце концов, весь этот мир — одна большая иллюзия.

В ту ночь Рахманов делился своими планами, которые в основном касались меня. Я слушала и под утро начала смотреть на жизнь с оптимизмом, бог знает откуда взявшимся. Особенно радовал тот факт, что удалось поговорить с ним о Машке. Олег заверил, что Ника опасаться ей нечего, и даже если она решит оставить свою работу, он позаботится о том, чтобы это не вызвало лишних волнений, Нику просто придется найти ей замену. Я представила физиономию своего друга, когда ему скажут нечто подобное, и уже не знала, стоит ли радоваться. Особенно преждевременно. Некоторые идеи Рахманова мало меня вдохновляли: он собирался снять мне достойную квартиру и подыскать приличную работу. Он зашел так далеко, что даже вознамерился взять меня в свою контору. Правда, эта мысль пришла к нему в тот момент, когда любая глупость кажется гениальной, а в голову людям приходят странные вещи. Думаю, в его голове витали картины нашего бесконечного совокупления на столах, подоконниках и ксероксах, в этом смысле держать меня под рукой было бы очень удобно. Но, отдышавшись, он таких глупостей уже не повторял.

Прочие его идеи тоже остались неосуществленными: я продолжала жить в своей квартире, и с работой он меня не донимал. Узнав, что по ночам я играю шлюхам классику, он долго хохотал и пообещал посетить заведение, но и этого не сделал — то ли по забывчивости, то ли от недостатка времени.

В общем, моя жизнь ничуть не изменилась, в чем я видела больше положительного, чем отрицательного. Правда, одно, но самое существенное изменение произошло: Ник не появлялся. Не появлялся в моей квартире, не звонил и вроде бы вообще исчез из моей жизни, так же, как и его дружки. Поверить в такое счастье я не спешила и со дня на день ждала от судьбы каких-нибудь пакостей. И они не замедлили последовать.

Мне вручили повестку: я должна явиться к следователю по делу об убийстве журналиста «Вечерки» Александра Тендрякова. Повертев бумажку в руках, я позвонила Рахманову.

— Жду тебя в офисе, — буркнул он.

Он снимал офис недалеко от помпезного сооружения, где трудился в поте лица Долгих. Обстановка здесь была сугубо деловая, но царила атмосфера взаимопонимания и братской любви к клиентам, интерьеры выдержаны в английском стиле, и Рахманов на фоне «красного викторианского» выглядел просто умопомрачительно. Он прекрасно знал об этом и предпочитал встречаться с клиентами в своем офисе. Мое появление там произвело впечатление. Меня провожали взглядами, разговоры вдруг смолкали, из чего я заключила, что инкогнито сохранить не удалось. Рахманов сидел за огромным столом красного дерева и листал какие-то бумаги.

— Проходи, — небрежно бросил он. Я прошла и устроилась на краешке стола. Он поднял голову от бумаг, усмехнулся и погладил мои колени. — Потрясающе выглядишь. Для меня или для следователя?

— Он спит и видит засадить меня в тюрьму.

— Не преувеличивай. Уверен, у них на тебя ничего нет. Я хочу услышать всю историю в деталях. — Я рассказывала, а он слушал, скрестив руки на груди и наблюдая за мной. — Что ж, даже если они смогут доказать, что ты и есть та самая девица, что, поверь, не так-то просто, это ничего им не даст. Единственное, что тебе могут инкриминировать, — ты не заявила о происшедшем в милицию. Но ты была сильно напугана и опасалась мести. Отправляйся и ничего не бойся. Если я пойду с тобой, это, пожалуй, вызовет подозрения: лучший в городе адвокат является по такому пустячному делу... Помни, у них на тебя ничего нет. Потом сразу же ко мне. — Он снова погладил мои колени, усмехнулся и потянул меня за руку.

Все вышло так, как Рахманов и предсказывал. Следователь задавал вопросы с видом смертельно уставшего человека. Казалось, мои ответы его ничуть не интересовали. Через полчаса я покинула его со смешанным чувством досады и облегчения. В кабинете Рахманова я застала Антона.

— Мы собирались пообедать вместе, — пояснил Олег. — Составишь нам компанию?

Я заметила, что его предложение не пришлось по душе Антону, хотя он старательно улыбался, и отказалась:

— У меня другие планы.

— Я заеду вечером, — кивнул Рахманов.

Приехал он поздно и чем-то был недоволен.

— Твой приятель на редкость деятельный малый, — заявил он.

— Кого ты имеешь в виду?

— Шлимана, конечно.

— Так это его заслуга?

— Его. Он затеял собственное расследование. Отказывается верить, что убийство совершено из-за пьяной ссоры. Он успел допечь всех, прокуратуре волей-неволей приходится шевелиться. Тебе не следовало с ним спать, дорогая.

— Лучше скажи, что мне делать?

— Ничего. Борька, придурок, лишь зря тратит время, хоть этого и не понимает. Впрочем, на то он и придурок.

Проводив Рахманова, я отправилась к Виссариону. На этот раз в моем репертуаре преобладал Шопен. Может, по этой причине, а может, из-за отсутствия дождя девки вскоре разбежались, а я, решив выпить чая, перебралась к стойке. Виссарион взглянул исподлобья и, пользуясь тем, что мы одни, произнес:

— Он опять тут рыскал.

— Кто? Тот самый тип?

— Тот самый. Девки видели. Болтался возле твоего дома. Говорят, у тебя новый приятель? Это ему не понравилось. Он увидел его и поспешно ушел.

— Можно о нем узнать хоть что-то?

— Можно, — пожал Виссарион плечами. — Но это потребует времени. Он очень осторожен. Проследить за ним ни разу не удалось. Девки говорят, он точно растворяется в темноте. Был — и нет его.

— Девки обожают небылицы, — проворчала я. — Пожалуй, стоит навестить хибару, куда он приводил нашу красотку. Вдруг что-нибудь и нарою.

— Вряд ли, — флегматично пожал плечами Виссарион. — Он не дурак. Не то мы бы уже знали, что он за тип.

— Попробовать всегда стоит, — ответила я, поднимаясь из-за стойки.

Утром я отправилась по указанному Любкой адресу. Машину брать не стала, решив, что на сегодня и общественный транспорт вполне сгодится.

Дом выглядел на редкость скверно. Его давно должны были снести, но почему-то не торопились. Железо на крыше было сорвано, и сквозь дыры виднелись стропила, навевая неприятные ассоциации с потревоженным склепом. Стекла сохранились лишь кое-где на первом этаже, остальные окна внизу забили досками. Фасад дома скрывала маскировочная сетка, дабы эта развалюха своим видом не наводила уныние на прохожих.

Я была уверена, что никого тут не застану, даже бомжи вряд ли обитают в доме в такую пору, когда дожди льют который день, а крыша практически отсутствует. Но, заглянув в распахнутую настежь дверь квартиры, я услышала голоса и решила зайти. Двое мужиков выламывали доски пола. Орудовали с усердием, так что меня поначалу не заметили.

— Бог в помощь, — сказала я, устраиваясь на корточках. Вид девицы в дорогом кожаном костюме в таком месте, да еще в такой позе, произвел впечатление. Мужики замерли и посмотрели на меня едва ли не с испугом. — Давно трудитесь?

— Так ведь дом на слом... Торговый центр строить будут. А доски мы с согласия, чего добру пропадать...

— Живете по соседству?

— Ну, — неопределенно кивнул тот, что стоял ближе ко мне.

— Мужик тут не появлялся? Лет сорока, сутулый.

Может, был в компании кого-то из этих... — Я протянула фотографии, и трудяги их добросовестно просмотрели.

— Нет, никого не видели. А мужик здесь жил, приблудный. Мы своих-то всех знаем, а он стороной держался. Освободился недавно.

— Откуда знаете?

— Ну, так видно же человека. Петька Сидоренко его признал, сказал, он раньше высоко летал. А кто высоко летает, тому падать низко.

— Кто такой Петька Сидоренко?

— Ну, человек... — удивился дядя.

— Понятно. Где его найти можно?

— У пивной. Он там с утра до вечера.

— Имени мужика не называл?

— Фамилию называл, да я не помню.

Пришлось мне отправиться в пивную. Петьку я нашла во дворе дома, что стоит по соседству с ней, — он спал на детской площадке, устроившись в домике. По причине скверной погоды детишки отсутствовали, так что домик был в полном Петькином распоряжении.

Расталкивать его пришлось долго, но и очнувшись, он особо не порадовал. Да, жил мужик, и Петька его знал. А вообще тот просил помалкивать и о встрече с ним забыть. Пришлось приводить бедолагу в чувство более жесткими методами. Наконец он ошалело на меня уставился и спросил с изумлением:

— Ты кто? Это ты меня?

— Это я тебя. Но я добрая. А если придут другие люди — станет хуже. Так что лучше тебе все мне рассказать.

— Да что рассказывать? — залопотал Петька, на всякий случай отодвигаясь от меня подальше, но крохотное пространство домика не позволило ему почувствовать себя в безопасности, и он приуныл. — Анатолий его зовут. У нас когда-то раньше гаражи рядом были. Только он ездил на дорогой иномарке, а я на «Москвиче», который через год разбил. А потом я гараж продал. И квартиру тоже. И... все, одним словом, ни кола у меня теперь, ни двора, ни...

— Ничего, этот домик остался, не пропадешь.

— Ты кто такая? — возмутился он.

— Не видишь, что ли? Василиса Прекрасная.

Он тут же сник, подозрительно на меня глядя.

— Дерешься больно.

— А ты соображаешь медленно. Так что там с Анатолием?

— А чего с ним? Посадили, знамо дело.

— За что? Я долго буду слова из тебя клещами вытаскивать?

— За что, не знаю. Я б их всех пересажал! Олигархи, мать их... разворовали Россию, сволочи... А простым людям только и осталось, что пить от беспросветной жизни, — закончил он почти торжественно. И вдруг забеспокоился: — Ты из милиции, что ли?

— Из прокуратуры. Идем, гараж покажешь.

— Какой гараж? — вытаращил он глаза.

— Анатолия.

— Так это на другом конце города.

— Уважаю твою занятость, но придется уделить мне время.

Честно говоря, я опасалась, что он сбежит, но мужик послушно, хоть и понуро, топал рядом. Я остановила такси, и Петька необыкновенно воодушевился. Зато таксист начал возмущаться:

— Вы с ума сошли? Вся машина провоняет!

Я протянула ему тысячу, и он заткнулся. Правда, ненадолго.

— Это что, ваш родственник? — спросил неприязненно.

— Ага. Брат.

— Серьезно? — В голосе таксиста появилось сочувствие, а Петька вдруг обиделся.

— Еще чего...

— Все люди братья, — пожала я плечами. — Разве нет?

— Так вы в этом смысле? Все-таки странно, красивая девушка, и вдруг...

— У меня шестой разряд! — неожиданно заголосил Петька. — Да я этими руками... любой чертеж... Всю Россию продали, гады! — Тут он всхлипнул и так же внезапно затих.

— Больной, что ли? — перешел таксист на шепот.

— Припадки на почве любви к Родине, — пожала я плечами.

Гаражи почти вплотную примыкали к складским помещениям универмага. Было их здесь немного, не более двадцати.

— Давно свой продал? — спросила я Петьку, когда он вышел из машины.

— Лет восемь назад.

— Поторопился. Сейчас им, поди, цены нет. Показывай, который его, да смотри не перепутай.

Гараж оказался под номером одиннадцать. Петька же устремился к седьмому, критически осмотрел и заявил:

— Ворота мои стоят. Крепкие. Мог бы и покрасить, вон краска-то облупилась. Что за лентяи!

— Когда ты видел своего соседа в последний раз?

— Я помню, что ли? Неделю назад, может, две. В пивную зашел, а он там сидит. Один. И зыркает на всех по-звериному, мол, не подходи. Ну, я и не стал подходить. У нас на пиво не хватало, и дружок к нему подошел, он и сказал, что Толька у них живет, в аварийном доме. Вот я и решил, что дела у него не очень. Пока в тюрьме сидел, небось родственники все к рукам прибрали.

— Фамилию его помнишь?

— Нет, только имя.

— А где он раньше жил?

— Откуда я знаю? Он тогда королем ходил. Буркнет «здрасте» и дальше топает.

— Но имя точно Анатолий?

— Ну... вроде бы. Слушай, дай двадцать рублей. Голова болит, ужас, ничего не соображаю. Пиво выпью, глядишь, и вспомню чего.

Я дала ему двадцать рублей и вернулась к такси.

День прошел в бестолковой беготне и раздумьях. Узнать, кто бывший владелец гаража, несложно. Вот только как это сделать, не привлекая внимания? Я с сожалением подумала о Борьке. Жаль, что теперь не могу к нему обратиться, Борьке узнать об этом Анатолии проще всего. Есть еще Ник, но я не торопилась ставить его в известность о результатах своих поисков, пока не пойму, что Анатолию от меня надо. По той же причине исключался Рахманов.

И тут мне на ум пришел Антон. Его можно попросить о небольшой услуге, ничего не объясняя. Я набрала номер Машкиного мобильного и услышала ее голос:

— Салют, солнышко.

— Антон с тобой?

— Нет. Я жду его дома. Приезжай.

Машка встретила меня в купальном халате, с мокрыми после душа волосами. Глаза ее сияли, причина такого приподнятого настроения была мне хорошо известна.

— Он знает? — осторожно спросила я.

Лицо Машки приняло страдальческое выражение. Она закусила губу, потом вздохнула и покачала головой. Я прошла, села на диван и попросила:

— Рассказывай, как живешь.

— Хорошо живу. Пока. — Машка устроилась рядом. — Как думаешь, — помедлив, спросила она, — он меня бросит... когда узнает?

— Нет, если поведешь себя правильно. Надеюсь, он успел основательно увязнуть. Покормишь его обещаниями...

— Что ты говоришь?! — возмутилась Машка и испуганной птицей вспорхнула с дивана.

— Я говорю, что он никуда не денется, если ты поведешь себя правильно.

— Правильно? Ты сказала, правильно? Я люблю его!

— Одно другому не мешает, — кивнула я.

— Нет, ты ничего не понимаешь! — Она принялась метаться по комнате, размахивая руками и полами халата и выкрикивая: — Я его люблю больше всего на свете! Больше собственной жизни! Я хочу, чтобы он был счастлив, а не увязал, как ты выразилась... Ты что, не понимаешь?

— Как никто другой, — пробормотала я и повторила четко: — Как никто другой. Не скажешь, почему люди не учатся на чужих ошибках? Впрочем, и на своих тоже.

— Послушай, я не хочу, чтобы он узнал... Я даже думать об этом боюсь. Сейчас у нас все прекрасно. Он считает, что я обычная девушка, которая работает в офисе, живет на свою зарплату и мечтает об отдыхе в Испании. Когда он узнает, кто я на самом деле...

— А кто ты на самом деле? Ты действительно девушка, которая работает в офисе и...

— Прекрати.

— Язык, правда, не поворачивается назвать тебя обыкновенной. Ты очень красивая и необыкновенная.

— Конечно, необыкновенная. — На глазах Машки выступили слезы. — Бывшая зэчка, которую трахает ее шеф, за которым она к тому же шпионит. Я каждый день дрожу при мысли, что Антон узнает... вдруг ему кто-нибудь расскажет...

— Ерунда. Те, кто мог бы рассказать, не числятся среди его знакомых.

— А Ник? — робко спросила Машка.

— Разумеется, Ника следовало бы опасаться. Он мерзавец и мог посвятить Антона в подробности твоей биографии. Просто так, без всякой цели. Но в последнее время он ведет себя тихо.

— Из-за Рахманова?

Я пожала плечами.

— Другой причины не вижу.

— Ты его любишь? — взяв меня за руку, спросила Машка. — Ты любишь Олега?

Признаться, меня ее вопрос удивил, а Машка тут же нахмурилась, заметив мою реакцию.

— Нет? Но тогда зачем? Зачем ты с ним?

— Например, затем, чтобы не быть с Ником. На самом деле причин много. Но и этой вполне достаточно.

— Боже мой, а я-то радовалась... я думала...

— Машка, — ласково попросила я, — не валяй дурака. Если правильно разыграть эту карту, у нас есть шанс. Внуши своему Антону мысль, что вам надо уехать из города. Тебе надо сменить окружение, чтобы завязать с наркотой. В другом городе, где тебя никто не знает, тебе не придется бояться. Вас отпустят. Антон друг Рахманова, Олег хорошо к нему относится. Действительно хорошо. Все получится. Вы уедете, а потом и я. Только, пожалуйста...

— Ты хочешь, чтобы я его обманывала?

— С ума сошла? Зачем? Я хочу, чтобы ты немножко подумала о себе. А значит, надо и его правильно настроить.

— Он не рояль, чтобы его настраивать.

— Извини, я не так выразилась. Обещай мне, что ты иногда будешь думать о себе.

— Я не собираюсь расставлять ему ловушки и заманивать в капкан! — закричала она.

— Нет, конечно, нет. Только не попади в капкан сама. Как я когда-то. Чуть-чуть думать головой — это не предательство, уверяю тебя.

Машка села в кресло и долго молчала. Брови сошлись у переносицы, лицо напряженное. Она была похожа на разгневанного ребенка: ему запретили сладкое, и он обиженно надул губы.

— Знаешь, Юлька, ты очень изменилась, — вдруг сказала Машка и подняла голову, в глазах была боль. А еще тоска. О чем-то таком, что навсегда ушло. — Тебе никто не нужен. Хуже того, ты всех ненавидишь.

— Тебя?

— Нет. Хотя, может быть, и меня тоже. Тебя грызет чувство вины. Я же вижу, я знаю.

— Вот как? — сказала я, поднимаясь. — Я тебя люблю, но твое право в этом сомневаться. Я, собственно, пришла к Антону. У меня к нему просьба.

Тут входная дверь хлопнула, и появился Антон. Машка бросилась к нему с таким счастливым лицом, что на мгновение мне стало больно. Антон мне улыбнулся, но во взгляде мелькнуло беспокойство, точно он не ожидал меня здесь увидеть и моим появлением был недоволен. Я подумала, стоит ли просить его об одолжении, но Машка уже тараторила:

— Тони, у Юльки к тебе просьба. Поговорите, а я пока приготовлю что-нибудь вкусненькое.

Она скрылась в кухне, Антон сел в кресло и теперь почему-то выглядел виноватым.

— Слушаю, — сказал он и смутился, вышло чересчур официально.

Я изложила свою просьбу. Пока он слушал, его недоумение лишь увеличивалось.

— Ты хочешь, чтобы я узнал, кто владелец гаража? То есть бывший владелец? А зачем тебе?

— Разыгралось любопытство. У меня еще просьба: пусть это останется между нами.

— Хорошо, — пожал он плечами, мало что понимая.

Я направилась в прихожую, он пошел меня проводить.

— Может, останешься поужинать?

— Нет, спасибо, у меня дела. Машка, пока! — крикнула я, поспешно выходя из квартиры. На душе было муторно, и от Машкиных слов, и от беспокойства за нее.

Я шла по темной пустынной улице и, свернув к гаражам (там была короткая дорога к дому), услышала шаги. Сначала я не обратила на них внимания — место глухим никак не назовешь, граждане часто выбирали этот путь, здесь даже фонари горели, правда, не сегодня. И тут на ум пришло предостережение Ника: почаще поглядывать, что у меня за спиной.

Тогда я пошла медленнее. Шаги стали глуше, а потом и вовсе стихли. Я повернулась, вглядываясь в темноту, постояла так немного и, убедившись, что никто не идет следом, продолжила свой путь, но теперь чутко прислушивалась. И вскоре шаги раздались вновь. Они были тихими, едва различимыми. Я быстро огляделась, но за спиной по-прежнему никого не было. Шаги слышались то впереди, то сбоку, то звук шел откуда-то сзади, и в голову явилась мысль, что в темноте скрывается даже не один человек. И человек ли вообще? Я повернула к проспекту. Там неподходящее место для призраков. Всерьез я, конечно, в них не верила, но в такое время чего только не придет в голову, особенно если совесть нечиста. Если души умерших не находят себе места, они являются своим врагам, а кое у кого точно есть ко мне претензии.

Усмехнувшись, я покачала головой и даже хихикнула, но, скорее, нервно. Пожалуй, мне стоило бы опасаться не бесплотных духов, а вполне реальных людей, к примеру, того типа, что любит возню с ножичком.

Я быстро продвигалась вперед, шаги теперь звучали отчетливее, но я больше не оборачивалась, шла, напряженно ожидая нападения. Я уже видела свой дом, когда меня вдруг окликнули:

— Юля!

Из-за шума дождя, который вновь полил как из ведра, голос был едва различим. Я даже подумала, что он мне послышался, но все-таки обернулась и встала как вкопанная. Сквозь пелену я отчетливо видела мужскую фигуру. Мужчина мне улыбался. И его облик, и эта улыбка, и даже голос показались странно знакомыми. Я вглядывалась в темноту, не в силах тронуться с места. И тогда он начал приближаться, а во мне все заныло, зазвенело, как будто я стояла на пороге величайшего открытия. Вот сейчас, вот сейчас...

Вдруг скрипнули тормоза, я невольно повернула голову и увидела рядом с собой машину. Дверца со стороны водителя открылась, и появился Борька.

— Садись, — хмуро бросил он, я резко повернулась, надеясь обнаружить своего недавнего спутника, но он исчез.

— Черт... — пробормотала я и бросилась бежать в ту сторону. Почему-то мне показалось очень важным увидеть его, увидеть его лицо. Я бестолково металась из одного переулка в другой, а Борька бегал за мной, не понимая, что происходит.

— В чем дело? — Он схватил меня за плечи, встряхнул, надеясь привести в чувство. Должно быть, вид у меня был безумный. Впрочем, и у него не лучше. — Ты что, увидела привидение? — тряхнув меня еще раз, спросил он.

— Вроде того.

Кто же за мной шел? И как расценить его появление? Как угрозу? Он улыбался, я видела его улыбку, вряд ли убийца стал бы улыбаться своей жертве. Впрочем, Ник вполне бы мог. Он вообще все делает с улыбкой, неисправимый оптимист. Если бы Борька не появился так неожиданно... Что бы произошло? В любом случае я бы увидела его лицо. Мне очень важно увидеть его лицо!

— Какого черта ты носишься под дождем?

Я перевела взгляд на Борьку. Он был пьян, что слегка удивило. Парни вроде него стараются не пить за рулем. Хотя всегда можно сделать исключение.

— А тебе какого черта здесь понадобилось? — огрызнулась я.

— Просто ехал мимо, — проворчал он, убирая руки.

— Вот и отлично, поезжай дальше.

Я направилась к дому, уверенная, что он вернется к машине, но он шел за мной.

— Нам надо поговорить... — услышала я и буркнула в ответ:

— Не о чем.

— Нет, есть о чем.

Он опять схватил меня за руку. Он стоял совсем рядом, лицо хмурое и какое-то отрешенное. Я поняла, что он не просто пьян, — он едва стоит на ногах.

— Тебе бы не мешало лечь в постель, — вздохнула я.

— Ты меня приглашаешь?

— Нет.

— Нет? Почему же? Вроде мы неплохо ладили...

— Все в прошлом.

— Вот как? Теперь тебе нужен Рахманов. Что ж, вы отличная пара. В самом деле. И он не будет возражать против Ника. Они будут трахать тебя по очереди, а могут и вместе, ведь они большие приятели.

— Что ты несешь? — покачала я головой.

— Я говорю о твоем Полозове. Он убийца, слышишь? И ты знаешь об этом. Прекрасно знаешь. Ты была тогда в баре. Вот, взгляни... — Он сунул мне под нос фотографию. На ней у меня были темные волосы, стрижка каре и яркие губы. — Да, это была ты. Вы убили моего друга.

— Не стоит пить так много, — вздохнула я. — Ладно, идем ко мне, я уже насквозь промокла.

Мы поднялись в мою квартиру. Я оставила Борьку в комнате, а сама пошла в ванную, чтобы немного согреться под душем. И очень надеялась, что, пока меня не будет, он уснет. Но, выйдя из душа, я обнаружила его с рюмкой коньяка в руке, фотография лежала на столе, Борька пялился на нее и качал головой с таким видом, точно отказывался верить своим глазам.

— Это твой Ник, да? — перевел он взгляд на меня. — Он его убил?

— Понятия не имею, кто кого убил, — разозлилась я. — Насколько мне известно, речь там шла о пьяной драке. Разве нет?

— Гениально! — Борька захлопал в ладоши, отставив в сторону бокал. — Гениально. Ты загримировалась и подцепила его в баре, а эта фотография...

— Ты не пробовал меня загримировать под Деми Мур? У моей подружки, например, это отлично получается. — Я повертела снимок в руках и бросила на стол. — Фотография не доказательство, а дерьмо. И ты это знаешь. Я никогда не видела твоего друга, так что ментов на меня ты натравил напрасно.

— Не переживай, тебя отмажут, — пьяно засмеялся Борька. — У тебя ведь лучший в городе адвокат. Такая же мразь, как и ты.

— Все, катись отсюда! — потребовала я.

— Не нравится? — Он опять засмеялся, но смех неожиданно смолк. Борька закрыл лицо руками и замер так на некоторое время.

— Зачем ты пришел? — вздохнула я.

— Ненавижу себя, — пробормотал он. Я сообразила, что он плачет пьяными, беспомощными слезами. — Ненавижу.

— Отправляйся домой, тебе завтра на работу.

— К черту работу! У меня запой. Я пью со вчерашнего дня, потому что еще вчера понял, что пойду к тебе. Буду лить слезы и уговаривать тебя не бросать меня. Смешно?

— Не очень, — пожала я плечами. На самом деле смешно мне не было совсем. Даже наоборот. Терпеть не могу истерик, особенно мужских.

— Вчера я не застал тебя дома. Очень надеялся, что не застану, не хотелось всего этого... А потом... потом болтался по улицам и мечтал только об одном — увидеть тебя. Ты была с ним, да? Скажи, что моя ревность — плод моего воображения. Скажи, я поверю. — Он смотрел на меня, но мне нечего было ему ответить.

— Хочешь, сварю тебе кофе?

— Кофе? Хорошо, кофе... Ну зачем я пришел, господи? — начал бормотать он. — Неужели, как какой-нибудь мальчишка, не могу обойтись без драматической сцены? Зачем мне это? Ты ведь не глупый парень, Боря, не лучше ли уйти без долгих объяснений... Просто уйти...

— Хорошая идея, — согласилась я, ставя перед ним чашку. — Выпей кофе и отправляйся домой, я вызову тебе такси.

— Как ты могла спутаться с таким кретином? С безмозглой куклой, надутым индюком...

— Ты несправедлив к нему, — спокойно пожала я плечами. — И сам знаешь об этом.

— Разумеется. Он красив, он чертовски умен, он неотразим, если угодно. Судя по тебе, он со своим взглядом действует на женщин, как удав на кролика. Юлька, я знаю этого типа двенадцать лет. Не думай, что сейчас во мне говорит ревность. До встречи с тобой Рахманов был мне так же отвратителен, как и сегодня. Он тупой, беспринципный красавчик с непомерным честолюбием.

— Не думай, что открываешь мне глаза, — заметила я. — Я не хуже тебя знаю, что он собой представляет.

— Значит, я прав? Все дело в твоем Нике? Он тебя шантажирует, да? Я докопаюсь до истины, вот увидишь. Даже если мне потребуется потратить на это всю мою жизнь.

«Она может оказаться совсем короткой», — глядя в его глаза, подумала я, а вслух сказала:

— Дело не в Рахманове, а в нас с тобой. Не будь его, нашелся бы кто-то другой. Не питай иллюзий. Мы никогда не будем вместе. У меня и в мыслях такого не было.

— Ты просто шлюха, — кивнул он.

— Конечно, — согласилась я. — Если хочешь, можешь высказываться на мой счет сколько угодно, я готова выслушать. Вдруг тебе станет легче?

— А тебе?

— А мне все равно, — улыбнулась я.

Он швырнул в меня чашку. Беспомощный жест. Борька бы и трезвый промазал, а сейчас мне было удивительно, что он еще сидеть способен. Он поднялся и пошел к двери.

— Я не буду просить у тебя прощения, — сказал тихо.

— Перебьюсь.

— Я ухожу, и не будем целоваться на прощание, а то получится чересчур сентиментально. Знаешь, мне трудно уйти... я не хочу уходить, я... — Он распахнул дверь, посмотрел на меня с печалью и ушел.

Я вымыла посуду, потом некоторое время стояла у окна, вглядываясь в черноту ночи и пытаясь понять, что со мной происходит. У меня и раньше не было причин особо радоваться жизни. Теперь же она представлялась мне особенно пустой, жестокой и ненужной. Но сквозь безрадостные мысли пробивалась другая: человек под дождем — кто он? Почему-то мне было очень важно узнать это.

Машка разбудила меня в девять утра. Я уснула часа за три до этого и, услышав звонок, глухо застонала.

— Ты знаешь, что произошло? — Голос ее звенел от негодования.

— Нет. Но готова узнать, раз уж ты меня разбудила.

— Борька разбился. Насмерть. Вчера, около часа ночи. Говорят, не справился с управлением.

— Черт, — буркнула я, потерла лицо ладонью, надеясь сбросить с себя сонное оцепенение. — Я видела его вчера поздно вечером, он был здорово пьян.

— Он был у тебя?

— Да. Мы выясняли отношения.

— Ты сказала о нем Нику? Ты сказала? — Теперь она кричала.

— Прекрати, — попросила я. — Я ничего не говорила.

— Он что-то знал... Он приходил к Тони, я слышала их разговор. Не весь, но достаточно, чтобы понять. Твой чертов Ник убил его.

— Машка, ты спятила. Прекрати болтать такое по телефону.

— У тебя даже голос не дрогнул, а ведь он был твоим любовником. И ты запросто сдала его Нику...

— Замолчи, дура несчастная, — не выдержала я.

— Знаешь, Борька был прав, — сказала она тихо. — Иногда у тебя такой взгляд...

— Так, все, хватит. Увидимся, поговорим.

Я повесила трубку и пошла на кухню искать сигареты (кажется, кто-то оставил у меня пачку). Нашла, закурила, а потом сползла на пол, обхватила голову руками и завыла. Сигарета дымилась на полу, а я размазывала по лицу слезы и не знала, кого оплакиваю. Стукнула кулаком по стене — раз, другой... Плечо пронзила боль, но легче не стало. Наконец я поднялась и заставила себя выпить чашку кофе. Машка права, мое объяснение выглядит весьма неуклюже. И она вправе считать, что в реальности было так: я напоила парня, пока мой сердечный друг ковырялся в его машине, а потом отправила его умирать. Вряд ли я смогу разубедить ее. Единственный человек, который мне дорог, считает меня убийцей.

— Авария — случайность, — покачала я головой. — Он действительно был пьян. Я предлагала вызвать ему такси.

Я знала, что все это лишь неловкая попытка оправдать себя. И Машкины обвинения ранили больше, чем весть о гибели Борьки. Неужто мне в самом деле безразлично? Господи, что со мной происходит?

Я выпила еще кофе, понемногу приходя в себя. Взяла телефон и набрала номер Ника.

— Глазам своим не верил, а теперь и ушам, — весело приветствовал он меня.

— Где ты? — буркнула я. — Надо увидеться.

— Нет, деточка. Ничего не выйдет. Мне сказано не приближаться к тебе на пушечный выстрел. На таком расстоянии не трахаются. Будем любить друг друга платонически.

— Кончай валять дурака! — разозлилась я.

Ник тяжко вздохнул.

— Так и быть, приезжай в казино. Опять иду у тебя на поводу. Ничего не могу поделать со своим бедным сердцем. Готов рисковать головой, лишь бы одним глазком взглянуть на тебя, моя радость.

Когда я приехала к казино, Ника в задней комнате не застала.

— Он в баре, — сказал мне парень из охраны, и я пошла туда.

Ник сидел за стойкой и изводил бармена требованием относиться к себе с иронией.

— Только у ироничного человека есть шанс выжить в этом мире, — наставительно изрек он, увидел меня и расплылся в улыбке. — Радость моя, господь услышал мои молитвы, ты снова с нами!

— Воды, пожалуйста, — попросила я бармена.

— Моя девочка пьет только воду... она такая скромница, не пьет, не курит, а когда ее трахают, закрывает глазки... Да, солнышко?

— Идем, надо поговорить.

— Это у нас такой пароль, — усмехнулся Ник. — Значит, девочке неймется. Идем, радость моя, я тебя осчастливлю.

Он обнял меня за плечи, и мы отправились в комнату позади ресторана.

— Борька погиб, — сказала я

— Серьезно? А что с ним случилось? — Ник замер и посмотрел на меня с удивлением, только в глубине зрачков таилась усмешка.

— Он болтался с моей фотографией в баре. Мне надо знать, что у ментов есть на меня.

— Он болтался с твоей фотографией, а я узнаю об этом только сейчас? — усмехнулся Ник. Мы вошли в комнату, он схватил меня за шею и ткнул лицом в стену. — Детка, детка, детка... — вздохнул Ник прямо-таки с болью душевной. — Ты разрываешь мне сердце. Этот придурок совал свой нос, где не просят, а ты соизволила сказать мне только сегодня, — прошептал он мне в ухо. — Ты что о себе вообразила?

— Я ни о чем не догадывалась. Клянусь. Он был у меня вчера вечером и показал фотографию. Она была в машине?

— Вероятно, — усмехнулся Ник, отпуская меня. — Итак, он показал тебе вчера фотографию. Интересно. И ты не позвонила мне?

— Было поздно, я подумала...

— Как мило. А что за фотография?

— Моя фотография. Он внес изменения в мой облик, согласно описаниям свидетелей в баре.

— И они, конечно, узнали тебя.

— Он так сказал.

— Выходит, малый не такой дурак. Ты думала, он

тащится от твоей задницы, а он собирался сдать тебя ментам.

— Если фотография попадет к ним...

— Не попадет, — покачал головой Ник, глядя на меня с усмешкой. — Наш адвокат не может быть связан с девкой, которую подозревают в соучастии в убийстве. Так что скажи Рахманову спасибо.

— Значит, все-таки не несчастный случай... — помедлив, произнесла я.

— Конечно, несчастный случай, — как-то не слишком убедительно возразил Ник. И добавил: — Топай отсюда, ты мне надоела.

Я сочла за благо удалиться. Очень разные чувства бушевали во мне, я почти не сомневалась, что гибель Борьки не была случайной и что без Ника тут не обошлось, но вместе с тем я вздохнула с облегчением, узнав, что о фотографии могу не беспокоиться. Я шла к дому, и вдруг взгляд мой натолкнулся на отражение моего лица в витрине, и я испуганно замерла. Лицо на мгновение показалось чужим, у меня перехватило дыхание. Я шагнула ближе, вглядываясь в свое отражение.

— Обалдеть! — сказал проходивший мимо парень и широко улыбнулся.

Борьку похоронили через три дня. Накануне мне позвонил Антон.

— Ты пойдешь на похороны?

— Нет. — Пауза затянулась, и я добавила: — Терпеть не могу похороны, у меня от них депрессия.

— Вы поссорились? Ведь вы виделись в тот вечер?

— Виделись. Мы не ссорились. Простились вполне мирно. Решили быть друзьями.

— Зная Бориса, трудно поверить.

— Что ж, не верь. Но это так. Я понимаю желание

друзей свалить его гибель на меня, но разбился он только потому, что был пьян. Вот и все.

На сей раз затянувшуюся паузу прервал Антон:

— Ты интересовалась гаражом. Я встретился с его хозяином, он директор универсама в Добром. Так вот, гараж он купил у некоего Анатолия Константиновича Приходько, бывшего коммерческого директора фирмы «Конти».

От неожиданности я бы, наверное, не устояла на ногах, но, к счастью, к тому моменту уже сидела в кресле, так что обошлось без увечий.

— Ты уверен? — все-таки спросила я.

— Разумеется, уверен. Тебе стоит поговорить с Олегом, он наверняка хорошо знает Приходько, ведь «Конти» принадлежит его другу Вадиму Долгих.

— Моя просьба остается в силе: не рассказывай никому о моем интересе. Особенно Олегу.

— Хорошо, — с некоторым недоумением ответил Антон, и мы простились.

Я усмехнулась и головой покачала, все еще не успев прийти в себя от новости. Если бомж ничего не перепутал, человек, интересующийся мной, ни много ни мало как бывший компаньон Долгих. А если он и четвертый фигурант, которого с таким старанием разыскивает Ник, одно и то же лицо, то картина и вовсе вырисовывается занятная.

Мне требовалось освежить свою память, и я поехала в библиотеку. После первого близкого знакомства с Ником, когда он учил нас с Машкой уму-разуму, я несколько месяцев пребывала в прострации, но потом понемногу, придя в себя, проявила любопытство. И попыталась разобраться, что же тогда произошло в доме, то есть не что произошло — это-то понятно, раз я сама была свидетелем убийства, — а что этому предшествовало и кем был убитый. Разумеется, мне приходилось соблюдать величайшую осторожность, дабы мое любопытство не привлекло внимание Ника. Но кое-что по крохам удалось собрать. Фамилия Приходько мне точно встречалась.

В тишине библиотеки я листала старые подшивки газет и вскоре нашла, что искала. Фотография мужчины и небольшая заметка. «Вчера в своем офисе по обвинению в убийстве был арестован Приходько Анатолий Константинович. Он обвиняется в убийстве своей сестры Приходько Маргариты Константиновны. Ее труп был обнаружен на территории складов фирмы «Конти» двадцать девятого декабря прошлого года. Приходько ранее был коммерческим директором этой фирмы, но уже три месяца как оставил эту должность. По слухам, с господином Долгих, генеральным директором фирмы, у них произошел серьезный конфликт: господин Долгих обвинил Приходько в присвоении крупной суммы денег. Подробности в интересах следствия не сообщаются».

Затем я просмотрела газеты, вышедшие ранее, а потом те, что вышли уже весной. Если верить публикациям, произошло примерно следующее: вечером двадцать девятого декабря в офис фирмы «Конти» приехала Маргарита Приходько, гражданская жена Долгих. Мужа в офисе она не застала, но была уверена, что он там появится, и осталась его ждать. Офис при складе представлял собой небольшое отдельно стоящее здание, где находилась бухгалтерия и кабинет Долгих. Появлялся он здесь нечасто. Охрана располагалась возле ворот. По стечению обстоятельств, в тот вечер в сейфе оказалась значительная сумма денег. Вот за ней, судя по всему, и явился Приходько, которого к тому времени три месяца как уволили из фирмы. Он считал себя несправедливо обойденным и был убежден, что деньги в сейфе — лишь небольшая компенсация за причиненный ему ущерб. Разумеется, встретить сестру он там не ожидал. Между ними произошла ссора, в результате которой Приходько нанес сестре семь ударов ножом для резки бумаги, после чего, прихватив деньги, скрылся с места преступления.

Допустим, зарезать сестру он мог, это куда ни шло, хотя довольно странно после убийства как ни в чем не бывало явиться утром на работу (он уже месяц как открыл собственное дело) и отмечать с коллегами Новый год. Еще более странным казался тот факт, что Приходько спрятал похищенные деньги в собственном гараже вместе с орудием убийства. Похоже, он ничего не опасался, и арест явился для него полной неожиданностью.

— А дядя, получается, оригинал... — пробормотала я.

Один из охранников в ночь убийства видел машину Приходько недалеко от базы, таксист видел его самого, проезжая мимо, и даже смог опознать.

— Занятно, — усмехнулась я.

На базе я бывала неоднократно и хорошо представляла и офис, и расположение прочих зданий, на территорию пройти мимо охраны незамеченным невозможно. Разумеется, если Приходько не перемахнул через двухметровый забор с колючкой наверху. На территории собаки, вряд ли раньше было иначе. Впрочем, по замыслу обвинения, собаки для Приходько не были проблемой, он мог приручить их раньше и территорию знал отлично, так что пройти теоретически мог. Что делал таксист в этом богом забытом месте в такое время, выяснить никто не потрудился. Труп жены Долгих обнаружили только утром, Долгих все это время безуспешно пытался дозвониться до супруги.

Приходько арестовали в марте, в мае в автокатастрофе погибли его жена и дочь. А в июле, в доме, который когда-то принадлежал Пашкиной семье, погиб некто Орешин, начальник охраны фирмы «Конти», уволенный примерно в то же время, когда был арестован Приходько. Интересная картина складывается...

Было убийство Орешина как-то связано с убийством жены Долгих или это совсем другая история? Похоже, что было. Конечно, Приходько мог убить сестру, крупно с ней поскандалив, если она к тому же приняла сторону мужа, которого у брата повода любить к тому моменту не было. Но с таким же успехом дело могло быть сфабриковано. Приходько оказался в тюрьме, а вскоре лишился семьи. Если к этому причастен начальник охраны, логично от него поскорее избавиться. Что Ник и сделал. Каким образом в эту историю оказался замешан Пашка, остается только гадать. Но кассета — важная улика, Ник, вернее, его хозяин, был очень заинтересован в ее исчезновении, а Орешин не хотел ее возвращать, даже рискуя жизнью. Что там могло быть? Да что угодно. Начальник охраны, предвидя, что от него захотят избавиться, мог запастись отличным компроматом, который я передала Пашке.

Приходько может знать об этом, а может и не знать. Если ему известно, что мы с Машкой были в доме в момент убийства, его интерес ко мне вполне объясним. Так же, как интерес к улике, то есть к кассете. Он может решить, к примеру, что кассета у меня. Что мешало мне сделать дубликат? Моя глупость. Мне тогда это просто не пришло в голову. Мы даже посмотреть запись не могли, потому что у нас не было ни камеры, ни видеомагнитофона, а идти к кому-то с таинственной кассетой мы не рискнули.

Человек в одно мгновение теряет все, а вернувшись из тюрьмы, видит, что его враг живет припеваючи. И решает отомстить. По-моему, вполне логично. Вот только кому и за что? Допустим, Долгих — за то, что лишил его денег, положения и засадил в тюрьму. Тогда понятно стремление лишить того изрядного куска пирога, напав на транспорт. Приходько раньше работал с Долгих, наверняка многое знал и надеялся, использовав старые связи, пристроить груз. Долгих деньги теряет, Приходько их приобретает, плюс моральное удовлетворение.

Горох какое-то время работал в охране фирмы, пока Ник не решил, что это опасно. Не для Гороха, для фирмы. Репутация фирмы должна быть безупречной. Так что теоретически Приходько мог быть с Горохом знаком. Мог он и припугнуть его чем-то мне неведомым, чтобы заставить работать на себя. Собрал бригаду из бывших уголовников и устроил засаду на дороге. Но его самого там не было. Личное участие в нападении для него слишком опасно — кто-то из людей Ника мог бы его узнать. Он убил Гороха, чтобы закрыть ему рот навеки, а потом...

Потом чепуха. Следующим стал Серега. Допустим, Серега случайно встретился с Приходько. Тогда логично было бы ему звонить Нику, а уж никак не мне, раз я этого Приходько знать не знаю. Затем погиб Розга. Его он тоже встретил случайно? Стоп. А что, если дело в другом? Жена и дочь Приходько погибли. Никакого намека, что могло иметь место убийство, но как знать... А если все-таки убийство, то кто мог приложить к нему руки? Первыми на ум приходят Ник и его мальчики.

И что, теперь дядя вершит правосудие так, как он себе его представляет? А Ника оставил «на сладкое»? А то, что на трупы натыкаюсь я, — случайность? Или подарок, нечто вроде намека, мол, это ведь и твои враги тоже? Но при втором варианте Приходько как минимум должен знать, что с нами сделал Ник. Хотя почему бы и нет? Ему, например, мог рассказать тот же Горох. Я даже вижу его слюнявые губы, когда он нараспев рассказывает о весело проведенном времени, смакуя подробности и не зная, что подписывает себе смертный приговор.

Теперь вопрос: что делать мне? Нику очень не понравилось, что я промолчала о Борькином интересе к убийству журналиста, еще больше ему не понравится, если я промолчу о Приходько. Значит, надо набрать номер Ника и рассказать, что дядя расспрашивает обо мне.

Я достала телефон, но, подержав его в руке, убрала в сумку. К черту Ника. Для начала я хотела бы встретиться с Приходько. Просто встретиться и послушать его. Потом решу.

Я вернулась домой, продолжая размышлять над прочитанным, и вдруг подумала: может, Приходько знает, где теперь Пашка? Знает, не знает... Допустим, знает, и что? «Здравствуй, Павел, вот мы и встретились, обидно, что я до сих пор люблю тебя, а ты меня никогда не любил. Обидно и больно». Сказать ему что-то в этом роде? Глупо и сентиментально. Другой вариант. «Знаешь, мне часто снится сон: мы вместе, и мне так хочется, чтобы ты меня обнял, но ты поворачиваешься ко мне спиной, поспешно уходишь, и я умираю во сне, а потом еще долго умираю наяву. А иногда, редко-редко, мне снится, что ты меня любишь. Это даже хуже, потому что приходится просыпаться». Тоже не лучше. Скажи мне такое Борька, я бы засмеялась. Незачем цепляться за обломки. На самом деле все просто: в моей паскудной жизни лишь один светлый эпизод: юность и недолгая любовь, вот я упорно и хватаюсь за него, как за соломинку.

Вечером я отправилась к Виссариону. Выпив чаю с хозяином, пошла искать Любку. Она обреталась в подворотне в компании вечно пьяной Сороки.

— Работы нет, — заявила Любка со злостью. — Не знаешь, когда этот дождь кончится?

— Зимой, когда снег начнется.

— К тому времени мы все по миру пойдем.

— Ты того мужика случайно больше не видела? — понизив голос, спросила я.

— Какого? А... нет. А надо?

— Ну, не худо бы ему кое-что передать. Я не прочь с ним встретиться.

— Знакомый твой, да? Вспомнила, кто он такой?

— Вроде того. Скажи девкам, только аккуратно, чтобы без лишнего шума.

— Можешь не беспокоиться, все сделаю в лучшем виде. Юлька, дай пятьсот рублей взаймы, замерзли здесь торчать.

— Так иди к Виссариону, погрейся.

— Не-а, мы лучше здесь. Задолбал он своей культурной программой, и Упырь злится, говорит, хреново работаем. А какая, блин, работа в такую погоду? Хорошая хозяйка собаку из дома не выгонит, не то что мужика. Мы с Сорокой пузырь купим и здесь разопьем.

— Дороговато для пузыря.

— Так мы с закуской.

Я протянула ей деньги и вернулась к Виссариону. До часу ночи перемежала игру на рояле философскими беседами с ним. Пять минут второго мне позвонили на мобильный. Номер был мне незнаком, а голос, звучавший в трубке, тоже. Мужчина явно пытался его изменить — растягивал слова, как обычно говорят глухонемые.

— Надо встретиться.

Лаконично, ничего не скажешь. Кому надо и с какой стати? Именно эти вопросы я собралась задать, но у моего собеседника не было желания меня слушать.

— Я возле твоего дома, — добавил он и отключился.

Теперь следовало решить, хочу я этой встречи или нет. Если звонил Приходько, то хочу. А если в игру включился кто-то еще?

— Плохие новости? — спросил Виссарион, понаблюдав за мной.

— Кто ж их знает, — пожала я плечами и отправилась к дому.

Я избрала путь через соседний двор и для начала осмотрела пространство вокруг своего подъезда. Никакого намека на живое существо. На стоянке были припаркованы несколько машин, но принадлежали они соседям, за ними вполне можно укрыться. Дворовая детская площадка тонула в темноте. Я вздохнула и направилась к подъезду. Тусклая лампочка все-таки давала достаточно света, чему сейчас я не радовалась. Человека, назначившего мне встречу, я не вижу, зато сама как на ладони. Отличная мишень. Я невольно поежилась — такие мысли не делают человека счастливым.

Я стояла возле подъезда довольно долго, а ничего не происходило. «Дядя осторожничает», — решила я. И терпеливо продолжала ждать неизвестно чего, а когда, наконец, взглянула на часы, оказалось, что прошло уже двадцать минут. Вот тут на меня и накатило предчувствие. Крайне неприятное, надо сказать. Я взглянула на дверь подъезда и убедилась, что она не заперта. Если тот человек решил меня подкараулить в подъезде, звонить было ни к чему. Или он любитель театральных эффектов?

Я осторожно потянула дверь на себя, она открылась с противным скрипом.

— Дверь некому смазать, — проворчала я в досаде и шагнула вперед, но чуть в сторону. Открыла вторую дверь, сделала еще несколько шагов и замерла. И вдруг лифт пришел в движение, хотя обычно его на ночь отключают. Предчувствие лишь увеличивалось, набирало силу. Я прислушивалась, затаив дыхание. Вот лифт остановился на первом этаже, двери открылись, а потом захлопнулись, но никто не вышел мне навстречу. В подъезде по-прежнему стояла тишина, настолько пронзительная, что хотелось заорать, чтобы нарушить ее. «Затишье перед бурей», — мрачно усмехнулась я, хотя надо бы порадоваться: лифт работает, значит, не придется на пятый этаж подниматься пешком.

Я направилась к лифту, кнопка вызова успела погаснуть, и эта часть подъезда тонула в темноте. Окно далеко, а свет горел только на лестничной клетке. Тени в углах, казалось, оживают. «Вот только чертовщины мне и не хватает», — оптимистично подумала я и нажала кнопку. Двери лифта открылись. Возможно, я бы заорала, если бы не ожидала чего-то подобного. На полу сидел Вовка — ноги в стороны, руки свесил между коленей, голова опущена, ветровка впереди залита кровью.

— Привет, — вздохнула я, устраиваясь на корточках так, чтобы дверь не захлопнулась. Горло перерезано, но сделали это не здесь. В кабине нет пятен крови, кровь на ветровке успела загустеть. Я пошарила вокруг взглядом, увидела на полу спичечный коробок и с его помощью заблокировала внутреннюю дверь, чтобы припозднившийся жилец не наткнулся на труп. Прошла к лестничной клетке и посмотрела наверх. И почувствовала чей-то взгляд.

— Чертов сукин сын, — пробормотала я, стремительно поднимаясь по ступенькам.

Я слышала только свои шаги, прекрасно понимая, что напрасно трачу время. Убийца хитер, он мог наблюдать за мной в окно подъезда или с крыши и, увидев меня, вызвал лифт. Для этого ему пришлось для начала заглянуть в лифтерную, небольшое помещение на крыше. Такой тип наверняка позаботился и о путях отхода. Двигаясь по крыше, легко оказаться в соседнем подъезде, а еще лучше в подъезде соседнего дома, к которому вплотную пристроен мой, двери подъездов у него выходят на проспект.

Но я все-таки поднялась наверх. Замок на решетке, закрывавшей проход на крышу, естественно, был сбит. Я огляделась. Вот здесь, скорее всего, он и стоял: подступы к подъезду отлично просматриваются, а скрип двери услышишь и отсюда. Скрип послужил для него сигналом, и он послал лифт вниз. Считая, что лифт отключен, я бы стала подниматься по лестнице, а ему зачем-то очень надо показать мне труп.

— Сукин сын, — в досаде повторила я.

На крышу можно было не подниматься, мне его не догнать. Но тут я подумала: если его машина припаркована на проспекте, есть шанс ее увидеть. И выбралась на крышу. Однако меня ждало разочарование: подъезды соседнего дома были снабжены козырьками, а вокруг росли кусты, и я при всем желании не смогла бы заметить, выходит ли кто из подъезда. Я была уверена, что мой противник (или кто он мне?) и это предусмотрел.

Я вернулась в подъезд, на ходу набирая номер Ника.

— Радость моя, я тут отрываюсь с одной классной телкой. С какой такой стати ты звонишь мне в два часа ночи?

— У нас еще один труп, — покаянно сообщила я.

— У нас? — передразнил Ник.

— Хорошо, у меня. Хотелось бы знать, что мне с ним делать.

— Ничего, я полагаю. Если ты не собираешься сделать из него чучело.

— «Ничего» не получится, он в моем подъезде.

— Черт! — выругался Ник. — Сгораю на работе. Ладно, я неподалеку от твоего дома, так что буду через несколько минут.

Я вышла на улицу и устроилась на скамейке у соседнего подъезда. Ник подъехал через десять минут, выбрался из машины, огляделся и увидел меня.

— Ну, где там это дерьмо?

— В лифте.

Мы вошли в подъезд, я разжала наружную дверь лифта, вытащила коробок, после чего двери открылись. Ник присвистнул и, как и я недавно, устроился на корточках.

— Пришили его не здесь, — сказал с печалью. — Но зачем-то им понадобился этот маскарад.

— Им?

— Хорошо, ему.

— Ты не спросил по телефону, кого убили, — все-таки сказала я.

— Хотел сохранить интригу до конца. Сколько ты мне должна? — прищурив один глаз, весело спросил Ник.

— За что?

— Мы спорили или нет? Я говорил, что похороны тетки парня не спасут, и оказался прав. Занятно... — протянул он, выпрямляясь. — Парень должен быть в Сибири, но сидит в твоем лифте. Правда, ты, помнится, утверждала, что следующим будет Артем.

— Черт, что происходит? — не выдержала я.

— Граф Монте-Кристо, — усмехнулся Ник и добавил в ответ на мой недоуменный взгляд: — У нас завелся граф Монте-Кристо. Вершит правосудие и мстит обидчикам.

Произнес это Ник насмешливо, а я подумала, что, возможно, он прав. Если вспомнить историю Приходько... Вряд ли он нашел клад в бытность свою за решеткой, но наш мститель непривередлив и превосходно чувствует себя среди бомжей.

— Хотелось бы знать, кто это, — осторожно заметила я.

— Когда очередь дойдет до меня, я узнаю, — усмехнулся Ник, и мне стало ясно: он ждет этой встречи с нетерпением и такая ерунда, как гибель соратников, не очень-то его занимает. — Надо убрать его отсюда, — со вздохом продолжил Ник. — Ментам вряд ли понравится, что он сидит именно в твоем лифте. А тебе ни к чему беседы по душам с ментами. Стой здесь, я перегоню тачку вплотную к подъезду и вернусь.

Ник вернулся через три минуты, взвалил Вовку на плечи и зашагал к выходу, а я в который раз поразилась его силе. Худощавый от природы, он обладал силой прямо-таки нечеловеческой, развивая ее постоянными тренировками. Знать это — одно, а видеть, как он легко несет мертвого парня весом больше ста килограммов, — совсем другое.

— Ты мною восхищаешься? — точно читая мои мысли, спросил Ник, на мгновение прекратив движение и поворачиваясь ко мне.

— Безмерно, — ответила я.

— То-то. Я для тебя что отец родной. Трупы вот за тобой таскаю, оттого, что люблю, причем совершенно безвозмездно. Цени.

— Лучше бы их не было.

— Кого, трупов? Побойся бога, куда без них? На земле и так скоро жрать будет нечего. Так что трупы — это неплохо, правда, обременительно. Пожалуй, лучше выдать его за пьяного. — Ник прислонил труп к стене, потом братски обнял и пнул дверь подъезда. — Идем, брат. Последний парад наступает. Как там дальше, профессорская дочка?

— «Врагу не сдается наш гордый «Варяг», пощады никто не желает».

— Насчет пощады в самую точку.

Он запихнул Вовку на заднее сиденье, застеленное клеенкой.

— Чего смотришь? Предусмотрительность — сестра таланта. При себе всегда надо иметь набор необходимых инструментов: отмычки, лопату и полиэтиленовый мешок с топором. И никаких затрат на похороны.

— Что ты собираешься делать? — все-таки спросила я.

— Известно что. Расчленю, сложу в мешок и закопаю. Детка, папуля пошутил. Папа кровожаден только по вторникам, а сегодня пятница. Ладно, топай домой, — посуровел Ник. — Я один управлюсь. Будь любезна изложить мне завтра свои соображения по поводу происходящего. Никита Сергеевич не намерен думать в одну голову, это совсем не то, что жрать в одну харю, так что будь добра поучаствовать в этом дерьме. Поцелуй папу и проваливай. Ты чего дрожишь-то? — вроде бы удивился Ник. — Да ты боишься? Не дрейфь, солнце мое, я никому не позволю тебя укокошить. Сам убью, когда время придет, а до этого еще далеко. — Он сел в машину и захлопнул дверцу, а я побрела домой.

На кухне нашла остатки коньяка и, зябко ежась, устроилась в кресле. Следовало подготовиться к разговору с Ником. Первый и самый главный вопрос: сообщить ему о Приходько или нет? Если он заподозрит, что я хитрю... Но я уже знала: о Приходько я ничего не скажу, пока сама не встречусь с ним. Алиби у меня на момент последнего убийства дохлое: сидела у Виссариона, вполне могла пришить Вовку... Парень был предупрежден, что на него с дружком ведут охоту, но это его не спасло. А ведь он здоровый мент, почти не пьющий и с хорошей реакцией. Ник прочил ему большое будущее. Но и все это ему не помогло. Маловероятно, что он легкомысленно отнесся к предупреждению Ника, значит, логично предположить, что своего убийцу он не опасался. Следовательно, это либо его хороший знакомый, либо... женщина. Последнее слово я прошептала вслух с замиранием сердца. Ну, конечно! Это же очевидно: стокилограммовый мужик не станет бояться женщину, а хорошо тренированная баба в одну секунду перережет ему горло...

Против воли я потянулась к телефону. У Машки был сонный голос.

— Что случилось? — испуганно спросила она.

— Вовку зарезали.

— Вовку? Купреева?

— Да. Купреева.

Повисло долгое молчание. Я слышала, как она дышит в трубку. Вряд ли новость ее особенно взволновала, впрочем, она просто еще не проснулась до конца, еще не осознала.

— И ты его видела? — спросила она.

— Да.

— Хорошо. — Машкино «хорошо» прозвучало до ужаса нелепо, но она этого даже не заметила. — Значит, остался один Артем?

— Ник, — напомнила я.

— С Ником справиться нелегко. Но я желаю охотнику удачи. Хотя...

— Хотя?

— Кровь порождает кровь. И ничего больше.

Разговор с Машкой вызвал странное чувство. Я не могла поверить, что она как-то к убийствам причастна. Но ведь что-то заставляло меня подозревать ее? Чушь. Машка и муху с первого раза не прихлопнет, а здесь здоровые мужики. Вовку вообще убили не в лифте и не в подъезде, я там все осмотрела. Следовательно, произошло это в другом месте, и сюда труп привезли только для того, чтобы показать его мне. Опасно? Да. К тому же граничит с паранойей. А если...

От новой мысли я резко поднялась и обшарила комнату взглядом. Нет, все как обычно. Я прошла на кухню, тщательно все осматривая, и уже готова была вздохнуть с облегчением, но тут сердце ухнуло вниз: я увидела крохотное пятнышко на линолеуме. Увидела, потому что искала. И нашла. Крошечное пятнышко крови возле туалета. Я распахнула дверь в туалет и увидела разводы на полу. Такие остаются, если трешь пол намыленной тряпкой. Я опустилась на колени и снова нашла то, что искала: смазанный кровавый отпечаток сзади унитаза. И передо мной вдруг сама собой возникла картина того, что здесь произошло, до того зримо, точно я действительно все видела собственными глазами: Вовка вошел в туалет, замок на двери отсутствует, и дверь осталась открытой... раздался шум, он машинально повернулся, и убийца ударил его по горлу, а потом держал над унитазом, чтобы не испачкать стены кровью, но Вовка в агонии хватался руками за все подряд, и убийце пришлось наводить здесь порядок...

Если бы труп обнаружила не я, а кто-то другой и менты заинтересовались странным совпадением... я бы уже сидела за решеткой. Я схватила ведро, тряпку, налила воды с мыльной пеной и принялась отмывать туалет.

— Похвальное стремление к чистоте, — услышала я и вздрогнула от неожиданности. За спиной стоял Ник, сложив руки на груди, наблюдая за мной без намека на удовольствие. — Плановая уборка в три часа ночи? Не спится, покойнички в глазах мелькают? — Я смотрела на него снизу вверх, холодея при мысли... — Что за дерьмо, детка? — схватив меня за волосы и наклоняясь к самому моему уху, спросил он. — Что за дерьмо?

— Меня кто-то подставляет.

— Ну, конечно, — развеселился он. — И ты знаешь кто?

Ник рывком поднял меня с пола, прижал к стене, придавив согнутой в локте рукой мою шею. Глаза его были совсем рядом, но сейчас, против обыкновения, его взгляд вызывал не страх, а злость.

— Пошел ты, — с трудом ответила я, хватая ртом воздух.

— Вот, значит, как... — Ник не то чтобы удивился, скорее был заинтригован. Он отпустил меня, сделал пару шагов в сторону и привалился к стене. — Давай поговорим по душам. — В его устах это звучало издевательски, но на другое я и не рассчитывала. — Можно я обрисую свое видение мира? Вовка, который вроде бы отправился в Сибирь, почему-то оказывается в твоем лифте. А ты оттираешь пятна крови на полу своего туалета... Я ведь не ошибся, ты избавлялась от следов преступления, когда я пришел? И при всем том заявляешь, что тебя подставляют.

— Разумеется, раз я его не убивала, — буркнула я.

— О'кей. Допустим. И ты не знаешь, кто убил. Ты даже не догадываешься. Тогда попробуем пошевелить мозгами: кому надо тебя подставлять? Ну-ну, солнышко, придумай что-нибудь.

— Человеку, который хотел бы видеть меня в тюрьме, — пожала я плечами.

— Тогда не стоило затевать возню с трупом. Достаточно было вызвать милицию, они обнаружили бы Вовку в твоей квартире, и, учитывая то, что уже нарыли на тебя, песенка твоя была бы спета. Сесть тебе никто не даст, следовательно... Ты слушай, слушай, папа дело говорит! Твой хладный труп найдут, пока еще следствие вестись будет. Зачем же такие сложности? Не проще ли шлепнуть тебя здесь, не устраивая цирка с Вовкой? Опять-таки допустим: он, она или они не ищут легких путей и махнули в Геленджик через Камчатку. Судя по генеральной уборке, которую ты затеяла, Вову зарезали здесь. Я прав? — Я молча кивнула. — Не подскажешь, что он делал в твоей квартире? — Я вздохнула, а Ник удовлетворенно кивнул. — Не подскажешь. Серега тебе звонит, Вова заглянул в гости, и оба с одной целью — скончаться. Парень купил билет на самолет, я проверял. Но вместо похорон тети угодил на свои. У тебя есть хоть какое-нибудь объяснение всему этому?

— Нет, — отрезала я.

— Правильно. Потому что и быть не может. Зато у меня есть объяснение: Вова парит мне про тетю, а сам является к тебе...

— Глупость, — перебила я.

— Только на первый взгляд, — терпеливо поправил Ник. — Ты его терпеть не можешь и все прочее... Ты

242

меня-то не дури, я уж знаю, на что ты способна, если в твоей голове появится какая-нибудь идейка. К примеру, идейка разделаться с обидчиками. В твоих объятиях такой дурак, как Вовка, не только про тетю забудет... И вот появляется труп в сортире. Но в голову тебе приходит здравая мысль, что его присутствие в твоем жилище придется как-то объяснять, и ты решаешься избавиться от тела. Тут и выясняется, что это не так легко. До лифта ты его дотащила и поняла, что задачка тебе не по зубам. Тогда ты на ходу придумываешь историю и звонишь мне.

— Не позаботившись сначала убрать в туалете?

— Ты позаботилась. Сунь свой нос в ведро, детка, в нем нет крови. Ты перестраховываешься. Пальчики смываешь?

— Хочешь водки? — спросила я с печалью.

— Хочу, — ответил Ник, и мы пошли на кухню. Выпили по рюмке и уставились друг на друга.

— Я его не убивала, — поморщившись, сказала я. — Правда, если ты начнешь сдирать с меня кожу лоскутами, я, конечно, забуду про частичку «не». Только что ты от этого выгадаешь?

— Тогда у тебя должно быть объяснение. Или догадки. Хотя бы подозрения, черт тебя возьми!

— У меня их нет. Я могла бы подозревать тебя. Тебе проще всего привести сюда Вовку, заглянуть ко мне по-дружески. Да, я бы могла подозревать тебя, — повторила я, — если бы способна была найти причину, по которой ты режешь дружков, как кур.

— Мною движет любовь к тебе, — усмехнулся Ник.

— Вот-вот, что-то подобное я и вообразила. У меня нет объяснений.

— Я так понимаю: пока последний герой не отбросит копыта, эта хрень не кончится. Мы практически у финиша, что меня радует. — Ник прошелся по кухне и остановился напротив меня. — Я не в настроении видеть еще один труп, потому очень прошу: давай поговорим по душам, моя прелесть. И не зли меня, не то прелестью тебя даже пьяный бомж не назовет.

— Что ты хочешь услышать? — вздохнула я.

— Что у тебя вот тут, — ткнул он пальцем в мой лоб. — Кого ты покрываешь?

— Ник...

— Не зли меня!

— Ник, клянусь, я...

— Кому ты рассказала об этом?

— О чем? — не сразу поняла я.

— О нашем маленьком шоу, где вы с подругой были главными участницами?

— Никому. Никогда, — глядя ему в глаза, ответила я.

— Тогда эта кошка драная, твоя подружка, разболтала. Я из нее махом все выбью.

— Нет! — Я схватила его за руку, начисто забыв, что он этого терпеть не может, но на сей раз Ник на мой жест не отреагировал. — Ник, послушай меня, пожалуйста. Она тоже никому никогда об этом не рассказывала. Я тебе клянусь.

— Откуда тебе знать?

— Я знаю. Ты... тебе трудно понять. Рассказать — значит еще раз пережить. От такого можно свихнуться.

— Вот она и свихнулась. Представляю, как она мурлычет на плече какого-нибудь придурка о своих страданиях. Черт знает, кого она подцепила. Парень вообразил себя Зорро. Кстати, что за тип вертится сейчас вокруг нее?

— Не знаю.

— Да неужели? А я знаю. Бывший вояка с двумя ранениями и большой обидой на Родину-маму: не туда послала, ни хрена не дала. Кроме трех наград и двухкомнатной хрущобы, что от предков досталась, ничего нет. А тут вдруг выясняется, пока он Родине служил, любимую девушку драли в очередь, ну и парня перекосило на справедливость.

— Не дури. Гороха убили, когда мы с Антоном не были знакомы.

— И все-таки я бы вояку пощупал.

— Не слишком ли много ты на себя берешь? — буркнула я и напомнила: — Он друг Рахманова.

— А Рахманов трахает тебя и мне наказал руками тебя не лапать, в твою сторону не смотреть и даже не дышать, дабы не отравить своим смрадным дыханием твой неокрепший организм. Чего ж ты с трупиком-то к Цицерону своему не кинулась? А теперь хамишь мне, можно сказать, отцу родному. Дожил.

— Ник, Машка здесь ни при чем.

— Задолбала ты меня своей Машкой! Что ты горло за нее дерешь? Забыла, кто твоя Машка? Она ж за дозу тебя с потрохами сдаст. И расскажет, и покажет, и трахнется с целым взводом, если припрет. Мне надо найти эту мразь. Дело принципа.

— Что думают по этому поводу хозяева? — осторожно спросила я, выдержав паузу и меняя тему. У Ника, должно быть, положение сейчас незавидное.

— Ничего, — отмахнулся он. — Кого особенно волнует пушечное мясо? Там, — ткнул он пальцем в потолок, — стратегические вопросы, а здесь Ник должен голову ломать... Несравненная моя, обо всем, что услышишь, увидишь, заподозришь, сразу же мне. Не то наплюю на то, кто тебя теперь ублажает, и шкуру спущу на счет один. Уяснила? — Ник выпил еще водки и направился к двери.

— Спасибо, — сказала я, хотя моя благодарность была ему нужна, как прошлогодний снег.

Он оглянулся, посмотрел с удивлением и раздвинул рот до ушей.

— Вы всегда можете рассчитывать на меня, принцесса.

В выходные мы с Рахмановым отправились за город к его приятелю. Катались на катере, жарили шашлыки и даже исполняли песни под аккомпанемент гитары. Олег надумал позвонить Антону с намерением вытащить их с Машкой на природу. Антон приехал, но один. Разговоров со мной избегал, был задумчив, улыбался с натугой, а на мой вопрос, где Машка, ответил, что сегодня она занята на работе. Я позвонила Машке, по ее голосу стало ясно: Антон соврал, дело вовсе не в работе. Так и оказалось.

— Он все знает, — дрожащим голосом сообщила она.

— Что «все»?

— Что я... он меня застукал.

— Странно, что он не заметил этого раньше.

— Заметил. Верить не хотел, это он так сказал. Что мне делать?

— Об этом мы не раз говорили.

— Все эти клиники — ерунда, никто мне не поможет. Ты же знаешь. И Ник не позволит мне уйти с работы.

— Позволит. Твой Антон друг Рахманова, а Ник для Рахманова — мальчик на побегушках.

— Я не знаю, что делать, — захныкала Машка. — Слышишь? Я умру без него. Если он меня бросит...

— Вы поссорились, такое случается. Поговори с ним.

— Он меня не любит. Он ужасно со мной разговаривал. Я даже не знаю, где он.

— Здесь, на даче.

— Он один?

— О господи, Машка! Конечно, один.

— Ты меня не обманываешь? Скажи ему, пусть он мне позвонит. Нет, лучше я ему позвоню.

— Может, не стоит? Дай ему возможность успокоиться.

— Он меня бросит, ты с самого начала это знала. Он...

— Конечно, бросит, если ты будешь вести себя, как дура.

— Он очень переживает из-за смерти Борьки, — не слушая меня, продолжила Машка и добавила едва слышно: — Он считает нас виноватыми.

— Нас?

— Да. Он не говорит об этом, но я чувствую.

— Чепуха. Допустим, он может винить меня, но ты-то при чем?

— Не знаю. К нему приходил какой-то человек, Борькин друг. Они долго разговаривали. Борька что-то узнал про нас и успел рассказать своему другу. Тот не зря приходил. После этого Тони очень переменился.

— Что он мог узнать? — попыталась я ее вразумить.

— Не знаю. Ведь за что-то Борьку убили.

— Ты с ума сошла! — не выдержала я. — Борька разбился на машине, потому что был в стельку пьян.

— Мне-то хоть не ври, — вздохнула Машка. — Он был у тебя. И погиб. А теперь Тони винит меня.

— Успокойся. Хочешь, я приеду?

— Нет. Я хочу, чтобы приехал он. Но ему не нужна наркоманка.

Машка бросила трубку. Я несколько раз звонила ей, но она не отвечала. На душе было скверно, а тут еще приходилось изображать безумную страсть. Я хотела уехать, но Рахманову бы это не понравилось, пришлось остаться.

После обеда Олег потащил меня в спальню. В тот момент он был мне попросту противен, а я изображала любовь, оправдывая себя тем, что я делаю все ради Машки. Она уйдет со своей работы, будет жить с любимым Тони и нарожает ему детей. Ради ее счастья можно потерпеть. Жаль, что Машка этого не понимает: надо уметь терпеть, надо быть хитрой, изворотливой стервой, а не распускать сопли и не устраивать истерик, и тогда появится шанс.

Я злилась на Машку впервые за все время, что мы были знакомы, и это причиняло настоящую боль.

Тони сидел на качелях, когда мы вышли в сад. Вид у него был едва ли не страдальческий.

— Ты поссорился со своей девушкой? — весело спросил Олег. — Вечером закатимся в ресторан и вас помирим.

— Извини, я не очень расположен веселиться. Не стоило мне приезжать.

— Юлька, чем твоя подруга так его допекла? Ей надо на руках носить этого парня. Впрочем, сие затруднительно, она хрупкая девушка, а он мальчик крупный.

— Машка здесь ни при чем, — отмахнулся Антон. — Не могу прийти в себя после похорон.

Рахманов скроил постную мину.

— Да, я слышал. Ужасная трагедия. Говорят, он был пьян.

— Говорят, — кивнул Антон, в упор глядя на меня.

— Только не вздумай перекладывать все с больной головы на здоровую, — зло улыбнулась я. — Я его не спаивала.

— При чем здесь ты? — удивился Рахманов.

— Спроси у своего друга, — отрезала я и поспешила удалиться.

Через час Антон уехал, не попрощавшись со мной.

— Неприятная история, — поморщился Рахманов. — Ох уж эти брошенные любовники... Борька всегда был истериком и неудачником. Теперь, по крайней мере, зависть его не гложет. Забудь о нем.

В понедельник возле своего дома я встретила Артема. Делать ему здесь было нечего, так что сказку про то, что он шел мимо, мог и не рассказывать.

— Вовка пропал, — заявил он, буравя меня взглядом.

— Он тетку хоронит, мне Ник сказал.

— Ага, тетку. Его баба звонила мне сегодня. Его мобильный не отвечает. А никакой тетки нет и в помине, она спрашивала у предков. Он просто смылся. Вот дерьмо! — плюнул он в досаде.

— Маловероятно, — пожала я плечами. — Ник такие шутки не жалует, он его найдет и оторвет башку.

— Ник — псих, ему плевать на то, что происходит, он только зубы скалит. — Такие слова в адрес Ника, неосторожно сказанные слова, могли выйти Артему боком, о чем он прекрасно знал, так что становилось ясно: парень уже просто спятил на нервной почве.

— Ты не очень-то разговорился? — ласково спросила я.

— Не очень. Можешь донести ему. Плевать. А ты, похоже, ничего не боишься? — зло спросил он, приглядываясь ко мне. В его глазах был еще один вопрос, невысказанный. Стало ясно: он, как и Ник, подозревает меня.

— Чего мне бояться? — удивилась я.

— Ты знаешь, кто это? — прошипел он, хватая меня за руку.

— Я даже не понимаю, о чем ты говоришь.

— Все из-за тебя. Я чувствую. Нутром чую. Только ты, сучка, сдохнешь раньше, чем я.

— Возможно, — не стала я спорить. — А возможно, и нет. Поживем — увидим.

Я сбросила его руку и направилась к Виссариону. Угрозы Артема меня не очень испугали. Хуже было другое: Ник мне не доверял и рыскал по городу в одиночку, пытаясь обнаружить супостатов. Еще неизвестно, что он там нароет. Раньше он везде таскал меня с собой, а теперь предпочитал работать один.

Конечно, внезапную смену привычек можно объяснить тем, что он точно следует приказу: оставить меня в покое. Но, если честно, я была уверена: Ник на приказ поплевывал, и сейчас им движет нечто другое.

Понедельник — тяжелый день, хотя в моей жизни понедельники были не хуже остальных дней недели, но этот выдался особенно скверным. Не успела я устроиться за роялем, как в бар вошел мужчина. Высокий, широкоплечий, с ранней сединой в темно-каштановых волосах, одет в джинсы и кожаный пиджак. Посетитель улыбнулся Виссариону и задержал взгляд на мне, а я сразу поняла две вещи: он мент и явился по мою душу. Тут пожаловало шестое чувство и просигналило SOS. Впадать в панику я не спешила, прежде всего потому, что толку от этого не видела, а кроме того, все-таки надеялась: вдруг повезет и шестое чувство дало маху?

В общем, я меланхолично играла на рояле, предпочитая не смотреть в сторону посетителя. Виссарион, который так же безошибочно распознал в нем мента, вышел из-за стойки и, приблизившись к столу у окна, за которым он устроился, спросил:

— Что желаете?

— Кофе, пожалуйста, — вежливо ответил тот.

Виссарион уточнил, какой кофе, и отправился назад. Проходя мимо рояля, со значением посмотрел на меня.

Получив свой кофе, мужчина не торопясь его выпил, поглядывая в окно, я продолжила извлекать из рояля рыдающие звуки, друг друга мы вроде бы игнорировали. Я могла продолжать сколь угодно долго, весь вопрос, насколько хватит терпения у него.

— Грустная мелодия, — сказал он, поворачиваясь в мою сторону. Я решила, что замечание ответа не предусматривает, и кивнула. Он подошел, внимательно посмотрел на меня и произнес:

— Вы Юлия Ким.

Я опять кивнула.

— А вы кто? — спросила без интереса.

— Рогозин Александр Иванович.

— И что дальше?

Он не спеша извлек удостоверение и показал его мне. Я в третий раз кивнула, не убирая рук с клавиш.

— Я хотел бы с вами поговорить.

— Здесь?

— Почему нет?

— Хорошо, давайте поговорим.

Я захлопнула крышку и повернулась к нему. Он пододвинул стул и сел рядом.

— Вас не удивил мой приход?

— Я никуда не спешу и надеюсь дождаться объяснений.

— Вы хорошо знали Бориса Шлимана? — помедлив, сменил он тему.

— Я его совсем не знала, если иметь в виду его мысли и чувства. Мы несколько раз вместе напивались и дважды занимались любовью.

— То есть своим другом вы его не считаете?

— Меня учили, друг — это тот, с кем пойдешь в разведку, а пьянствовать можно с кем угодно.

— И любовью заниматься тоже?

— По обстоятельствам. Бытует мнение, что секс вообще не повод для знакомства.

Он чуть улыбнулся, давая понять, что считает мои слова шуткой.

— Значит, просто знакомый. А я удивился, что вас не было на похоронах.

— Терпеть не могу похороны.

— Борис очень серьезно к вам относился. По-моему, он был влюблен в вас, и у меня сложилось впечатление, что чувства были взаимными.

— Вы ошиблись.

— Да, теперь я это вижу. Ну что ж, очень жаль. — Он хлопнул ладонями по коленям и поднялся. — Всего доброго.

— И вам того же.

Рогозин отошел на несколько шагов и вдруг повернулся.

— Он был прав. Такое впечатление, что у вас во врагах весь мир.

— На самом деле только сосед — затеял ремонт и долбит в стену с утра до вечера. Я от этого зверею.

Теперь он улыбнулся шире и наконец покинул бар.

— Есть идеи, что ему от тебя надо? — тут же спросил Виссарион.

— Будем ждать, когда скажет.

— Думаешь, он еще придет?

— Конечно.

Он пришел на следующий день. Но из-за дождя народу в бар набилось предостаточно, так что ему пришлось удовольствоваться лицезрением моей физиономии, пока я услаждала души шлюх прекрасной музыкой. Когда он покинул заведение, я не заметила, но, отправившись домой, обнаружила его в нескольких метрах от бара — он сидел в машине и, вне всякого сомнения, ждал меня.

Когда я поравнялась с его автомобилем, он распахнул дверь со стороны пассажира и сказал:

— Садитесь.

— Решили за мной приударить? — весело спросила я.

— А что, есть возражения?

— Как раз сейчас у меня сногсшибательный роман.

— С Рахмановым? — серьезно спросил он. — Роман продлится недолго. — И повторил: — Садитесь.

Я оглянулась и сочла за благо сесть в машину.

— Ну, так что вам от меня нужно? — не очень вежливо спросила я.

— Я ведь уже сказал, Борис был моим другом. И его смерть... Он ведь заезжал к вам в тот вечер?

— Заезжал, — кивнула я, едва сдерживая злость. — Приходил поскандалить. Пьяный, разумеется. На трезвую голову он был довольно покладист.

— На какой предмет скандалили? — спросил Рогозин и на сей раз улыбнулся, вроде бы и спрашивал несерьезно, но ответа, безусловно, ждал.

— На предмет любви. Упрекал меня в измене. Это было тем более обидно, что верность хранить я не обещала.

— И его смерть вас ничуть не огорчила?

Я очень внимательно посмотрела на него, потом усмехнулась и покачала головой.

— Разумеется, она меня огорчила. Но виноватой я себя не чувствую.

— Уверен, что так. Виноватым должен себя чувствовать тот, кто отдал приказ его убрать. Но мне трудно заподозрить такое чувство в господине Долгих.

— А кто это? — серьезно спросила я.

— Вы что, газет не читаете?

— Нет, конечно. И что о нем пишут?

— Много всего, — пожал Рогозин плечами. Если он и рассчитывал уловить в моем голосе издевку, то вряд ли в этом преуспел, я говорила серьезно, в его голосе намек на раздражительность тоже отсутствовал, как видно, с выдержкой у дяди полный порядок. — Зачастую много хорошего. Благотворительностью занимается, является председателем областного союза предпринимателей, депутат законодательного собрания. Правда, иногда кое-кто пытается напомнить, чем зарабатывает себе на жизнь этот господин.

— Надо полагать, дядя бизнесмен, если он председатель какого-то там союза.

— А вы сообразительная, — кивнул Рогозин и тоже

без намека на издевку. — Если торговлю оружием и наркотиками можно назвать бизнесом.

— Ого, — вздохнула я. — Серьезно. А чего не посадите, если все знаете?

— Одно дело — знать, и совсем другое — доказать. Разницу уловили?

— То есть догадки есть, но все бездоказательные. Занятно.

— Еще бы. Такое сплошь и рядом. Вот я, например, совершенно точно знаю, что в вечер убийства журналиста Алексея Тендрякова с ним в баре были вы, но доказать не могу. Следовательно, не имею возможности привлечь вас как соучастницу убийства. Или вы только свидетель?

— А кто убийца? — спокойно спросила я.

— Хорошо вам известный Виктор Олегович Одинцов.

— Одинцов? Не помню. Впрочем, я мало кого из знакомых мужчин знаю по фамилии. Ну а раз вам известен убийца, логично ему вопросы задать.

— Не успели. Скончался. Шлиман решил копнуть поглубже, хоть я ему и не советовал, и разбился на машине.

— Что вы хотите сказать?

— Только то, что сказал. Очень трудно доказать, что его убили. Хотя лично я в этом убежден.

— Я разговаривала с Борькой незадолго до трагедии, как вы знаете. Так вот, он был пьян в стельку, ему нельзя было садиться за руль.

— Зато ваши друзья были об этом хорошо осведомлены.

— А может, у вас фантазия разыгралась? Сами говорите: доказать ничего не можете.

— Не могу, — легко согласился он. — А вот с вашей помощью смог бы.

— Не представляю, чем могла бы помочь, — опечалилась я. — Если только начать фантазировать с вами на пару. Но вряд ли от наших фантазий будет толк.

— Я и не ожидал, что вы сразу согласитесь, — мягко улыбнулся Рогозин. — Дело-то опасное, кому знать об этом, как не вам? Но кое-что позволяет мне надеяться на вашу помощь.

— Понятия не имею, о какой помощи речь, но спасибо за доверие.

— Мое мнение, господину Долгих давно пора сменить место жительства на другое, где минимальный комфорт и максимальная охрана.

— Вам видней, — пожала я плечами.

— Уверен, вы тоже очень этого хотите, хотя и сомневаетесь в успехе.

— У меня нет мнения по данному поводу. Но я полагаюсь на ваше.

— Если вы не против, я хотел бы объяснить, почему так считаю. — Я согласно кивнула, и он продолжил: — Дело в том, что вы уже давно вызвали мой интерес. Еще до вашего знакомства с Борисом. А то, что он рассказал о вас, лишь укрепило меня в первоначальном мнении.

— Я не спрашиваю, что он обо мне рассказал, — перебила я. — Вряд ли хорошее, раз считал себя обманутым любовником, а плохое я про себя слушать не люблю.

— Он говорил о вас с восхищением. Вы сильный человек, волевой, с чувством собственного достоинства. Еще он говорил, что вы хороший человек. Не так много людей он удостаивал такого определения, и я принял это к сведению. Хорошему человеку, должно быть, нелегко находиться на побегушках у такой мрази, как Никита Полозов.

— Так вот вы о чем, — обрадовалась я. — О Нике много чего болтают, но, на мой взгляд, он неплохой парень.

— Разумеется, — кивнул он опять-таки без намека

на иронию. — Что еще вы могли бы сказать? Я был в зале во время суда, — не торопясь продолжил он. — На меня произвело впечатление, как вы держались. Вы и ваша подруга. Это не комплимент, а констатация факта. Разумеется, ваша история мне была известна. Еще один случай, когда все всё знают, но доказать ничего нельзя. И тогда виноват, конечно, стрелочник, как любят у нас выражаться.

— Вы не правы, — улыбнулась я. — Я была виновата, за что и схлопотала. Я ведь могла покаяться, все рассказать. А я не захотела. Так что все было по-честному.

— Уверен, вы не раз пожалели о своем решении. Тюрьма не место для такой девушки.

— Наверное. Но там таких, как я, предостаточно.

— Мне было интересно знать, как судьба свела вас с Полозовым. Послушаете мою версию? — спросил он.

— Конечно, вы так увлеченно рассказываете.

— Вам известно об убийстве жены господина Долгих?

— Мне и о самом Долгих ничего не известно.

Рогозин пропустил мою реплику мимо ушей и продолжил:

— Довольно запутанная история, с очень интересной предысторией. Не возражаете, если я закурю?

— Ради бога.

— Так вот. Предыстория такова: господин Долгих состоял в гражданском браке с родной сестрой своего друга и компаньона. Несколько лет они с господином Приходько наживали капиталы совместными усилиями, но потом, по слухам, что-то не поделили. Причем борьба разгорелась нешуточная, хоть и подковерная, то есть скорее тайная, чем явная. Господин Долгих в этой борьбе преуспел и оттяпал себе долю компаньона. Правда, ему повезло: компаньон к тому моменту сел в тюрьму за убийство собственной сестры, а его жена и дочь погибли в автокатастрофе, совсем как наш Борис. Приходько вину на суде не признал, и нашлись люди, готовые ему поверить, но, как всегда, доказательства были не на его стороне. Господин Долгих, кстати, утверждал, что отношения между братом и сестрой складывались из рук вон плохо, брат обвинял ее в предательстве и даже требовал, чтобы она совершила преступление: похитила у гражданского мужа важные бумаги. Как женщина порядочная, она требования брата с негодованием отвергла, чем и вызвала его лютую злобу, ну и под горячую руку... Такое между родственниками не редкость, а тут еще улики, то да се... Короче, мужик сел. Хотя на эту историю можно взглянуть и по-другому. Особенно после внезапного исчезновения начальника службы безопасности. Он исчез, а через некоторое время его труп был обнаружен в нескольких километрах от города в сгоревшем доме. И знаете, что интересно? Дом тот принадлежал прадеду вашего возлюбленного Павла Тимофеева. Дом после смерти владельца никто оформить не потрудился, но при желании докопаться, кто хозяин, несложно. У господина Долгих такое желание, скорее всего, возникло.

— Зачем же ему расправляться с начальником собственной службы безопасности? — удивилась я. — Ведь вы намекаете, что труп этого дяди появился там с его благословения?

— Намекаю. Избавиться от него у Долгих нашлось даже несколько причин. Тот был в чересчур хороших отношениях с Приходько, и одного этого уже достаточно на фоне военных действий между бывшими компаньонами. Вскоре начальник службы безопасности лишился доли в бизнесе — весьма ощутимой, надо сказать, — и наконец вообще вылетел с работы. Согласитесь, вещь малоприятная.

— Но прятаться-то ему зачем? — спросила я. Разговор очень меня заинтересовал, и я боялась, что Рогозин его прервет, так и не ответив на мучившие меня вопросы.

— Возможно, он кое-что знал об убийстве жены Долгих. Поговаривали о камере слежения, которую шустрый начальник охраны установил в кабинете шефа, где и произошло несчастье.

— То есть камера запечатлела момент убийства, так? Вот уж настоящий подарок для следствия!

— Еще бы. Вот только к следователям кассета не попала. Аппаратуры вообще не оказалось, когда мы приехали.

— Пленку успели изъять? Приходько спасал своего дружка?

— Возможно... Жену Долгих характеризовали как исключительно порядочного человека. Детский врач, известный в городе...

— А муж наркотой торгует.

— Она могла об этом не знать. До определенного момента. До того самого, когда наметились разногласия между родственниками. Оба наверняка желали видеть в ней союзника.

— Она предпочла мужа, и брат ее убил?

— Официальная версия не всегда отражает истину. Через некоторое время начальник службы безопасности исчезает, а потом обнаруживают его труп. Следы кассеты теряются. Если она была, конечно, — добавил он, внимательно глядя на меня. — Теперь вернемся к вашему бывшему возлюбленному. Каким образом господин Орешин попал в его дом? Возможно, случайно. Почему бы и нет? Дом стоит в лесу, практически заброшенный... Но оказывается, у вашего друга были проблемы — страсть к легкой наживе его не оставляла, и оттого проблемы не раз возникали. Так вот, решить их ему как раз и помогал господин Орешин, состоявший в родстве с его матерью. Четвероюродный брат не бог весть какая родня, но они испытывали друг к другу самые добрые чувства. И когда у самого Орешина возникли проблемы...

— Он обратился к Пашке? — подсказала я.

— Согласитесь, вполне логично. Вот тут в моем повествовании появляетесь вы с подругой. Как раз тогда закончился ваш срок, и вы возвратились в город. И принялись за розыски возлюбленного. Но у него очередные неприятности, он скрывается, и найти его оказывается не так просто.

— Точно. Я его и не нашла. За все эти годы ни разу не видела. Но хотела бы. У меня накопилось, что сказать ему.

— Не сомневаюсь. О доме в лесу вы наверняка знали. Чудесное место для уик-энда. Романтическое.

— Я вам больше скажу: именно в этом доме я лишилась невинности. Но если вы намекаете, что я сожгла его вместе с неведомым мне дядей...

— Я думаю, вы надеялись обнаружить там Павла. Но обнаружили совсем другого человека, который вашему появлению вряд ли обрадовался. Далее в сюжете значительный пробел. Через некоторое время вас уже видят в компании Полозова, Ника, как вы его называете. Так что пробел нетрудно восполнить. Либо Полозов как-то узнал о вас — что в принципе нетрудно, ведь вашу историю за несколько лет до этого обсуждал весь город, и именно вы рассказали ему про дом и его обитателя, — либо он застал вас там. Я склоняюсь к первой версии. Если бы вы оказались свидетелем убийства, вряд ли он оставил бы вас в живых... Какими методами вас убеждали, вообразить нетрудно. В результате вы безропотно выполняете все, что прикажет вам Ник. Только сомневаюсь, что вы смирились. Уверен, вы не прочь поквитаться с этими мерзавцами. Я ошибаюсь?

— Что вы, — вздохнула я. — Все так и есть. Я могу говорить откровенно?

— Конечно, — кивнул Рогозин.

— Занятный вы дядя. Живописали, как Ник и этот самый Долгих разделываются со своими врагами, а потом интересуетесь, не желаю ли я свести с ними счеты? То есть не хочу ли я записаться в клуб само-убийц? Не хочу. Не буду врать, что мне моя жизнь нравится, но и такая жизнь все же лучше, чем ранняя кончина.

— Я понимаю. Вы боитесь, что вполне естественно. Могу представить, что вам пришлось пережить, ка-ким образом он вынудил вас...

— Не можете, — перебила я и улыбнулась. — Я имею в виду — представить. Вы же не чокнутый, вам это просто в голову не придет.

Он уставился на меня. Мы не отводили взгляды больше минуты, потом он спросил серьезно:

— И вы не мечтаете от него избавиться?

— Мечтаю. С утра до вечера, а по ночам даже осо-бенно.

— Говорят, дружков вашего Ника кто-то усердно вырезает. Правда?

— Ага. Ждете, что я приду с повинной?

— Если вы и имеете к этому отношение, то я пред-почел бы ничего не знать. А еще я уверен, вы мучи-тельно переживаете гибель Шлимана. Вы ведь подоз-реваете убийство? С того момента, как узнали о фотографии?

— Он вам ее показывал? — притворяться надоело, разговор утомил, потому что смысла я в нем не ви-дела.

— Конечно.

— Да, я считала его хорошим парнем, и его смерть... Но это ничего не меняет.

— Что же должно произойти, чтобы вы поняли: со злом надо бороться?

— Вот вы и валяйте, боритесь. Вам по службе поло-жено.

— Не боитесь опять оказаться в тюрьме? Только теперь преступление, в котором вас обвинят, посерьезнее.

— И там люди живут. В тюрьме лучше, чем в могиле. Мне есть с чем сравнивать, можете поверить.

Я распахнула дверцу машины с намерением ее покинуть, но Рогозин меня остановил, произнеся многозначительно:

— Есть еще кое-что...

Со вздохом я захлопнула дверцу и посмотрела на него.

— Господин Углов, у которого работает ваша подруга, с точки зрения Долгих — слабое звено. За ним постоянно приходится приглядывать. Думаю, ваша подруга там именно по этой причине. Она ведь его любовница?

— Понятия не имею.

— Не собираюсь вам возражать, просто примите мои слова к сведению. Так вот, я, по известным причинам, пристально наблюдаю за действиями Долгих и его людей. Углов вызывает все большее раздражение у своего приятеля, а тот не из тех, кто долго терпит неугодных. Углов уверен, что Долгих без него не обойтись, и потому чувствует себя в относительной безопасности. Вопрос: как долго это продлится? У меня есть сведения, что Долгих уже прорабатывает запасной вариант, то есть ищет Углову замену. Как только надобность в нем отпадет...

— И вы спокойно будете наблюдать за развитием событий? — усмехнулась я. — Если я правильно поняла, по вашим прикидкам, Углова скоро должны хлопнуть, а вы, вместо того чтобы...

— А что бы я мог сделать? — перебил Рогозин с усмешкой. — Если бы Углов пришел к нам и, к примеру, заявил, что ему угрожают... Но это из области фантастики. Так что остается отслеживать события.

— Ну что ж, желаю вам успехов на ниве отслеживания.

— Вы так и не поняли, что я хотел сказать?

— Простите, нет.

— Запомните мой телефон. Не записывайте, запомните. На тот случай, если понимание вдруг наступит. — Он продиктовал номер, а я его повторила, кивнула и широко улыбнулась.

— Память у меня отличная. Теперь я могу идти?

— Конечно. Всего доброго.

Я захлопнула дверцу и нырнула в ближайший переулок. Сердце билось возле горла, и руки противно дрожали, я поспешно сунула их в карманы, чтобы их вид не действовал на нервы.

— Черт, — пробормотала я и повторила громче: — Черт...

То, что Рогозин пытался меня завербовать, выражаясь языком разведки, меня ничуть не удивило и не особо обеспокоило. Будь у него на меня что-то серьезное, мы бы беседовали совсем в другом месте. А вот его слова об Углове впечатление произвели. Я никогда никому не задавала лишних вопросов, прекрасно понимая, как это опасно. И бесполезно. Парни Ника знали не больше моего, а сам Ник отучил меня задавать вопросы еще на ранней стадии нашего знакомства. Но кое-что и до моих ушей долетало — обрывки разговоров, фраз, реакция Ника на те или другие слова. Я все тщательно примечала, надеясь, что информация поможет нам с Машкой выжить. То, что Углов слабое звено, как выразился Рогозин, мне было хорошо известно. И то, что Долгих надумал от него избавиться, представлялось весьма правдоподобным. Вопрос: как это отразится на Машке? Вдруг тот же Ник решит, что она знает слишком много для длительного разговора со следователем, который непременно произойдет, если ее шеф, скажем, неудачно упадет с балкона?

Я привалилась спиной к холодной стене дома и подставила лицо дождю.

«Так оно и будет», — точно кто-то шепнул мне в ухо, а я стиснула зубы, чтобы не взвыть от бессилия. Что делать? Что я могу сделать, чтобы спасти Машку? Выходит, ничего. Может, стоило выслушать Рогозина? Он хочет посадить всех этих мерзавцев в тюрьму. По крайней мере, он пытался убедить меня, что хочет. Допустим, он честный парень и в самом деле верит в такую возможность. Беда в том, что я в нее не верю. Долгих вряд ли пойдет по этапу, а вот я — запросто, грехов на мне... Впрочем, тот же Долгих мне этого не позволит. Так что перспективы у меня безрадостные. Точнее, перспектива лишь одна: Ник прав, однажды он меня пристрелит. И это только вопрос времени. Но если в словах Рогозина что-то есть, я не могу просто ждать, когда с Машкой разделаются. Что же делать? Что?

Я уже промокла насквозь, но продолжала стоять, прижимаясь спиной к стене. Казалось, у меня просто нет сил, чтобы тронуться с места. И тут зазвонил мобильный. Голос Машки звучал как-то безжизненно, у меня перехватило дыхание от предчувствия беды.

— Юлька, приезжай, останови его, он уходит...

С перепугу я даже не сразу поняла, о ком речь.

— Где ты? Дома? Я сейчас приеду.

Я выскочила на проспект и остановила такси.

— Вот чертова погода, — сказал таксист, поглядывая на меня. Я кивнула и отвернулась к окну.

«Он уходит». Разумеется, речь о Тони. Что ж, этого следовало ожидать. Как, интересно, я смогу его остановить?

В тот момент мне было так мучительно жаль Машку с ее дурацкой жаждой счастья, что я с трудом сдерживала слезы. Когда ты в дерьме по самые уши, любовь не спасает. Она топит тебя, внушая напрасные надежды на жизнь, на счастье, которого просто не может быть.

В ее окнах горел свет. Лифт не работал, я бежала вверх по лестнице и пыталась найти слова для предстоящего разговора. Мысли путались, отчаянно хотелось реветь, и ни одно нужное слово не приходило в голову. Машка останется наедине со своей болью, и, хотя я буду рядом, я ничем не помогу.

Я позвонила, Машка открыла дверь, бледная, в оранжевой пижаме, похожая на грустного клоуна. В глазах безнадежность, как у неизлечимо больного, который осознал свой диагноз.

— Он здесь? — спросила я.

Она молча кивнула, и мы вместе вошли в комнату. Тони стоял возле окна, спиной к нам. Услышав шаги, повернулся и сказал спокойно, глядя мне в глаза:

— Ты приехала? Хорошо. Я не хотел оставлять ее одну.

Он шел мне навстречу, я смотрела на его физиономию, с трудом сдерживая желание вцепиться в нее, чтобы с его лица исчезло выражение спокойной решимости, потому что теперь поняла: никакие слова, если бы даже я вдруг нашла их, его не убедят. И одновременно с этой в голову пришла другая мысль, я вновь увидела Антона как-то по-другому: милейший парень с очаровательной улыбкой был человеком, которого никто и ничто не остановит.

— Не бросай меня, — жалко сказала Машка.

Он сурово нахмурился, голос прозвучал резко:

— Прекрати.

— Не бросай меня, пожалуйста, — повторила она. Стиснула руки на груди и заплакала.

Но было ясно: он уже привык к ее слезам, потому что досадливо отвернулся.

— Допустим, я останусь. Что изменится? Ты выполнишь свое обещание? Чушь. Ты это прекрасно знаешь.

Машка всхлипнула, ноги у нее подкосились, а я испугалась, что она упадет сейчас на колени перед этим типом, которому хотелось только одного — поскорее уйти.

— Топай отсюда, — попросила я, подхватив Машку.

— Нет! — закричала она, пытаясь вырваться.

— Ты уйдешь, наконец?! — рявкнула я.

— Ты же говорил, что любишь меня, — всхлипнула Машка.

— Говорил, — покачал он головой, и теперь стало понятно: ему тоже больно, но его боль не примирила меня с ним. — Я люблю тебя, только это ничего не изменит. Ты ничего не хочешь менять.

— Я хочу, я просто... — Он уже дошел до двери, и Машка отчаянно закричала: — Я буду лечиться, честно! Ради бога, это в последний раз. Вот увидишь...

— Последний раз уже был. Я сыт по горло последним разом.

— Вот и сматывайся поскорее, — спокойно сказала я. — Будешь утешаться тем, что сделал все, что мог. Главное, по ночам спи спокойно.

Он пнул ногой дверь, которую мгновение назад открыл, и повернулся ко мне.

— Очень хочется выставить меня мерзавцем? — Он тоже заговорил спокойно, но спокойствие его было такого сорта, что, будь я девушка менее привычная к вспышкам чужого гнева, возможно, полезла бы под стол. — Что ж, давай. Я послушаю. Заморочил девушке голову, жениться обещал... Подлец, одним словом. А вы — невинные овечки, которые шляются по кабакам, болтают о революции и травят себя наркотой. Извините, у меня на жизнь другие планы. Так что можете считать меня кем угодно. А вы продолжайте идти по жизни весело, с обдолбанными мозгами.

Странно, что его слова так на меня подействовали. Я даже не поняла, как оказалась рядом с ним, толкнула его к стене, действуя автоматически. Его лицо было совсем рядом, и сейчас в глазах Антона читалось лишь изумление, настолько моя реакция его потрясла. Меня, кстати, тоже. Весьма прискорбно, что я не сумела сдержаться, но остановиться уже не могла.

— Слушай, ты, умник, ты хоть знаешь, почему она...

— Юлька, замолчи! — закричала Машка так отчаянно, что у меня опустились руки. — Не смей ему говорить! Если ты расскажешь, я в окно выброшусь.

— Извини, — сказала я, отступая от Антона на шаг. — Извини. Иди и ни о чем не беспокойся. Мы тут выпьем немного и начнем благополучно тебя забывать.

Его растерянный взгляд метался от меня к Машке.

— Прощай, амиго. Мы — девицы, прожигающие жизнь в кабаках, а ты — суровый вояка, который, безусловно, знает все об этой жизни, — сказала я, распахивая дверь. — Представляю, как тебе тяжело смотреть на нас.

Он пытался уловить иронию, но в моем голосе она отсутствовала, Антон нахмурился, все-таки подозревая, что в моих словах запрятан некий второй смысл, и вышел из квартиры с чувством, что сделал что-то не так, неправильно, и не в силах понять, как такое могло произойти. Все это отчетливо читалось на его физиономии, и я, чтобы не видеть ее, поспешно закрыла дверь.

Машка прошла на кухню и включила чайник.

— Я вела себя как дура, — сказала с грустью. В ней произошла странная перемена, и ее внезапное спокойствие пугало еще больше, чем недавняя истерика.

— Нормально ты себя вела.

— Ты бы не стала кричать «не бросай меня».

— Как знать, — пожала я плечами.

— Я пыталась завязать, но... Я ему правда каждый день обещала, он хотел помочь...

— Кончай его оправдывать. И винить себя. Ты такая, какая есть. Человека любят таким, какой он есть, а не таким, каким мы хотели бы его видеть.

— Он меня любил, — сказала Машка со вздохом. — Пока не узнал, правда, любил. Не веришь?

— Верю. А теперь узнал. И сразу разлюбил.

— Ты его совсем не знаешь. — Машка разлила чай и сделала несколько глотков. Я не спешила радоваться ее спокойствию, подозревая, что за ним безнадежность, которая хуже всякого отчаяния. Пусть бы лучше посуду била. Но Машка делать этого не собиралась. — Он хороший человек. Действительно хороший.

— Ага, — усмехнулась я. — Поэтому и смылся.

— А что ему остается? Угробить жизнь на наркоманку? По-моему, он поступил разумно.

— Конечно.

— Нет, в самом деле. Знаешь, он устроился на работу. Отгадай, куда?

— К Рахманову?

— Вовсе нет. Электриком на завод. Хотя Рахманов его к себе звал. Предлагал помощь и вообще... Но Тони не хочет быть кому-то обязанным. И в охрану не хочет. Он ненавидит все, что связано с войной. Охрана слишком напоминает недавнее прошлое.

— Поэтому надо устраиваться электриком?

— Что тут смешного? — обиделась она.

— Ничего. Я восхищаюсь твоим Антоном, но сейчас он меня интересует мало. Лучше скажи, что ты думаешь делать?

— Я? — Машка тихонько засмеялась. — Ничего. Буду жить, шпионить за шефом, бояться до смерти Ника и радоваться, что на мой век наркоты хватит.

— Кстати, о твоем шефе, — сказала я и пожалела об этом, но все-таки продолжила: — Последнее время ты не заметила ничего подозрительного?

— Что ты имеешь в виду? — нахмурилась Машка.

— Тебе не показалось, что его отношения кое с кем ухудшились?

— Почему ты спрашиваешь? — В голосе Машки звучала настороженность, я пожала плечами.

— Просто так.

— Твой Рахманов приезжал вчера, и они больше часа ругались.

— А причина?

— Не знаю. Там двойные двери, и Углов их плотно закрыл. После того как Рахманов ушел, он вызвал меня к себе, был страшно злой, физиономия красная, пил таблетки и на меня орал, что я шпионка. Потом влепил мне пощечину и велел убираться.

— Вот свинья, — не удержалась я от совершенно излишнего замечания.

— Шеф мне не доверяет. Даже не спит со мной в последнее время. Это страшно злит Ника, он говорит, что я ни на что не годная, безмозглая дура. Наверное, так оно и есть. Как думаешь?

— Думаю, что он мерзавец и распоследняя сволочь. Но лучше его не злить.

— Буду стараться. — Машка вздохнула. — Ладно, пойду спать, завтра подъем в семь утра.

— Хочешь, я останусь у тебя?

— Нет, не хочу. Ты обо мне не беспокойся, глупостей я не наделаю. Буду мечтать о том, что он вернется. И реветь.

— Что тебе мешает мечтать, когда я рядом?

— Не обижайся, — похлопала она меня по руке.

— Может, он и правда вернется, — сказала я, поднимаясь.

— Нет, — покачала она головой. — Такие, как он, если что-то делают...

Мое беспокойство только усилилось. Я вышла из подъезда, дошла до угла дома, потом вернулась. Хотела подняться в квартиру, но решила, что Машка мне вряд ли обрадуется, и устроилась на скамейке, глядя на ее окна и ежась от холода. Дождь кончился, но температура упала, я сунула руки под мышки, подняла воротник. Свет в Машкиных окнах все еще горел, потом она подошла к окну и долго стояла так, глядя в темноту, а я смотрела на нее и тихонько поскуливала от безнадеги, от невозможности что-то изменить, исправить. Потом она позвонила и сказала:

— Со мной правда порядок. Иди домой, незачем сидеть во дворе.

— Ты меня видишь?

— Нет. Но знаю, что ты там. Я тебя люблю. И ты ни в чем не виновата. Обещай мне одно: ты никогда, ни при каких обстоятельствах не расскажешь ему, что с нами тогда сделали. Мужчина не должен знать такое о женщине. Женщиной надо восхищаться, а не жалеть ее.

— Я и не думала рассказывать.

Я поднялась со скамьи и пошла к остановке. Помахала Машке — она все еще стояла у окна.

Я свернула на свою улицу, когда впереди заметила женщину. Она нервно оглядывалась по сторонам, точно кого-то опасалась.

— Юлька, — вдруг позвала она, и я узнала Любку-Кошку. Любка приблизилась и потащила меня в переулок, заговорщицки шепча: — Ищу тебя часа два. Дома нет, у Виссариона нет, а дело срочное.

— Что у тебя за дело?

— Он обещал мне приличные бабки, если я тебя приведу.

— Кто? — нахмурилась я.

— Мужик тот. Ну, о котором я тебе говорила.

— Тот самый Анатолий?

— Да, идем скорее. Он, поди, ждать замучился и смылся. Плакали мои денежки.

— Где он?

— Здесь недалеко. Я вечером шла к Виссариону, и вдруг он окликнул меня. Короче, он мне дал адрес, велел тебя туда привести.

— Подожди, — притормозила я. — Что он сказал?

— Да ничего. Велел тебя отыскать, обещал приличные бабки. Ты можешь идти побыстрее?

Мы подошли к двухэтажному строению, где раньше располагалась станция «Скорой помощи». Дом признали аварийным, под станцию выделили другое здание, а что делать с домом, похоже, так и не решили. В темноте он выглядел почему-то зловеще. Вскоре пришлось признать: место выбрано с умом. Подойти к дому незаметно практически невозможно, зато в случае чего смыться отсюда легче легкого: шмыгнул в ближайшую подворотню и затерялся в лабиринте старых улиц и переулков.

Мы вошли в подъезд, Любка уверенно направилась к лестнице в подвал. К моему удивлению, в подвале горел свет. Все стены здесь были покрыты надписями, должно быть, местечко облюбовали подростки для своих посиделок. Большая комната изрядно захламлена, но какие-либо обитатели отсутствовали. Любка пристроилась в углу на подобии нар, посмотрела на меня с сомнением, достала шприц из сумки и пробормотала:

— Я пока, это... здоровье поправлю.

— Валяй, — ответила я и отвернулась, хотя мои взгляды вряд ли бы смутили Любку.

Тут послышались осторожные шаги, и через некоторое время в комнату вошел мужчина.

— Привет, — сказал он и привалился к стене, сверля меня взглядом.

Описание, данное ему Любкой, было довольно точным, так что я могла быть уверена, что передо мной Анатолий. Любка помахала ему рукой из своего угла, закрыла глаза и, по всей видимости, счастливо отбыла в другую реальность.

— Салют, — ответила я, продолжая сидеть на корточках и глядя на него снизу вверх. Приближаться он не спешил, потому я перебросила ему сумку, поднялась, расстегнула пиджак, демонстрируя свою тонкую талию. — Я без оружия, — сказала спокойно и вновь устроилась на корточках.

В сумку он все-таки заглянул и вроде бы остался доволен. Сделал несколько шагов ко мне.

— Давно хотел с тобой встретиться, — заявил он и усмехнулся. К чему относилась усмешка, мне неведомо, скорее всего, он просто испытывал неловкость, не зная, с чего начать разговор. Анатолий покосился на Любку и вновь взглянул на меня, точно спрашивал мое мнение.

— Она в отключке, — заверила я и настроилась на терпеливое ожидание. Торопить его я не хотела.

Мужчина сделал еще шаг, тоже опустился на корточки, привалившись спиной к стене, и теперь мы сидели на расстоянии вытянутой руки.

— Ты знаешь, где Француз? — спросил он тихо.

— Нет.

Он вроде бы не поверил, уставился в мои глаза, а я пожала плечами.

— Когда вы виделись в последний раз?

— Давно. Через несколько дней после того, как сгорел дом его прадеда.

— Ты передала ему кассету?

Я усмехнулась и даже головой покачала.

— Пока ты только задаешь вопросы. Прежде чем на них отвечать, мне надо знать, чего ты хочешь.

— Чтобы вся эта сволочь сдохла! — резко ответил он.

— Можно конкретней? Сволочей на свете много.

— Хорошо, — вздохнул он. — Я хочу видеть Долгих в тюрьме. — Собственные слова ему не понравились, наверное, потому, что прозвучало это чересчур наивно, но я согласно кивнула.

— Понятно. Тогда ты начал не с того. — Приходько нахмурился и теперь смотрел на меня с удвоенным вниманием. — Я думала, ты хочешь вернуть свои деньги, — заявила я.

— По-твоему, без копейки за душой у меня есть шанс?

— Так что тебя больше волнует — деньги или желание видеть его за решеткой? Или и то, и другое?

Он нахмурился, но, немного помолчав, все же ответил:

— Это мои деньги.

— Разумеется. И ты их, в отличие от Долгих, заработал честно. Да? — Теперь он злился, смотрел угрюмо, а я продолжила: — Можно вопрос? Ты хотел перехватить транспорт... На что надеялся? Или у тебя был покупатель?

— Ник отправил тебя сюда, чтобы это выяснить? — зло спросил он.

— Если бы Ник знал о нашей встрече, — вздохнула я, — ты бы уже блевал кровью и торопился рассказать все, что вспомнишь. — Он хотел ответить резко, но вдруг передумал. — Кое-что мне не нравится, — продолжила я. — И я хочу понять, что происходит. Потому и решила встретиться с тобой. Можем поговорить, а можем разойтись сразу. Ты как?

Он неожиданно рассмеялся.

— Знаешь, а вы с ним похожи.

— С кем поведешься... — пожала я плечами, поняв, кого он имеет в виду. — Так что?

— У меня был человек, готовый взять весь товар.

— Ага, из тех, что вербуют дурачков на рынке. «Аллах акбар» и все такое... — Он еще больше нахмурился и решил оставить мой вопрос без ответа. — А когда дело не выгорело, придушил парнишку, через которого вел с ними переговоры, чтобы темпераментные горцы не смогли тебя найти? — Ответ мне не требовался. Все так и есть. Уважения к чужой жизни он не испытывал. — У меня еще вопрос, — вздохнула я. — Ты ненавидишь Долгих. Допускаю, что у тебя есть для этого повод. Только мне что за разница — ты или он? Он продает оружие в те же края, и для него человека удавить... раз плюнуть.

— А ты хочешь, чтобы, воюя с этой мразью, я был благородным рыцарем, в беленьких перчаточках и с плюмажем на шляпе?

— Не хочу, — покачала я головой. — Просто не вижу смысла тебе помогать. Ты ведь не просто так меня искал, верно?

— Ты знаешь, что он сделал с моей семьей, со мной? Знаешь? Отправил меня в тюрьму, а потом разделался с женой и дочкой. Он убил мою сестру...

— И на кассете был запечатлен момент убийства?

Он кивнул.

— Видеокамеры установили даже в кабинете, о чем Долгих не знал.

— И начальник его охраны не спешил сообщить ему об этом?

— У него были разногласия с шефом. Серьезные. Он просто хотел обезопасить себя.

— Шантажируя Долгих? Вместо того чтобы передать кассету в прокуратуру?

— О господи, — фыркнул он. — Какая, к черту, прокуратура? У Долгих все куплено.

— Не сомневаюсь. Потом начальник охраны спокойно наблюдал, как тебя упрятали в тюрьму...

— Люди так устроены, — вздохнул Приходько, кажется, это обстоятельство не очень-то его расстраивало. — Все ищут свою выгоду. Я не знал, что Долгих проделывает за моей спиной, а когда узнал... Я думал, у нас честный бизнес, хотел прекратить все это. Я требовал это прекратить, даже угрожал. Я надеялся, что смогу его убедить. Моя сестра тоже понятия не имела, чем занимается ее муж.

— Ты открыл ей глаза?

— По-твоему, я должен был молчать?

— Нет, — покачала я головой. — Ты искал союзников, что совершенно естественно. В тот вечер она хотела поговорить с Долгих, и они встретились на той самой базе?

— Они поссорились, она пригрозила ему, и он ее убил. А в убийстве обвинили меня. Подбросили улики. Если бы только это... У моей жены оставались акции, Долгих пришлось бы с ней считаться, и он убил ее.

— Вряд ли он. Скорее, поручил все тому же начальнику охраны, — усмехнулась я. — Потом Долгих узнал о видеокамере, и песенка начальника охраны, считай, была спета. Как во все это умудрился влезть Пашка?

— Орешин помогал ему не раз. Он родственник его матери.

— Ясно. От меня ты чего хочешь?

— Я встречался с Горохом. Когда вышел из тюрьмы. Он мне многим обязан. Я его ни о чем не просил, знал, что против Ника он пойти никогда не рискнет. Но мне нужна была информация. От него я узнал о тебе.

— И решил, что я пойду против Ника? — Подобные надежды вызвали у меня улыбку.

— Я думал, у тебя возникнет желание отомстить. — Он помедлил и продолжил: — Я знаю, что Ник потерял нескольких своих людей. Не тех, случайно, что измывались над тобой? — Я внимательно посмотрела на него и молча кивнула. — Поэтому я и хотел объединить усилия. Или твоя ненависть распространяется только на «шестерок»?

— Могу я понять это так: ты считаешь меня виноватой в их смерти?

Вопрос вынудил его нахмуриться еще больше. Он приглядывался ко мне, словно пытался разгадать загадку.

— Мне не нужны твои признания, — дипломатично ответил он после долгой паузы.

— Я была уверена, что ребят убил ты, — сказала я в задумчивости

Теперь он разозлился:

— Нет!

Какое-то время он молчал, вроде бы пытаясь решить: стоит мне верить или нет. В конце концов решил, что стоит, потому что спросил:

— Хочешь сказать, это не твоя работа?

— Их смерть мне была ни к чему. Я бы хотела перерезать глотку Нику. А эти... Значит, не ты и не я.

— Тогда кто?

Я пожала плечами, он смотрел сердито и все-таки спросил:

— И не догадываешься?

— Догадываюсь, — вздохнула я.

— Твоя подруга?

— Машка, режущая мужиков, точно кур? Занятно, но совершенно невероятно.

— Ты не ответишь?

— Нет.

— Но он друг тебе, по крайней мере?

Я покачала головой.

— Тогда я не понимаю. Разве враг моего врага не мой друг?

— Не всегда. Я не люблю делиться своими догадками. Давай вернемся к нашим проблемам.

Он отметил слово «нашим» едва заметным удовлетворенным кивком.

— В любом случае, я бы хотел встретиться с этим человеком, — сказал он. Я вновь пожала плечами.

— Может, и встретишься. Чего ты хочешь от меня?

— Это просто, — усмехнулся он. — В одиночку у меня мало шансов. Ты их так же ненавидишь, как и я. Или я не прав?

— Допустим, прав. И какой помощи ты ждешь от меня?

Он не спешил отвечать, сидел и смотрел на меня. Я его не торопила. Спешить мне некуда, а о том, что он собирается сказать, я догадывалась.

— Кассета, — наконец произнес он. — Орешин никому не мог довериться. Только твоему Пашке. Может, и ему не очень-то доверял, но... другого выхода не было. И еще. Я знаю, кроме кассеты, были другие доказательства. Орешин знал, что его жизнь висит на волоске, и наверняка позаботился о компромате не только на Долгих, но и на всю их лавочку. В то время, когда между ним и Долгих не было разногласий, он мог это сделать. Понимаешь?

Я кивнула и сказала:

— Я не знаю, где Пашка.

— Но ты была в доме, когда убили Орешина. Мне сказал Горох. Была? — Я снова кивнула. — И ты могла...

— Он выбросил кассету в окно. Я подобрала. Горох наверняка рассказывал тебе об этом.

— И что было дальше?

— Я отдала ее Пашке.

— Только кассету?

— Ага. Что на ней, я не знаю.

— Значит, все доказательства у Пашки? — как бы размышляя вслух, произнес Анатолий.

— Если Ник не схватил его тогда. Или не вышел на его след позже. То, что Пашка здесь не появляется, внушает определенные надежды. Разумеется, если он жив, — добавила я.

— Он жив, — сказал Приходько. — По крайней мере, полгода назад был жив.

— Но это не значит, что он твой союзник, — развела я руками. — Ничто не мешает ему сторговаться с

Ником. Возможно, именно так он и сделал, и ты, обратившись к нему, угодишь в капкан.

— По-твоему, у меня никаких шансов? — зло спросил Анатолий.

— Не знаю, — честно ответила я. — Если тебя волнуют деньги, попробуй их отобрать. Если хочешь отомстить — пристрели Долгих.

— Это проще сказать, чем сделать.

— Наверное, — сказала я, поднимаясь. — В любом случае желаю тебе удачи.

— Ты уходишь? — вроде бы не поверил он.

— Я считала, что парней зарезал ты. Я ошиблась. Это все, что я хотела знать.

— Ты скажешь Нику о нашей встрече?

— Нет, — подумав, ответила я. — Хочешь услышать совет? Сматывайся. Ты жив — это главное. Ник мне не доверяет, и я не знаю, как далеко он продвинулся в своем расследовании, найти тебя не так сложно. Он ведь знает, что ты на свободе. Я уверена — ты у него подозреваемый номер один.

— Значит, ты мне не поможешь?

— Нет.

— Ты рядом с ним, и ты много знаешь.

— Он мне не доверяет, — повторила я. — И у меня ни малейшего желания оказаться в тюрьме или в могиле. Не ищи меня больше. Это опасно. И для меня, и для тебя.

Я направилась к выходу.

— Подожди, — не удержался Приходько. — Вдруг ты передумаешь? Запиши номер моего мобильного.

Я невольно вздохнула:

— Это неразумно.

— Что? — не понял он.

— Ладно, диктуй номер. Я запомню. — Анатолий назвал несколько цифр, и я их повторила. Подумала, стоит ли говорить, и решила, что стоит: — Ты сказал, что ищешь союзников. На днях я разговаривала с дядей по фамилии Рогозин.

— Александр Иванович? Из прокуратуры? — судя по реакции, он знал, о ком речь.

— Точно. У него большое желание видеть Долгих в тюрьме.

— Неудивительно, — усмехнулся Приходько — Рогозин хороший мужик. Честный. Ты можешь устроить с ним встречу?

— Я могу дать тебе номер его телефона. Правда, честному менту вряд ли понравится, что ты собирался сделать с оружием, и уж точно не понравится, что ты придушил помогавшего тебе парнишку. Но... как знать. В конце концов, рассказывать ему об этом необязательно.

— А ты? На чьей стороне ты? — спросил Приходько. Вопрос меня скорее удивил.

— Я? Я хочу спасти свою шкуру, и если вы все вдруг перестреляете друг друга, я возражать не стану.

— Но доносить не будешь?

— Не буду. Скажем так: я соблюдаю нейтралитет. Удачи, — кивком простилась я и поторопилась покинуть подвал.

Если бы во мне было чуть больше здравомыслия, я сразу позвонила бы Нику. Но делать этого не хотелось. Хотя симпатии Приходько у меня не вызывал. В борьбе с Долгих он потерпел поражение, а сейчас ищет способ отыграться. Утверждает, что о его криминальной деятельности не знал. Может, так оно и есть, а может, вранье. Бог знает, что они тогда не поделили. Я вспомнила закуток в сарае Мусы, труп, прикрытый курткой, и невольно поморщилась. Иногда желание отомстить заводит слишком далеко. У Приходько погибли жена и дочь, так что в любом случае Долгих ему здорово задолжал, но если Ник и найдет этого парня, то без моей помощи.

На следующий день позвонил Рахманов. Вечером мы встретились, и я усиленно изображала влюбленную дуру. Мои старания не пропали даром, он остался доволен. Уже ночью, стоя у окна и потягивая коньяк, Олег сказал:

— Проклятая погода. Давай махнем куда-нибудь на пару недель? Туда, где светит солнце. Что думаешь?

— Это было бы здорово, — ответила я, лениво потягиваясь, и поманила его пальцем.

Я не особо верила, что он и вправду решит провести со мной отпуск, но чем черт не шутит? Пока наши отношения развивались в нужном мне направлении. Если я не сорвусь, не наделаю глупостей, то у меня есть шанс навсегда избавиться от Ника.

Олег устроился рядом со мной, поцеловал меня в шею, а я продемонстрировала большое желание продолжить. И тут он весьма некстати спросил:

— Ты в курсе, что произошло между Антоном и твоей Машкой?

— Нет. А что между ними произошло?

— Понятия не имею, но они расстались. Мне кажется, она его бросила, — весело добавил он. — Вид у него, как у побитой собаки.

— Не очень-то ты переживаешь за друга, — съязвила я.

— Сам виноват, — усмехнулся он. — Антон из тех, кто любит нарываться на неприятности. Кстати, мы вместе учились на юридическом. На третьем курсе подрались на дискотеке, от ментов мы смылись, но одного из парней, что был тогда с нами, им удалось задержать. Парень о нас помалкивал, хотя ему и грозили отчислением из университета. Признаться, он меня тогда удивил. Тщедушный очкарик — и вдруг такая стойкость. В драке он не участвовал, так что его героическое поведение было даже странным. И что, ты думаешь, сделал Антон?

— Наверное, сказал, что драку он затеял? — усмехнулась я.

— Точно. Заявился в деканат и вылетел из университета.

— По-моему, благородно, — пожала я плечами.

— Да? А по-моему, глупо. Из университета Антона выперли, и он пошел в военное училище. Мог, кстати, и там неплохо устроиться, у него близкий родственник большой начальник в армии, а вместо этого... Теперь он трудится на заводе, хотя я предлагал ему хорошее место. С женщинами ему тоже не везет. Далеко не каждая способна выдерживать его хроническое благородство. Правда, иногда я ему завидую.

— Неужели?

— Нет, серьезно. У парня есть идеалы... Ладно, мне пора.

Я проводила Рахманова до двери, потом долго стояла в темноте и думала о Машке. И почему-то очень много об Антоне. Теперь мне казалось, что эти двое созданы друг для друга и величайшая несправедливость судьбы, что они расстались. Впрочем, у судьбы есть имя: Никита Полозов.

Я прошлась по комнате. Половицы противно скрипели, дождь лил за окном, в кухне капала вода из крана, а в этой жизни не было никакого смысла. Теперь мое недавнее притворство вызывало отвращение, и мне стало совершенно безразлично, смогу я вырваться или нет. Я была уверена лишь в одном: когда-то, на один недолгий миг, я была счастлива. Глупое бабье счастье, за которое до сих пор приходится расплачиваться. К сожалению, не только мне.

Весь следующий день я бесцельно болталась по городу. Ник не появлялся и даже не звонил, а я все никак не могла для себя решить, хорошо это или плохо. Конечно, предупреждение Рахманова могло на него так подействовать, но почему-то не верилось. То, что я была у Ника на подозрении, сомнений не вызывало, и до чего он сможет докопаться, рыская в одиночку, оставалось лишь гадать.

Несколько раз я звонила Машке. Она разговаривала со мной уклончиво, на мой прямой вопрос ответила, что чувствует себя прекрасно. В чем я сильно сомневалась. Предложила встретиться вечером, но она сказала, что будет ужинать со своим шефом. Голос звучал ровно, что тревожило. С моей точки зрения, сейчас она испытывала душевные муки, и ее нежелание говорить со мной вызвало обиду.

Вечером я заглянула к Виссариону, немного поизводила девок Бетховеном и отправилась домой около двух часов ночи. Мои шаги гулко отдавались в тишине улицы, но вскоре к ним прибавился еще один звук, весьма напоминающий легкое шуршание. Кто-то очень осторожно шел за мной, время от времени замирая. Я свернула в ближайшую подворотню и привалилась спиной к стене. Шаги стихли. Я выждала еще немного и осторожно выглянула. Улица была пуста. «Шизофрения, — решила я. — Или нечистая совесть, что более вероятно».

Я продолжила свой путь, но через какое-то время вновь услышала шаги, свернула в очередной двор, прислушалась, выглянула и убедилась, что улица по-прежнему пуста. Дурацкая игра в прятки продолжалась до самого дома. Я было решила, что и вправду спятила, но предприняла последнюю попытку: вошла в подъезд, а через мгновение распахнула дверь и смогла-таки заметить силуэт, который поспешно растворился в ближайших кустах.

— Уже хорошо, — буркнула я. Мысль о моем психическом нездоровье можно смело забыть. Кто-то в самом деле следит за мной. Интересно, кто?

Первым на ум пришел Ник. Но после некоторых размышлений эту мысль пришлось оставить. Приходько? Ему-то зачем... Тогда кто? Я поднялась в квартиру и долго стояла у окна, не зажигая свет. В темноте двора ни малейшего намека на движение. Крайне раздосадованная, я легла спать.

А на следующий день меня ждал сюрприз. Неприятный, разумеется. Впрочем, на приятный я и не рассчитывала.

Я отправилась потолковать с Арнольдом. В его заведении вечно толклись разные типы, встречались среди них и занятные, а по части слухов и сплетен это было первое место в городе.

Арнольд послал мне кислую улыбку — как видно, все еще страдал из-за неразделенной любви.

— Говорят, Нику велели держаться от тебя подальше, — хитро подмигнул он.

— На самом деле он охладел ко мне, — пожала я плечами. — Должно быть, завел кого-нибудь помоложе.

— Говорят даже, что ты высоко летаешь, — не обращая внимания на мои слова, продолжил Арнольд. — И старые друзья тебе как кость в горле.

Вот это показалось интересным.

— Кто говорит? — ласково спросила я.

Арнольд зло хохотнул:

— Люди. Вроде бы ты теперь и на Ника поплевываешь. А кое-кто, чтобы сделать тебе приятное, легко распрощался с его мальчиками. Сколько их уже, а? Говорят, осталось только двое? Артемка очень нервничает.

— Вот что, свинья-хавронья, — поднимаясь, сказала я. — Тот, кто это говорит, очень меня интересует. И Ника тоже. У нас к нему накопились вопросы.

— Не похоже, чтобы Ник нервничал, — ответил Арнольд, приглядываясь ко мне. — Когда Ник нервничает, очень заметно. И опасно. Я думаю, он кое-что знает об убийствах.

— Тебе придется развить свою мысль, — разозлилась я, и Арнольд это почувствовал. Возможно, он пожалел о том, что сказал лишнее, но вместе с тем прекрасно понимал: придется продолжать.

— Я думаю, он не собирается искать убийц, — осторожно сказал Арнольд. — Потому что кое-кто, — тут он закатил заплывшие жиром глазки, — этого не желает.

Я невольно засмеялась и покачала головой.

— Не знаю, кто внушил тебе такую мысль, но со здоровьем у него проблемы. Или у болтуна есть цель, которую я пока не знаю. Но скоро, конечно, узнаю. Можешь быть уверен.

Хотя я и не хотела, но последние мои слова прозвучали с намеком на угрозу. Арнольд нахмурился и начал ерзать под моим взглядом, а я поспешила уйти.

Я немного потолкалась в его заведении среди всякого сброда, ничего интересного не услышала, но то и дело ловила на себе любопытные взгляды.

Итак, если верить слухам, у меня появился неведомый защитник. Надо полагать, общественность имеет в виду Рахманова. Но Рахманову на фиг не надо разделываться с моими предполагаемыми врагами. Мне и самой, кстати, на фиг не надо. Теоретически Олег мог знать о том, что произошло несколько лет назад, но в этом случае начинать логичнее с Ника.

Я была уверена, что все разговоры гроша ломаного не стоят, но они меня беспокоили. То, что Артем нервничает, вполне понятно, а когда узнает, что Вовка тоже погиб, будет нервничать еще больше. Между тем Ник в самом деле проявляет завидное спокойствие, хотя оно вовсе не означает, что убийства его не интересуют. Однако его нежелание посвящать меня в свое расследование настораживает...

Я шла к площади, поглощенная этими мыслями, и вдруг увидела Машку. Она сидела в индийском кафе, за столиком возле окна, и с грустью наблюдала за прохожими. Меня она не заметила. Впрочем, скорее всего, она никого и ничего не замечала вокруг. Я взглянула на часы — у нее сейчас обеденный перерыв, но Машка выбрала кафе, которое находилось слишком далеко от места ее работы.

Я хотела подойти ближе и постучать по стеклу, чтобы привлечь ее внимание, но вдруг решила просто набрать номер ее мобильного. Я видела, как Машка достала телефон из сумочки, и услышала ее голос.

— Салют, как дела? — спросила я.

— Нормально.

— Может, вместе выпьем кофе в твой перерыв?

— Ничего не получится, — вздохнула Машка. — Работы по горло. Буду обедать здесь. Извини, надо бежать.

Я видела, как она положила телефон на стол и снова вздохнула. Машка мне врала. И этому должна быть причина. Разумеется, я могла зайти в кафе и спросить, какого черта она дурака валяет, но не стала. Более того — поспешно нырнула в магазин напротив и оттуда принялась наблюдать за Машкой. Мне было стыдно. Я привыкла ей верить и теперь терялась в догадках, что у нее за секреты от меня. А вместе со стыдом из-за того, что я подглядываю за Машкой, меня переполняла обида.

Минут через пять рядом с кафе затормозила машина, и сердце мое стремительно ухнуло вниз, потому что из машины появился Рогозин. Он вошел в кафе, я на некоторое время потеряла его из вида, затем увидела, как Машка поднялась из-за стола и исчезла в глубине зала. Хорошо хоть у мента хватило ума сесть за другой столик, чтобы не выставлять себя напоказ. Что ему нужно от Машки, мне более-менее ясно. Но он лишь зря теряет время, ей мало что известно. Хотя как взглянуть, о делах своего шефа она знает предостаточно, а когда есть за что зацепиться...

Пожалуй, мне стоит помочь Машке и заглянуть в кафе. Но кое-что удерживало меня на месте: она не сообщила мне о встрече. Почему? Если бы была напугана или обеспокоена, непременно бы позвонила. А она ничего не стала говорить.

Беседовали они долго. Все это время я исходила беспокойством, то собираясь идти в кафе, то вдруг замирая на первом шаге. Наконец я снова увидела Рогозина. Он сел в машину и уехал, а через пять минут из кафе вышла Машка. Посмотрела на небо, которое ради разнообразия голубело почти по-летнему, и вдруг улыбнулась. Разумеется, улыбка относилась к погоде, но все равно было странно видеть на Машкином лице улыбку после встречи с Рогозиным. Я решила, что это хороший знак, значит, разговор ее не напугал.

Машка медленно шла по улице, опустив голову, и я двинулась вслед за ней. Меня подмывало ее окликнуть, но было стыдно сознаться, что я подглядывала, и не хотелось ставить ее в неловкое положение: ведь она мне соврала. Машка шла к парку, все замедляя шаги, вертела в руках сумку и почему-то очень походила на девочку после первого свидания — тогда мир вокруг кажется немного странным, вроде бы привычным и вместе с тем неожиданным.

Я все-таки не выдержала и окликнула ее. Машка обернулась. Я стояла в нескольких метрах от нее и не знала, что сказать, даже шаг ей навстречу дался нелегко. Она смотрела без удивления, скорее с грустью.

— Идем в парк, — позвала тихо. Мы пошли рядом, не касаясь друг друга.

— Я видела Рогозина, — сказала я, немного понаблюдав за ней. Она кивнула.

— Да. Он мне позвонил и предложил встретиться.

— Ты вполне могла послать его к черту.

— Я знаю. — Машка вздохнула и внимательно посмотрела на меня. — Я хочу ему помочь.

— В каком смысле? — Вопрос был излишний. Я уже поняла, что она имеет в виду, и все-таки отказывалась верить.

— Он мечтает отправить всю эту сволочь в тюрьму, а я хочу ему помочь.

— Здорово, — кивнула я. — Рогозин намерен посадить их... А он не сказал, где ты сама в этом случае окажешься? Ему на тебя наплевать, у него есть цель, и он любым способом...

— Вот я все думала, думала... — тихо заговорила Машка, и я сразу замолчала. — Дурацкая у меня жизнь. Родители алкаши... да бог с ними... Всегда я чего-то боялась: что мамка по пьянке дом сожжет, что кто-то узнает, где я живу, что-то я не то говорю... Нескладная жизнь получилась. Зэчка и наркоманка, вот я кто. Но иногда один поступок перевешивает всю никчемную жизнь. И люди помнят не то, как человек жил до этого момента, а то, что он сделал.

— Ждешь, что тебе памятник поставят? — усмехнулась я. — Не дождешься. Жанна д'Арк погибла при большом скоплении народа. На миру и смерть красна, допустим. Но нас придушат втихаря и без свидетелей. И никто о твоем подвиге не узнает. Пойдем червей кормить, вот и все.

— Я буду знать, — усмехнулась Машка. — Я.

— Не думай, пожалуйста, что такие мысли не приходили в голову и мне, — быстро заговорила я. — Только все это ерунда. За минуту дурацкого геройства придется расплачиваться. — Я была очень напугана, потому что уже поняла: нужных слов, чтобы Машку переубедить, не найду.

— Я скажу тебе одну вещь, — пряча взгляд, вздохнула Машка. — Не обижайся, ладно? Я не хотела говорить, но... Ведь Ник не меня, он тебя сломал. Ты стала думать, как он, иногда даже говоришь его словами. Ты ни во что не веришь, и тебе никто не нужен.

— Ты просто хочешь меня обидеть, — нахмурилась я. — Ты знаешь, что я права.

— Конечно, ты права. Все так и есть. С волками жить — по-волчьи выть. Только я не хочу по-волчьи.

— Ты не понимаешь, о чем говоришь. Рогозин заморочил тебе голову, но башкой придется рисковать не ему, а тебе.

— Беда в том, что я мало знаю, — вздохнула Машка. — Я очень-очень хочу помочь, но мало что могу.

— Я не позволю тебе сделать глупость! — не сдержалась я.

— Глупость? — Она вдруг очень внимательно посмотрела на меня, точно пыталась увидеть нечто в самой глубине моего естества. — Ты же им всегда восхищалась...

— Кем? — не поняла я.

— Че Геварой. Разве это не глупость — шастать по болотам в чужой стране? По-твоему, он был глупец? Помнишь, ты мне рассказывала: они встретились с Фиделем, всю ночь сидели на кухне и говорили о революции, а утром решили освобождать Кубу. Че было двадцать семь. Немногим больше, чем нам. Он верил, и у него все получилось. Раньше ты так заразительно смеялась. Мне тогда казалось, что нет ничего такого, чего бы ты не смогла. А как шикарно ты произносила «амигос»... — Она взяла меня за руку. — Давай попробуем. А если не получится, всегда есть выход: просто перестрелять всю эту сволочь. И, умирая, знать, что свою жизнь прожили не зря.

Она смотрела мне в глаза, и я не в силах была отвести взгляд. Она даже не догадывалась, о чем просила. Все эти годы я тщательно скрывала от нее, чем мне приходится заниматься. Я боялась причинить ей боль, а загнала себя в капкан. Я могу ей сказать, что она спятила, что ее разрыв с Тони толкает ее на откровенную глупость, она просто хочет пострадать (дурацкая идея: «чем хуже, тем лучше») или вырасти в его глазах («вот она, вчерашняя наркоманка, сегодня уже бесстрашный герой»).

Наверное, в этих моих словах была бы правда. Но я не собиралась их произносить, потому что поняла: если я сейчас откажусь, то потеряю Машку навсегда. Единственного человека, который мне дорог. Если угодно — единственного человека, в котором заключен смысл моей никчемной жизни. Выбор простой: помочь Рогозину или лишиться Машки. Помочь Рогозину — значит самой оказаться за решеткой на долгие годы. А не помочь — значит остаться с Ником, проживать тягуче-длинные ночи и каждый раз, слыша чужое «амигос», испытывать жгучий стыд.

По большому счету, выбирать было не из чего, то есть мое решение было предрешено. Я тихо засмеялась и покачала головой:

— Думаешь, у нас получится?

Глаза Машки широко распахнулись. Она подалась мне навстречу, а я подумала, что стоит рискнуть из-за одного только такого Машкиного взгляда: в нем были и надежда, и радость, и восхищение. В нем было счастье.

— Ты ему поможешь? — робко спросила она.

— Я ему помогу, — кивнула я.

— Господи, Юлька, я так люблю тебя! — Она обняла меня, и некоторое время мы стояли, прижавшись друг к другу, под недоуменными взглядами прохожих.

— Мы заставим их ответить, — серьезно сказала Машка, отстраняясь.

— Конечно, — кивнула я. — А если не получится, я возьму винтовку и всех их перестреляю.

Глупость несусветная. Но я произносила эти слова серьезно, знать не зная, какую злую шутку выкинет судьба. И вот винтовка уже в моих руках, и вовсе не в переносном смысле... И, загоняя последний патрон, я лихо улыбнусь и скажу: «Прощай, команданте». И не будет рядом Машки, и жизнь моя наполнится смыслом, только когда в оптическом прицеле появится знакомое лицо... Ничего этого я тогда не знала. Хотя, если бы даже знала, что бы изменилось? Я бы твердо ответила Машке «нет», а потом с сожалением наблюдала, как она губит себя? И заискивала перед Ником, выторговывая для Машки лишний час жизни? И навсегда лишилась бы ее доверия и ее любви. В общем, выбора у меня не было. И то, что я тогда решила под ее сияюще-счастливым взглядом, нельзя расценивать как верный или неверный шаг — он был единственно возможным.

Вот так я и оказалась в довольно странной компании: с одной стороны Рогозин, честный мент; с другой Приходько, помешанный на своей мести. А я... Что я? Я была никудышным солдатом, потому что не мечтала стать генералом. И я ни секунды не верила в успех. Только дурак рвется в бой с таким настроением. Я обещала дать официальные показания и кое-что рассказала Рогозину, чтобы пробудить в нем интерес, а также заставить его играть по моим правилам. Собственно, правило было одно: когда все закрутится, он обязан помочь Машке — она уедет в другой город с новыми документами, и знать о том, где она находится, будет лишь сам Рогозин.

Он принял мои условия, не особенно раздумывая. Он был слишком увлечен и не скупился на обещания. Но одного я, несомненно, добилась: Машку он оставил в покое, они больше ни разу не встречались.

Зато благодаря моему содействию он смог встретиться с Приходько. Особой пользы я в том не видела. Приходько уважения к чужой жизни не испытывал, по крайней мере, с родственником Мусы разделался без сожаления. Свои цели и задачи они видели по-разному, хотя сходились в одном: Долгих должен сидеть в тюрьме. Я против этого не возражала, но практическая сторона вопроса виделась мне смутно.

До поры до времени Рогозин держал наши встречи в глубочайшей тайне. Я ждала, что будет дальше, как приговоренный к казни, когда уже не знаешь, благодарить судьбу за очередную отсрочку или плюнуть да и сказать: «Чем скорее, тем лучше». В общем, как храбрые подпольщики, мы встречались в дешевых пивных на окраине города. Рогозин был занят вербовкой, то есть прощупывал коллег на предмет их лояльности и к закону, и к начальству, что, с моей точки зрения, было весьма разумно. Начиная такое дело, надо быть уверенным, что его, по меньшей мере, не прикроют в тот же день.

В среду у меня появился Рахманов с корзинкой клубники и бутылкой шампанского, слегка навеселе и очень довольный жизнью. Начал хвастать, что выиграл заковыристое дело. Слово «заковыристое» произносил с особым удовольствием, выводя рукой крендели в воздухе.

— Детка, я гений. Заявляю без ложной скромности. И я чертовски устал. Мы едем отдыхать. В субботу. Твой паспорт готов, вообще все готово. Собирай вещи. Две недели только солнце, море и твоя любовь.

К тому моменту шампанское он выпил, языком ворочал с усилием и был вполне счастлив. Мне не хотелось никуда ехать. Не помню, чтобы у меня тогда возникли особые предчувствия. На душе было гаденько, что неудивительно, имея в виду, к чему я готовилась. И против отдыха, что называется, «напоследок» я, разумеется, не возражала, но ехать упорно не хотелось.

На следующий день я позвонила из автомата Рогозину. Выслушав меня, он заявил, что ехать надо, мой отказ покажется Рахманову подозрительным, а сейчас лучше всего соблюдать осторожность. В пятницу Рахманов трижды мне звонил, радовался поездке, как ребенок, что слегка удивляло, просил не брать слишком много вещей и тут же интересовался, какое из платьев я возьму. Кажется, это его всерьез интересовало. Извинился, что не сможет прийти сегодня, и напомнил, что вылет в субботу в 12.40, он заедет за мной часов в девять утра.

И я отправилась отдыхать с Рахмановым. Те две недели вполне можно назвать счастливыми, притворство в земном раю давалось мне легко. Рахманов был уверен в моей любви и доволен, а я мрачно усмехалась, представляя его лицо, когда он узнает... С его точки зрения, то, что я задумала, будет предательством. Как еще он мог это назвать? Вытащил из сточной канавы, пригрел, на приличный курорт вывез, а я спуталась с врагами за его спиной. Лишнее подтверждение известной истины, что шлюхам доверять никак нельзя.

Не буду врать, что я испытывала угрызения совести, однако я и представить себе не могла, что Рахманов предаст меня гораздо раньше, причем с легкостью, вызвавшей даже некоторое удивление. Разумеется, само предательство не поразило, скорее поразила поспешность, с которой вдруг начали развиваться события, и совсем не так, как я того ожидала.

Трижды я звонила Машке, и трижды она заверяла, что у нее все в порядке. Голос звучал буднично, и я понемногу успокоилась. За четыре дня до возвращения опять позвонила — телефон не отвечал. Меня это не удивило и не насторожило. Даже когда поздно вечером Машки не оказалось дома, я не встревожилась. Мало ли, проводит время со своим шефом... Ее мобильный упорно не отвечал, но к тому моменту, когда я начала беспокоиться всерьез, пришло время паковать вещи. Я решила, что, вернувшись домой, выясню на месте, какого дьявола она не берет трубку.

Самолет прибыл ближе к полуночи, и дома я оказалась уже поздней ночью. Наплевав на возможное Машкино ворчание, сразу же позвонила ей. Ее мобильный был отключен, домашний телефон не отвечал. Я поехала к ней, но дома не застала, что неудивительно, раз она не ответила на звонок.

Битый час слонялась под ее окнами, то и дело возвращаясь к квартире. Ключей у меня не было, я их потеряла месяца три назад, а новые заказать так и не собралась. Домой вернулась уже под утро и, несмотря на крайнее беспокойство, вскоре уснула, проспав часов до десяти. День был воскресный, и звонить Машке на работу смысла я не видела. Позвонила на мобильный, затем на домашний, а потом отправилась на ее квартиру, понимая всю бесперспективность этой затеи: явно ведь предстоит болтаться в ее дворе, пока она там не появится или сама не позвонит.

Я шла мимо газетного киоска, по привычке взглянула на издания, вывешенные в витрине, и обомлела. С первой страницы «Вечерки» на меня смотрела Машка. Не знаю, где они взяли фотографию — фотографии было лет пять, Машка выглядела на ней жалким воробышком, на которого какой-то кретин вылил ковш воды. Испуганная, с больными глазами, она смотрела на меня, и все вокруг: ее лицо, газетный киоск и улица — начало кружиться в бешеном танце. Я не понимала ни слова из того, что было написано под фотографией. Из оцепенения меня вывел женский голос.

— Вам плохо? — заботливо спрашивала киоскер, прильнув к окошку.

Я попросила газету, плюхнулась на скамью неподалеку и стала читать. Смысл прочитанного дошел не сразу. Я по нескольку раз читала одно и то же предложение, возвращалась взглядом к фотографии Машки, и все, что успевала понять к тому моменту, разом исчезало из памяти. Я смотрела на ее лицо и начинала реветь, жалко всхлипывая...

Все же мне удалось успокоиться, и смысл статьи наконец-то дошел до меня. Если верить человеку, подписавшемуся «П. Карасев», Машка убила своего шефа. Случилось это в среду, в 9.30 утра. «Неужели кто-то способен верить в такую чушь?» — хотелось заорать мне, но людям, которые шли мимо, было наплевать и на мои слова, и на газету с Машкиным лицом

292

на первой странице — вчерашние новости мало кого занимают.

А новости были такие. Машка состояла в любовной связи со своим шефом. Человек семейный, он вскоре начал ею тяготиться и дал Машке отставку, но почему-то не уволил. В этом месте Карасев сделал предположение, что Машка его шантажировала, собираясь сообщить жене об измене благоверного, а у супруги проблемы с сердцем. Но, насколько я знала, у мадам Угловой проблемы с печенью, своего муженька она считала ничтожеством, открыто появлялась везде с любовником, и меньше всего на свете ее интересовало, как проводит время благоверный. Очень трудно мне было представить ее безутешной вдовой, хотя, может быть, и правда рыдает дни и ночи напролет, но не это меня сейчас интересовало. Итак, в среду, в 9.20 утра Машка вошла в кабинет своего шефа, а в 9.30 раздались два выстрела. Сбежались граждане со всего этажа и обнаружили душераздирающую картину: в кресле, ткнувшись лицом в стол, Углов с развороченной выстрелом головой, а в нескольких шагах от него Машка с пистолетом в руках. Оружие принадлежало Углову, и хранил он его тут же, в верхнем ящике стола. При виде граждан Машка впала в буйство, кричала что-то нечленораздельное, но оружием никому не угрожала. Мало того, поспешно отшвырнула его подальше от себя, а потом попыталась выпрыгнуть в окно. Явившаяся по звонку милиция внятных ответов на свои вопросы не услышала, присутствующие сошлись во мнении, что Машке необходим врач. Так она оказалась в психушке. Карасев зря времени не терял, Машкину биографию изучил основательно и не преминул упомянуть о судимости и о лечении от наркотиков в одной из клиник. Портрет был законченным: неуравновешенная девица, которая пристрелила любовника, узнав, что он ее бросил. Банальная история, если бы любовник не являлся одним из заметных представителей областной администрации. «Разумеется, господин Углов не мог не знать о прошлом своей секретарши, в противном случае неясно, куда смотрела служба безопасности», — заметил автор. Далее тон статьи менялся, шло сухое перечисление фактов: было произведено два выстрела, в грудь и в голову, оба смертельные, пули выпущены из пистолета, принадлежащего Углову, что подтвердила экспертиза, стреляли с очень близкого расстояния, свидетели утверждали, что одежда и даже лицо Машки забрызганы кровью. Ни в кабинете, ни в приемной никого, кроме нее и жертвы, не было. Истерика лишь подтверждает Машкину виновность. Ее состояние до сих пор далеко от нормы, давать показания она отказывается. Вот и все.

Я прочитала статью еще раз. Как бы убедительно ни звучали доводы автора для других, я-то знала: Машка не могла убить Углова, не могла выстрелить в человека в упор, даже если он умудрился довести ее до бешенства... Чем, интересно? Дурацкими придирками? Она к ним давно привыкла. И уж ее точно бы не взволновало его решение дать ей отставку, скорее она бы вздохнула с облегчением.

Машка Углова не убивала, именно это мне предстояло доказать другим. Забыв про осторожность, я позвонила Рогозину по мобильному.

— Вернулась? — спросил он вместо приветствия.

— Надо встретиться, — сказала я, и через двадцать минут мы сидели с ним в Семеновском парке, точно двое влюбленных.

Погода мало располагала к отдыху на природе, а мое настроение тем более.

— Что произошло? — хмуро спросила я, тряхнув газетой, которую продолжала держать в руках.

— То, что я предсказывал, — ответил Рогозин не спеша, глядя куда-то поверх берез, росших напротив. — Углов давно не устраивал господина Долгих, и тот поспешил от него избавиться.

— Кому понадобилось подставлять Машку?

— Подставлять? — переспросил он.

— Вы ведь не думаете, что она в самом деле... — Я не успела договорить, Рогозин весьма выразительно пожал плечами.

— Надеюсь, что нет. Хотя... Полозов умеет убеждать людей.

— Я не верю, что это она.

— Естественно. Я бы на вашем месте тоже не поверил.

— Не трудитесь убеждать меня в том, что я могу ошибаться. Лучше давайте подумаем, как найти настоящего убийцу.

— Настоящий убийца мне хорошо известен — это господин Долгих. И его причастность к убийству Углова, а также и нескольким другим я и собираюсь доказать.

— А Машка?

Он вроде бы удивился.

— Сейчас мы все равно не сможем ей помочь.

— Вы знаете, где она?

— В психиатрической больнице, в первом отделении, проходит интенсивную терапию.

— Ей колют всякую дрянь, чтобы она превратилась в идиотку?

— А вы хотели бы, чтобы ей кололи то, к чему она давно пристрастилась?

— Вы мне поможете? — резко спросила я, а он усмехнулся:

— Я же сказал...

— Я сейчас не об этом. Вы поможете мне вытащить Машку?

— Как? Взять больницу штурмом? На тот случай, если вас такая идея посетила, предупреждаю: охрана там не хуже, чем в тюрьме, да и найти Марию будет непросто. Так что шею вы себе свернете, а ей не поможете. Но если вы даже каким-то образом смогли бы... Что дальше? Вы должны понимать: и она, и вы сразу станете мишенями.

— Что же делать?

— Работать, — вздохнул он. — Претворять в жизнь намеченный нами план. И когда...

— А Машка будет оставаться в психушке? — не выдержала я.

— Поверьте, больница — это самое безопасное место для нее на сегодняшний день. Мы ей не поможем, то есть мы можем помочь, лишь действуя строго в рамках закона.

Он еще что-то говорил, но я его не слушала. Меня переполняло отчаяние, а еще злость. Я была уверена: останется Машка в психушке или переместится в тюрьму, для Рогозина значения не имеет, у него собственные планы, и Машкина трагедия, по большому счету, его не волнует, а если и волнует, то только как возможность зацепить Долгих.

Пытаясь найти выход, я позвонила Рахманову. Он был в зоне недосягаемости и пребывал там весь день. Вечером я звонила ему домой, и каждый раз срабатывал автоответчик. Я поехала к нему на квартиру, уже догадываясь, что все мои труды напрасны. Консьерж мне дверь не открыл, заявив, что Рахманова нет дома, хотя я увидела свет в окнах его квартиры. Рахманов не желал со мной встречаться, но я с маниакальным упорством стремилась к этому и утром появилась в его офисе. На входе меня остановил охранник и вежливо попросил удалиться.

— Сволочь... — в бессильной злобе бормотала я и заняла позицию рядом с конторой Рахманова. Но он так и не появился. Надеюсь, ему пришлось спускаться по веревочной лестнице, чтобы избежать встречи со мной.

Время шло, я ничего не знала о Машке и не могла ей помочь. Это сводило меня с ума, и только тихим помешательством можно объяснить тот факт, что на следующий день я отправилась к Нику. Он обретался в казино, раскладывал пасьянс в задней комнате, меня встретил счастливой улыбкой.

— Глазам не верю, это ты! Совершенно ослеплен твоей красотой. А какой загар... Как там, на Канарах, погода не подкачала?

Я плюхнулась на диван рядом с ним и потерла лицо руками. Ник, отбросив в сторону карты, с любопытством за мной наблюдал. Потом вздохнул, поднялся и спросил серьезно:

— Водки хочешь?

— Давай, — кивнула я.

Он налил две рюмки, одну подвинул мне.

— С возвращеньицем, — хмыкнул Ник и выпил. Я тоже выпила, поморщилась, а он скроил несчастную физиономию. — Ты разбиваешь мне сердце. Я желал бы видеть тебя счастливой, и что? Сплошные душевные переживания. Что, кинул тебя твой Цицерон? Говорил тебе... папу-то слушать надо, папа жизнь прожил, его на фу-фу не разведешь. Ладно, не грусти. Никуда сладкоголосый от тебя не денется. Я же тебя знаю: если мужик сразу не сбежал, значит, кранты, ты ж вроде наркоты: раза три попробовал и, считай, втянулся. Так что явится Цицерон как ни в чем не бывало и будет любить тебя пуще прежнего. Прислушивайся к папулиным советам, и начнешь из него веревки вить. И будет все в шоколаде. Еще налить?

— Нет.

— Зря. Водка хорошая. А доживу до пенсии, перейду на коньяк. Начну посиживать в кресле-качалке перед камином и потягивать благородные напитки. Красота.

— С трудом представляю тебя пенсионером, — вздохнула я.

— Совершенно напрасно. Лишь бы господь сподобил дожить.

— И чем ты будешь заниматься?

— Стану разводить цветы, — с серьезной миной ответил Ник. — А что, у меня всегда была тяга к прекрасному. Папаша мой очень розы уважает, приму эстафету. Что поделаешь, наследственность. Буду ковыряться в саду, куплю панаму с дырочками, чтоб темечко не пекло, стану пить чай со старушками и записывать рецепты малиношного варенья.

— Ты сам-то в это веришь? — не удержавшись, съязвила я.

— Когда как, — добродушно ответил Ник. — Должна же быть у человека мечта. Вот я мечтаю о пенсии. А ты о чем? Ладно, не отвечай, и так знаю: мечтаешь увидеть папу в гробу, и как можно скорее. Да только нервы мои сердечные волнуешь такими глупостями. Хоть бы головенкой подумала: ну куда ты без меня?

— Ник, что с Машкой? — тихо спросила я.

— А что с Машкой? — вроде бы удивился он. — Лежит себе в психушке, к кровати привязанная. Апельсины жрет. Каждый день по три килограмма отсылаю, чтоб вся в витаминах была.

— Ее держат связанной? — стиснув руки, спросила я.

— Ты зачем пришла? — резко спросил Ник, а я вздохнула.

— К кому мне идти, скажи на милость...

— О-о, — поднял он вверх указательный палец, — пробило. Дошло, наконец. Блудная дочь. Поцелуй папу в темечко, только он о тебе и думает.

— Кто стрелял в Углова? — спросила я.

— Тебе-то что за разница? Знакомец наш стрелял, а кто конкретно, не твоего ума дело.

— А Машка, что с ней?

— Машка твоя дура, одна извилина и та от наркоты фактически прямая. Дядя должен был в большой печали застрелиться, мы для него и причину подготовили, для достоверности — большой-пребольшой проигрыш в казино. Конечно, причина так себе, я нашим даже выговор сделал, что работают без огонька, но все-таки лучше, чем ничего. И как раз в тот момент, когда Углов стрелял себе в голову, в кабинет входит твоя Машка — без стука, заметь, что говорит о ее дурном воспитании, — и начинает вопить, характер-то у твоей подружки склочный. Короче, Углов шмальнул себе еще и в грудь для убедительности и сунул пистолет Машке в руку. А что бедняге было делать? Ситуация-то внеплановая, а работают одни дилетанты, скоро специалиста, чтоб смог собрата укокошить без сучка и задоринки, днем с огнем не сыщешь. Как тут на пенсию уходить? Надо ковать кадры. В общем, на Машкины крики народ понабежал, а у нее единственная ее извилина вдруг заработала, и она поняла, как скверно выглядит: вся в крови да с «пушкой» в руках... Да, тут необходимо отдать должное твоей подруге, не зря я на нее тратил силы и время: другая принялась бы вопить, что был в кабинете еще человек, он-то, такой-сякой, Углова и укокошил, а потом мне пистолетик в руки вложил, а сам через лоджию в соседнюю приемную, которая в тот момент была абсолютно пуста и где дверь заблаговременно оставили незапертой, смылся. Но Машка о человечке ни слова. Вопила отчаянно, в большой печали, что вляпалась, но все не по делу. Буйствовала. И отправилась в психушку. Тут уж я быстренько подключился.

— Ты можешь говорить серьезно? — не выдержала я. Его тон доводил меня до бешенства, но я вынуждена была смирить себя, и в моих словах было больше сожаления, чем злости.

— Пожалуйста, — легко согласился Ник и вновь устроился на диване рядом со мной. — Поведи она себя по-другому, начни отпираться и все такое прочее... — он сделал характерный жест, проведя ребром ладони по горлу, — скончалась бы при первой возможности. Нам суета ни к чему. Углов хоть и ничтожество, но кресло, в котором он сидел, требует уважения. В психушке Машку уже посетил адвокат и растолковал ей, что к чему. Если ее угораздило так не вовремя войти в кабинет, придется брать убийство на себя. А что, тоже неплохо: большая любовь, ревность... все в лучших традициях ее любимых сериалов. Когда она окончательно проникнется, врач разрешит следователю ее допросить.

— И Машка сядет в тюрьму за убийство? — с трудом расцепив зубы, спросила я.

— Я тебе про темечко говорил? Можешь целовать прямо сейчас.

— Ник...

— Ну что «Ник»? — усмехнулся он. — Будешь папу слушать, все сложится в «елочку». Состояние аффекта, то да се... Полежит полгодика в психушке, страсти улягутся, и врач решит, что для общества она не опасна. Переведем в другую психушку, с режимом полегче, не психушка, а санаторий, а там и вовсе домой...

— Ник...

— Все. Я сделал, что мог. Попробуешь вмешаться, и Машке твоей каюк. Выждем время, скоро начнешь к ней на свидания ходить. Я позабочусь о том, чтобы она там лишнего дня не задержалась. Ты мне веришь? — вдруг спросил он совершенно серьезно и уставился на меня своими рыбьими глазами.

— Верю, — буркнула я.

— Вот и отлично. Кровью договор скреплять не будем, я тебе тоже на слово верю, за что бесконечно страдаю.

— Я смогу ее увидеть?

— Я же сказал...

— Как скоро?

— Как только, так сразу.

Ник поднялся и прошелся по комнате. Потом подошел сзади и наклонился к самому моему уху.

— Надеюсь, ты понимаешь, что дружба должна быть обоюдной? Папуля к тебе со всей душой, а ты, сучка, ему свинью на блюде.

— О чем ты? — испугалась я.

— О твоих шашнях с ментом. Я с тебя, сердце мое, глаз не спускал. И мысли твои дурацкие читаю на расстоянии. Ты что себе вообразила?

— Ник, я не стала тебе рассказывать... — Я резко повернулась и натолкнулась на его взгляд. От него мороз пошел по коже, и я поняла, что все слова бесполезны.

— Чего глаза прячешь? Хотела папу в сортир спустить? Ладно, с этим разберемся, будет время. Сейчас меня другой человечек волнует — некто Приходько... Изумление в вашем взоре для меня даже обидно, — вновь принялся кривляться Ник. — Неужто ты думала, что я не докопаюсь? У тебя начисто отсутствует уважение к старшему товарищу. По мне, этот Приходько гроша ломаного не стоит. Если только у него не завалялся документик какой на черный день. Он с твоим Пашкой-Французом часом не встречался?

— Нет. Он искал его. Но не нашел. Оттого и обратился ко мне.

— А ты, вместо того чтобы позвонить папе, так, мол, и так, свою игру затеяла. Ты на что надеялась, идиотка? — рявкнул Ник.

— Ни на что. Просто хотела, чтобы он...

— «Просто хотела», — передразнил он. — Кто твоего хотения-то спрашивает? Этот козел у нас едва ценный груз из-под носа не увел. А кто за груз отвечает? Правильно, я, папуля твой родной, который не спит, не ест, лишь о твоем благе думает. А ты что? Тварь неблагодарная. Значит, так, хозяевам нужен козел отпущения, то есть дядя, который нам едва поставки не сорвал. А ты его злостно прячешь. Нехорошо это. Дядю надо сдавать. Не то не видеть тебе моей дружбы как своих ушей. Пойдешь козликом вместо дяди, мол, ты Гороха прирезала и мужичков на груз навела. Мне что, мне без разницы, ты или Приходько, лишь бы отчитаться. И станет твоя Машка кактусом, уж об этом-то я позабочусь. Если умело за дело взяться, за неделю желаемого эффекта добиться можно. А вот если мы хозяину принесем на блюде голову Приходько, есть шанс поторговаться и неплохо поиметь. Наш отец-основатель ужас как родственника не жалует, видно, опасается, что у того на него кое-что есть. Головку красиво упакуем, и будет полный порядок. И с транспортом разобрались, и заодно узнали, кто у нас тут мочиловом промышлял. Ну, как? Дважды свою любовь предлагать не буду. Только не говори, что не знаешь, как с ним связаться. Не знаешь, выходит, обойдешься без моей любви.

Я понимала, что Ник, несмотря на дурашливость, говорит серьезно.

— Ты вытащишь Машку? — посмотрев на него, спросила я.

— Слово чести. Не будешь дурой, выйдет из психушки на своих двоих и с условным сроком. А дернешься — не обессудь. И вот еще что. Твое некрасивое поведение я тебе прощаю, но в последний раз. Назовем его глупостью и скоренько забудем. Помни о моей доброте. У другого ты бы в ногах навалялась, а я, отец родной, все забыл, простил и люблю пуще прежнего. Ладно, хорош базарить, — хмуро добавил он. — Мне нужен Приходько. Я тебя не тороплю. Хочешь подумать — подумай. Скажем, минуту. Отсчет пошел, — усмехнулся Ник, садясь напротив.

— Я должна позвонить, — облизнув губы, сказала я. Ник пододвинул мне трубку. — Нет. Из автомата. То, что я вдруг звоню по сотовому, покажется ему подозрительным.

— Назначишь ему встречу в пивной на Добросельской, это его не насторожит. Очень удобное для нас местечко. Он даже ничего сообразить не успеет.

Приходько вошел в бар и быстро огляделся, взгляд его задержался на компании молодых людей за столом в углу — трое парней и две девушки. Он чуть расслабился, видимо, решив, что ребята не опасны. И направился ко мне.

— Привет. — Сел напротив, взгляд был настороженным, хотя звонила я ему не в первый раз. О том, что произошло с Машкой, он знал, раз уж об убийстве раструбили все газеты, и наверняка прикидывал, как эти события отразятся на наших планах.

— Привет, — кивнула я.

— Что-нибудь случилось? — помедлив, спросил он.

— У меня появилась идея, как вытащить Машку. Рогозину она вряд ли понравится, но мы с тобой могли бы попробовать. Заодно вернешь себе кое-какие деньги.

— Что за идея? — нахмурился он.

— Идем, кое-что покажу, так будет проще объяснить, что я задумала.

Я поднялась, и он поднялся следом, мы вышли в узкий коридор, который заканчивался дверью во двор. Даже если бы Приходько что-то заподозрил, у него не было шансов сбежать. Я знала, что за дверью, из которой мы только что вышли, стоят ребята Ника. Конечно, Приходько мог бы пристрелить меня, но как раз это в тот момент не очень меня заботило. Коридор закончился, я толкнула дверь и вышла первой, Приходько сделал шаг, и в нескольких сантиметрах от его головы оказалось дуло пистолета. Парень стоял сбоку, буркнул: «Не дергайся!» — и быстро обыскал его, нашел «пушку» и удовлетворенно хмыкнул.

Мы находились в небольшом внутреннем дворе —

четыре стены без окон и металлические ворота. Возле них замер джип, рядом стоял Ник и счастливо улыбался. Потом раскинул руки и пропел:

— Мой драгоценный друг...

Казалось, Приходько не обратил на него внимания, он смотрел только на меня, а я опустила глаза. Приходько мог и не трудиться, буравя меня презрительным взглядом, я и без того знала: с этого дня он — мой ночной кошмар. Неудивительно, что Иуда удавился, не так просто жить с такими мыслями.

Ник распахнул дверь джипа и сказал:

— Прошу.

Из пивной появились двое парней. Один из них быстро приблизился и ударил Приходько ногой по колену. Ноги у него подогнулись, парень завернул ему руки за спину и ударил по голове пистолетом. Тот рухнул на колени.

— Давай его в машину, — скомандовал Ник и подошел ко мне.

— Чего это ты побледнела, моя красавица? Не в первый раз в таком участвуешь и, чувствую, не в последний. Но так и быть, избавлю тебя от неприятного зрелища. На что только не иду, чтоб тебе угодить... Кстати, с ментом бы тоже надо разобраться, уж больно шустрый, и к уголовному кодексу у него такая любовь, куда там страсти африканские...

— Убьешь мента — наживешь кучу неприятностей, — нахмурилась я.

— Это да. Я власть уважаю. А мент хоть и шавка беспородная, но все равно власть. Мы ему взятку дадим.

— Чушь, — устало усмехнулась я.

— Не возьмет? А и не надо. Мы ему денежки подсунем, а потом стукнем, куда следует, пусть перед товарищами оправдывается, что ни ухом ни рылом. Делом будет занят. Может, и не посадят, но свой нос совать, куда не просят, отвадим. Надо бы поручить это тебе... — он сделал длинную паузу, смотрел на меня и только что не облизывался, — да не хочется лишний раз привлекать внимание ментов к твоей особе. Найдем фигуру менее выразительную. Ладно, топай домой, а вечером жди в гости. Скрепим нашу победу взаимными объятиями, не то вернется твой Цицерон, опять начнет жмотничать, и я опять буду трахать тебя лишь в мечтах.

Прогноз Ника, что Рахманов скоро появится, как ни странно, оправдался. Он позвонил мне через неделю.

— Солнышко, — сказал как ни в чем не бывало, — ты куда пропала? Я не мог тебе дозвониться.

— Неужели? — съязвила я, собираясь послать его к черту.

Но рядом сидел Ник, который отобрал у меня трубку, прикрыл ее рукой и сказал:

— Только попробуй. Чтоб голос звенел от счастья, мать твою!

И голос мой зазвенел:

— Я думала, ты меня бросил. Твой консьерж не пускал меня дальше порога, а охранник и на порог не пустил...

— Серьезно? Просто невероятно. Я разберусь. Слушай, я страшно соскучился. Давай сегодня поужинаем в «Карусели», там отдельные кабинеты...

— Ишь, как заливается, сладкоголосый, — хихикнул Ник, когда Рахманов, изложив программу-минимум на вечер, наконец со мной простился. — Я ж говорил, без твоих прелестей он долго не протянет. И почему все мужики такие придурки? Ведь догадываемся, что нет принципиальной разницы между двумя парами ляжек, и задница, как ни крути, задницей и остается, но почему-то тянет пристроиться к строго определенной.

— Тебя тянет? — усмехнулась я.

— Про это мы уже говорили. Что дозволено Юпитеру... далее ты знаешь, ты у нас сучка образованная. В общем, рожу-то не криви, ублажай, облизывай его с восторгом и упоеньем. Цицерон нам очень даже пригодится. А когда мозги у парня потекут, уговори его взять Машкину защиту в суде на себя. Если мы ее идиоткой на всю жизнь объявим, ей придется очень долго отдыхать в психушке. Значит, надо давить на временное помутнение рассудка и убийство в состоянии аффекта. И здесь нам лучшего головастика, чем Рахманов, не найти. Как начнет байки травить, заслушаешься. Я пару раз на заседания ходил, чтоб удовольствие получить. Не поверишь, в особо трагических местах даже плакал.

— Ник, — вздохнула я, прерывая поток чужого красноречия, — заткнулся бы ты хоть ненадолго. Лучше скажи, почему он две недели от меня бегал, а теперь вдруг объявился?

Ник оставил свою дурашливость и хищно улыбнулся.

— Потому что паскуда он, твой Рахманов. Любит жар чужими руками загребать. Две недели назад, когда ты к нему рвалась, пришлось бы решение принимать или быть очень скверным в твоих глазах. А теперь, когда уже все решено... мальчик ничем не рискует. К тому же он уверен: мозги тебе за это время вправили, и ты даже намеком, даже интонацией не позволишь себе дать ему понять, что он сволочь. Иди, радость моя, подготовь себя к любовному свиданию. И покажи ему класс, чтоб он с катушек съехал.

— Ник, ты помнишь, что мне обещал? — помедлив, спросила я.

Он с обидой развел руками:

— Само собой. Что еще за недоверие?

Обещание он выполнил. Уже через два дня я получила от Машки записку. «Я в порядке. Не беспокойся. Как там наши дела?»

Вот тогда мне стало по-настоящему страшно. Сможет ли Машка понять: то, что я сделала, было сделано для того, чтобы ее спасти? Не только понять — простить? Эта мысль не давала мне покоя, я торопила тот день, когда мы встретимся, и страшилась его одновременно. Что я скажу ей? Что Приходько внезапно исчез, а Рогозина обвинили в получении взятки и от расследования всех дел отстранили до выяснения обстоятельств? «Главное, чтобы она вышла оттуда... — твердила я себе. — А там...»

Тоска гнала меня к Виссариону. В бар я приходила к открытию и сидела там часов до четырех утра, когда разбредались по домам последние посетители. В воскресенье, ближе к одиннадцати, в баре появился Тони. Из посетителей была лишь одна мамаша Кармен, баба лет пятидесяти, с мощным бюстом и глазами навыкате. Старая сводня натаскивала новеньких, преимущественно деревенских дурочек, которые трудились на дороге, а свободное время посвящала гаданию, за что в свое время и получила прозвище Кармен. Нрав у нее был добрый, что в ее среде редкость, и мамашу все любили. Виссарион и вовсе испытывал к ней подозрительно нежные чувства. Должно быть, потому, что она всем девкам предсказывала скорое замужество, полтора десятка детей, достаток, любящего мужа и душку-свекровь в придачу. Кармен утверждала, будто обладает даром ясновидения, что в глазах девок невероятно повышало ее статус. В общем, можно было считать, что в баре лишь свои, оттого политесы разводить я не стала. Тони подошел, а я молча на него уставилась, предоставляя ему возможность произнести первую реплику.

— Я пришел... — начал он и замолчал.

— Это я вижу, — ответила я.

— Я хотел узнать... что с Машкой. Я пытался... — Он опять замолчал под моим взглядом.

— Помнится, ты ее бросил. Твое праведное сердце не могло смириться с тем, что она наркоманка.

— Перестань, — поморщился Антон, а я пожала плечами.

— Ты бросил ее по другой причине? — не унималась я. Он вздохнул и отвернулся. — Ну вот, а теперь она еще и чокнутая. Неподходящая пара для такого парня.

— Я хотел помочь...

— Когда?

— Послушай, я действительно очень хочу помочь. Я...

— Катись отсюда, — перебила я.

— Я разговаривал с Олегом, он согласен...

— Катись отсюда, — повторила я.

— Надеюсь, когда ты успокоишься... — Он не договорил, чувствуя себя крайне неуютно под моим взглядом, пытался найти слова, но, наверное, и сам понимал их бесполезность. Помедлив немного, он побрел к двери.

Кармен приподнялась в своем углу за стойкой и поманила меня пальцем.

— Поссорилась со своим парнем? — спросила ласково. Наш разговор с Антоном она не слышала, потому что была слегка глуховата.

— Ага, — буркнула я, желание что-либо объяснять у меня отсутствовало.

— Не переживай. Вы помиритесь. Он женится на тебе, и ты родишь ему двоих детей, мальчика и девочку.

— И умрем мы в один день. Я с утра, а он к обеду.

— Зря смеешься, — обиделась Кармен. — Я это вижу так же ясно, как ты свой рояль.

— Ни хрена ты не видишь, старая пьяница, — буркнула я, но она и ухом не повела.

— Все будет так, как я сказала. Тогда ты вспомнишь мамашу Кармен и захочешь угостить ее рюмочкой, — хитро прищурилась она.

— Морда треснет, — направляясь к роялю, проворчала я, но все же так, чтобы Кармен не слышала. — Мамули, папули кругом...

Дождь опять зарядил на несколько дней. Потом пошел снег. Большие хлопья несло ветром, они падали на асфальт и тут же становились грязной жижей. Увидеться с Машкой было невозможно, но мне разрешили передать ей продукты. Чуть позже я стояла возле приземистого здания, окруженного забором с колючкой, и пыталась отгадать, глядя на окна, за каким из них Машка. На самом деле корпусов было пять, и тот, чей фасад я видела, административное здание, вряд ли там Машка. Но мне хотелось верить, что она смотрит в окно и видит меня. Я насквозь промокла, зябко дергала плечами и слизывала с губ снежинки. Свет в окнах начал гаснуть, и вскоре все они стали темными. А я побрела к дому, но где-то на середине пути изменила траекторию и направилась в бар, где обычно отирались дружки Ника.

Мое появление было встречено настороженно. На бурную радость я и не рассчитывала — с тех пор как Ник принялся везде таскать меня с собой, парни предпочитали держаться от меня подальше, но на сей раз при моем появлении воцарилось гробовое молчание. Правда, длилось сие недолго, приятели Ника, поглазев на меня секунд двадцать, вернулись к игре на бильярде, но чувствовалось, что моя особа их очень занимает.

Официантка принесла мне пиво, я сидела в гордом одиночестве, жалея, что вообще явилась сюда. А причина моего появления здесь была проста: мысль о недавних убийствах все еще меня занимала. Ник уверял, что всех четверых убил Приходько, якобы тот сам перед смертью покаялся. Но лично я сомневалась — и в том, что он покаялся, и в том, что убил. Хотя в пользу версии Ника говорил такой факт: ночной бродяга, ходивший за мной по пятам, с некоторых пор больше не появлялся.

Парни, закончив партию, устроились за стойкой. Один из них подошел ко мне с кружкой в руках и сел без приглашения, дружки проводили его заинтересованными взглядами.

— Привет, — сказал весело.

— Привет, — ответила я.

— Слышала новость? Вовку нашли.

— Купреева? — уточнила я, он кивнул. — Что значит «нашли»? Он же вроде тетку хоронить уехал.

— Ага, — непонятно с какой стати развеселился мой собеседник. — Выловили из речки с перерезанным горлом. — Он хитро прищурился, глядя на меня. Я пожала плечами, не зная, что ответить. — Говорят, у тебя был повод его не любить.

— А кого из вас я люблю? — удивилась я.

— Да и мы тебя на руках не носим, — резонно ответил парень. — Но... Артем здорово нервничает. Как узнал о Вовке, помчался к Нику. Он уверен: трупы — твоих рук дело.

— Придурок, — усмехнулась я. — Ник за такую самодеятельность мне давно бы голову оторвал.

— Возможно. Но далеко не все так думают. Известно, что он питает к тебе слабость.

— Это Ник-то? — удивилась я.

— Ну, может, не слабость...

— Вы бы поменьше языками болтали, — вздохнула я. — Нику известно, кто убил парней, наглый дядя не так давно скончался.

— А как же Вовка?

— Так же, — передразнила я. — Сколько дней он пробыл в воде?

Вопрос поверг парня в глубокие раздумья.

— Короче, Артем сильно нервничает, — хмуро повторил он и добавил, поднимаясь: — Я тебя предупредил, а там как знаешь. — И вернулся к дружкам.

Я поспешила покинуть заведение. Настроение Артема было понятно, так же как и то, что убийства связывают со мной. Действительно, логично предположить, что парней в самом деле зарезала я. Но мне эти разговоры ни к чему. Излишний интерес к своей особе я не приветствовала.

Подходя к дому, я вдруг почувствовала, что за мной кто-то наблюдает, остановилась и несколько минут вглядывалась в темноту. Никакого движения. Но чувство, что из глубины двора на меня кто-то смотрит, не проходило.

Я еще немного постояла возле двери в подъезд и наконец вошла. Свет горел только на втором этаже, я была уверена, что лифт уже не работает, и направилась к лестнице. Наверное, я все-таки почувствовала приближение опасности и поэтому сделала шаг в сторону, но слишком поздно. Удар чудовищной силы обрушился мне на затылок, я рухнула на колени, но, как ни странно, сознание не потеряла, глухо застонала и схватилась руками за голову, не в силах хоть как-то сопротивляться. Дважды меня ударили по спине, скорее всего резиновой дубинкой, а потом, схватив под мышки, потащили из подъезда, сжав ладонью рот. Предосторожность совершенно излишняя, кричать я не могла, в голове стоял звон, ноги ослабли, удержаться на них я даже не пыталась, но к тому моменту уже сообразила, что нападавший был один. Мы оказались на улице, он встряхнул меня и сказал:

— Двигайся, сволочь! — А я поняла, что это Артем.

Он тащил меня в глубь двора, где у него стояла машина, наградил меня еще двумя тумаками, правда, на сей раз бил кулаком, и запихнул в багажник своей тачки. Ехали мы минут тридцать, за это время я смогла окончательно прийти в себя и даже оценить ситуацию. То, что Артем не убил меня прямо в подъезде, внушало определенные надежды. Но в целом перспективы не радовали. Ни одному моему слову он не поверит, так что, выходит, сегодня либо я умру, либо он.

Я аккуратно пощупала свой затылок — крови не было, значит, голову мне этот придурок не пробил. Уже хорошо. Я немного помассировала шею, что позволило ненадолго отвлечься от скверных мыслей. Тут машина остановилась, хлопнула дверца, а вскоре и крышка багажника открылась. В темноте я с трудом разглядела Артема и порадовалась, что он по-прежнему один. Или не нашел помощников, или желал сохранить свой подвиг в тайне.

— Вылезай, — буркнул он.

Я со стоном приподнялась и, неловко вывалившись из багажника, спросила с обидой:

— Ты что, спятил?

Он толкнул меня в спину, я смогла оглядеться и даже понять, куда он меня привез. Садовые участки. Вокруг лес. Шума дороги не слышно. Деревья невысокие, и домиков вокруг немного. Дачный сезон закончился, вряд ли здесь обитает хоть одна живая душа. Если только бомжи, но и им тут делать нечего, никто в здравом уме ничего ценного или съестного оставлять не будет, домики летние, в них в это время околенеешь. Так что опасаться стоит лишь набегов мародеров, но вряд ли Артем боялся с ними встретиться.

— Ты хоть объяснишь, что на тебя нашло? — спросила я. Но он продолжал молча толкать меня в спину, держа в правой руке пистолет, чем очень меня нервировал. Таким образом мы двигались к дому. Дверь оказалась запертой на щеколду, замок отсутствовал.

— Открывай, — приказал Артем.

Я открыла дверь и вошла первой. Маленькая прихожая, а дальше единственная комната. Железная кровать без матраса, стол, еще какая-то мебель. Артем с удовольствием ударил меня еще раз, и я устроилась на полу. Наручников у него с собой не оказалось, и веревкой он не запасся, что слегка удивило. Наверное, поэтому он не чувствовал себя в безопасности, держал оружие наготове и от меня старался отойти подальше. Разумно. Стрелял он неплохо, и пистолет в его руках меня по-прежнему нервировал. Поэтому я решила быть максимально спокойной, чтобы он не принялся палить с перепугу.

— Какая муха тебя укусила? — со вздохом спросила я.

Он не ответил, шарил рукой по столу в поисках спичек. Электричества здесь не было, на столе стояла керосиновая лампа, и с третьей попытки Артему удалось ее зажечь. Такой успех его воодушевил, он подкрутил фитиль побольше, и теперь в комнате стало светло. Артем устроился на табурете и взирал на меня с видом победителя.

— Ты язык, что ли, проглотил? — поинтересовалась я. — Объяснишь, на́конец, что происходит?

— Что происходит? А то ты не знаешь... Вовку нашли.

— Что Вовку нашли — знаю. А вот что на тебя накатило, так и не поняла.

Он подскочил ко мне и ударил по лицу рукой с зажатым в ней пистолетом. И предусмотрительно немедленно ретировался к столу.

— Кого ты наняла, потаскуха? Ты не могла их сама, я за тобой следил...

— А-а... так это ты за мной хвостом ходил? А я уж было начала беспокоиться.

— Кого ты наняла, я тебя спрашиваю? — рявкнул он.

— А что Ник думает по этому поводу? — дипломатично поинтересовалась я.

— Плевать мне на Ника! Если он думает, что я позволю зарезать себя, как свинью...

— Я так не думаю, — ласково сообщил вдруг голос Ника.

Признаться, мы оба с Артемом вздрогнули от неожиданности. Способность Ника материализоваться бесшумно давно приучила соратников держать язык за зубами, но сегодняшнее появление было особенно эффектным.

Мы перевели взгляд на дверь. Ник стоял в своей излюбленной позе, привалившись к дверному косяку, и дружески нам улыбался, как добрый папаша при виде не в меру расшалившихся отпрысков.

— Ник... — пробормотал Артем и облизнул пересохшие губы.

— Что ты вытворяешь? — Ник укоризненно покачал головой. — Я тебе битый час втолковывал, что наши ряды должны сплотиться. На место павших товарищей придут новые... и все такое прочее. А ты затеял междоусобную войну. Терпеть не могу самодеятельность.

— Ник, она знает, кто убил ребят. Она кого-то наняла...

— Глупости. Я же тебе говорил: их убил Приходько, из мести, и наша Железная Леди здесь совершенно ни при чем. Правильно я говорю, радость моя?

— Ага, — отозвалась я вяло и потрогала челюсть.

— Ник, я нутром чую, она, она за убийствами наших стоит! — взвился Артем.

— Дерьмо твое нутро, — покачала я головой. — Хоть немного подумай: допустим, я кого-то наняла. И этот «кто-то» идет к Гороху домой, и тот его впускает в квартиру? Через полчаса после встречи у Ника, прекрасно зная, что завтра ему сопровождать груз? Смех да и только. Потом вдруг Серега мне звонит ни с того ни с сего и предлагает встретиться. Любопытно, что на него нашло? Нанятый мною человек зашел к нему и предложил мне позвонить, и он его, конечно, послушал? Не только позвонил, но и ко мне отправился, с радостью подставив свое горло под нож в подворотне. А за несколько дней до этого скончался Игорь. Тебе Розга не говорил, при каких обстоятельствах? Жаль. Спроси у Ника, он расскажет. И Розга в сортире так расслабился, что повернулся к нанятому спиной и не удивился его появлению, потому что сам ему незадолго до этого звонил, тоже по моей просьбе...

Артем слушал с возрастающим изумлением, а Ник ласково улыбался, а иногда даже весело хихикал и головой покачивал, так его забавляла ситуация.

— Вовку, кстати, зарезали в моей квартире. Ну, тут все понятно, я сама своему наемнику ключи дала и Вовку в квартиру заманила. А потом обнаружила его труп в лифте. Конечно, я девушка недоверчивая, поэтому трупы врагов непременно следовало мне продемонстрировать. На самом-то деле киллер мой считал, что я от этого балдею, потому что у самого голова набекрень...

Надо отдать должное Артему: он оказался вовсе не таким тугодумом, каким я себе его представляла. Где-то к середине моей речи он начал кое-что соображать и затравленно поглядывать на Ника, а тот продолжал расточать улыбки.

— Гениально, — кивнул Ник, когда я закончила. — Рад, что не ошибся в твоем уме. Осталось только назвать имя, — добавил он и взглянул на Артема.

Тот схватил пистолет, который в продолжение моей речи лежал на столе, но Ник, разумеется, выстрелил первым. Артем, на мгновение вскинув голову, мешком повалился на пол.

— Ну, что? — вздохнула я. — Теперь меня пристрелишь?

— Нелогично, — хмыкнул Ник.

— Никита Полозов, ты — чокнутый сукин сын! — сказала я с чувством.

Он присел на корточки напротив меня. Оружие все еще было в его руке, и это пугало. Ему в самом деле ничего не стоило меня пристрелить, но теперь, после того, что я уже сказала, глупо было молчать. Ник продолжал улыбаться.

— Скажи на милость, зачем ты это делал? — со вздохом спросила я.

— А ты не догадываешься? — вроде бы удивился он. — Все твои враги повержены. Разве нет?

— Нет. Ты еще жив, Ник.

— Ну, я не в счет, — совершенно серьезно заявил он, а я покачала головой.

— Мне плевать было на этих шавок. Они все делали и делают по твоему приказу. Тогда тоже. Если я кого-то и должна ненавидеть, так это тебя.

— Возможно, — с легкостью согласился он, а потом протянул мне оружие. — Хочешь, пристрели меня сейчас.

Я заподозрила очередную пакость, но пистолет взяла и проверила наличие патронов. Они были на месте. Ник, наблюдая за мной, хихикнул.

— Без дураков. В самом деле можешь пристрелить.

Он продолжал сидеть на корточках в двух шагах от меня и скалил зубы. Он был абсолютно уверен, что я не выстрелю. И был прав. Допустим, я это сделаю. И что? Что будет со мной завтра? А главное, что будет с Машкой?

— Придурок, — сказала я в досаде, возвращая ему пистолет.

— Ты папуле хамить завязывай, не то дам в зубы, забыв про то, что ты мое любимое чадо.

— И все-таки... Зачем ты это сделал? — не унималась я.

Ник из тех, кто принимает решение, тщательно все взвесив, и его поведению должно быть объяснение. Неожиданно для меня ответил он охотно:

— Они были свидетелями твоего унижения. А у меня в отношении тебя большие планы. Ты далеко пойдешь, счастье мое. У меня нюх на такие вещи.

— Ты спятил, — фыркнула я.

— Ничего подобного, — покачал он головой. — Думаешь, я всю жизнь намерен бегать в «шестерках»? Вот уж радость... Нет, солнышко, такие, как мы, до пенсии не доживают, а я твердо решил разводить цветы в преклонном возрасте. Я помогу тебе, а ты мне. Все просто. Мы нужны друг другу. Считай смерть этих придурков скромным приношением на алтарь нашей дружбы. Примерно такие мысли пришли мне в голову, когда я стоял над трупом Гороха, так что нашему покойному другу стоит сказать спасибо.

— Значит, Гороха зарезал Приходько?

— С его стороны было бы глупостью оставить парня в живых. Хватит базарить, — резко сменил он тон. — Тащи лопату, надо Тему закопать поглубже, ни к чему нам его труп, раз уж всех мочил Приходько. Пусть думают, парень с перепугу в бега сорвался. Здесь рядом болото, его тачку там утопим.

— И что дальше? — усмехнулась я.

— Дальше? — Он вроде бы удивился. — Дальше плодотворный труд для взаимного блага. Наша история только-только началась, так что — ноги в руки и яму копать. В общем, продолжение следует.

Литературно-художественное издание

Татьяна Полякова

НОЧЬ ПОСЛЕДНЕГО ДНЯ

Ответственный редактор *О. Рубис*
Редактор *И. Шведова*
Художественные редакторы *С. Груздев, А. Стариков*
Художник *Е. Шувалова*
Компьютерная графика *А. Марычев*
Технический редактор *Н. Носова*
Компьютерная верстка *Р. Куликов*
Корректор *З. Харитонова*

ООО «Издательство «Эксмо»
127299, Москва, ул. Кларты Цеткин, д. 18/5. Тел.: 411-68-86, 956-39-21.
Home page: **www.eksmo.ru**   E-mail: **info@ eksmo.ru**

Оптовая торговля книгами «Эксмо» и товарами «Эксмо-канц»:
ООО «ТД «Эксмо». 142700, Московская обл., Ленинский р-н, г. Видное,
Белокаменное ш., д. 1, многоканальный тел. 411-50-74.
E-mail: **reception@eksmo-sale.ru**

Полный ассортимент книг издательства «Эксмо» для оптовых покупателей:

В Санкт-Петербурге: ООО СЗКО, пр-т Обуховской Обороны, д. 84Е.
Тел. отдела реализации (812) 365-44-80/81/82.

В Нижнем Новгороде: ООО ТД «Эксмо НН», ул. Маршала Воронова, д. 3.
Тел. (8312) 72-36-70.

В Казани: ООО «НКП Казань», ул. Фрезерная, д. 5. Тел. (8435) 70-40-45/46.

В Самаре: ООО «РДЦ-Самара», пр-т Кирова, д. 75/1, литера «Е». Тел. (846) 269-66-70.

В Екатеринбурге: ООО «РДЦ-Екатеринбург», ул. Прибалтийская, д. 24а.
Тел. (343) 378-49-45.

В Киеве: ООО ДЦ «Эксмо-Украина», ул. Луговая, д. 9. Тел./факс: (044) 537-35-52.

Во Львове: Торговое Представительство ООО ДЦ «Эксмо-Украина»,
ул. Бузкова, д. 2. Тел./факс: (032) 245-00-19.

Мелкооптовая торговля книгами «Эксмо» и товарами «Эксмо-канц»:
117192, Москва, Мичуринский пр-т, д. 12/1. Тел./факс: (495) 411-50-76.
127254, Москва, ул. Добролюбова, д. 2. Тел.: (495) 745-89-15, 780-58-34.

Полный ассортимент продукции издательства «Эксмо»:
В Москве в сети магазинов «Новый книжный»:
Центральный магазин — Москва, Сухаревская пл., 12 . Тел.: 937-85-81, 780-58-81.

В Санкт-Петербурге в сети магазинов «Буквоед»:
«Магазин на Невском», д. 13. Тел. (812) 310-22-44.

Подписано в печать 25.05.2006
Формат 70×90 ¹/₃₂. Гарнитура «Таймс». Печать офсетная.
Бумага тип. Усл. печ. л. 12,87.
Тираж 160 100 (125 100 РБ + 35 000 АВД) экз.
Заказ 3595

Отпечатано в ОАО «Можайский полиграфический комбинат».
143200, г. Можайск, ул. Мира, 93.